Fascine-moi

Du même auteur

SYLVIA DAY

Fascine-moi

La série *Crossfire*

Traduit de l'anglais (États-Unis)
par Agathe Nabet

Flammarion
Québec

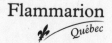

**Catalogage avant publication de Bibliothèque et Archives nationales
du Québec et Bibliothèque et Archives Canada**

Day, Sylvia

    Crossfire

    Traduction de : Captivated by you.

    Sommaire : t. 4. Fascine-moi.

    Texte en français seulement.

    ISBN 978-2-89077-612-8 (v. 4)

    I. Nabet, Agathe. II. Titre. III. Titre : Fascine-moi.

PS3604.A986C7614 2012   813'.6   C2012-942105-7

COUVERTURE

Photo : © Edwin Tse

Conception graphique : © Penguin Group

Photo de l'auteur : © Ian Spanier Photography 2014

INTÉRIEUR

Composition : Nord Compo

Titre original : CAPTIVATED BY YOU

Éditeur original : The Berkley Publishing Group,
filiale de Penguin Group (USA) Inc.

ISBN 978-2-89077-612-8

Dépôt légal BAnQ : 1ᵉʳ trimestre 2015

Imprimé au Canada

www.flammarion.qc.ca

*Pour tous ceux qui ont attendu si patiemment
la suite de l'histoire de Gideon et d'Eva.
J'espère que vous l'aimerez autant que moi.*

1

La morsure glaciale de la douche sur ma peau brû-lante chassa les derniers vestiges d'un cauchemar dont je n'arrivais pas à me souvenir vraiment.

Je fermai les yeux et me plaçai directement sous le jet dans l'espoir que la frayeur et la nausée disparaîtraient dans la bonde en même temps que le tourbillon d'eau qui se formait à mes pieds. Un frisson me secoua, et mes pensées se tournèrent vers ma femme. Mon ange qui dormait paisiblement dans l'appartement voisin. J'avais tellement besoin d'elle, j'aurais tant voulu me perdre en elle, mais je ne le pouvais pas. Non, je ne pouvais ni la serrer dans mes bras ni attirer son corps voluptueux sous le mien pour m'y enfouir et laisser ses caresses effacer les mauvais souvenirs.

— Merde.

Les mains plaquées contre le carrelage, j'encaissais le déluge punitif qui me pénétrait jusqu'aux os. Je n'étais qu'un sale égoïste.

Si j'avais été un type bien, je me serais détourné d'Eva à la seconde où je l'avais vue pour la première fois.

Au lieu de quoi, je l'avais épousée. Et j'aurais voulu que la nouvelle de notre mariage soit annoncée par tous les médias de la planète plutôt que d'être un secret partagé par une poignée de gens. Le pire, puisque je n'avais pas l'intention de lui rendre sa liberté, c'était que j'allais devoir trouver le moyen de garder tapis en moi les démons qui me hantaient au point de m'empêcher de dormir dans la même chambre qu'elle.

Une fois débarrassé de la sueur de mon cauchemar, j'enfilai un pantalon de jogging et gagnai la pièce qui me servait de bureau. Il était à peine 7 heures du matin.

Deux heures plus tôt, j'avais quitté l'appartement qu'Eva partageait avec son meilleur ami, Cary Taylor, pour lui permettre de dormir quelques heures avant d'aller travailler. Nous nous étions aimés toute la nuit, l'un et l'autre trop fébriles et trop avides. Il y avait eu autre chose aussi. J'avais senti chez elle une nécessité pressante qui m'avait mis mal à l'aise et dont le souvenir me rongeait.

Quelque chose la tourmentait.

Mon regard s'attarda sur Manhattan, qui se déployait devant moi, puis se posa sur le mur nu. Des photos d'Eva et de nous deux occupaient ce même espace dans le bureau de notre appartement commun de la Cinquième Avenue. Ces derniers mois, j'avais passé tant d'heures à les regarder que je me les représentais clairement. À une époque, contempler la ville avait été le moyen de donner corps à mon univers. Aujourd'hui, c'était en regardant Eva que j'y parvenais.

Je m'assis à mon bureau, relançai l'ordinateur d'une secousse sur la souris et retins mon souffle quand le visage de ma femme emplit l'écran. Elle n'était pas maquillée et le semis de taches de rousseur qui couvrait son nez la faisait paraître plus jeune que ses vingt-quatre ans. Mon regard caressa ses traits – la courbe de ses sourcils, l'éclat de ses yeux gris, la plénitude de ses lèvres. Il me suffisait de penser à ses lèvres pour les sentir sur ma peau. Ses baisers étaient une bénédiction, la promesse que la vie valait d'être vécue.

10

Je décrochai le téléphone avec un soupir et appe-lai Raúl Huerta. Malgré l'heure matinale, il répondit aussitôt.

— Mme Cross et Cary Taylor se rendront à San Diego aujourd'hui, annonçai-je, mon poing se crispant à cette idée.

Je n'eus pas besoin d'en dire davantage.

— Entendu.

— Je veux une photographie récente d'Anne Lucas et le compte rendu détaillé de sa soirée d'hier sur mon bureau pour midi.

— Ce sera fait, affirma-t-il.

Je raccrochai et me perdis de nouveau dans la contemplation du visage fascinant d'Eva. J'avais pris cette photo par surprise, dans un moment de bonheur, et j'étais déterminé à la rendre heureuse jusqu'à la fin de ses jours. La veille, pourtant, elle avait cru aperce-voir une femme que j'avais autrefois utilisée, et cette vision l'avait perturbée. Cela faisait longtemps que je n'avais pas croisé Anne mais, si elle était responsable de la contrariété de ma femme, elle n'allait pas tarder à me revoir.

Je me décidai finalement à consulter ma messagerie et rédigeai les brèves réponses requises par les mails que j'y trouvai.

Je sentis Eva avant de la voir.

Je levai les yeux et la course de mes doigts sur le clavier ralentit. Une soudaine bouffée de désir apaisa l'agitation qui me gagnait chaque fois que j'étais loin d'elle.

Je m'adossai contre le dossier de mon fauteuil pour mieux savourer la vision qu'elle offrait.

— Tu es bien matinale, mon ange.

Eva se tenait sur le seuil, son trousseau de clefs à la main. Sa chevelure blonde emmêlée retombait en une vague sensuelle sur ses épaules, ses joues et ses lèvres

11

étaient encore toutes roses de sommeil, un débardeur et un short moulaient son corps aux courbes voluptueuses. Elle ne portait pas de soutien-gorge. Pas très grande, elle avait tout ce qu'il fallait pour mettre un homme à genoux. Elle me faisait souvent remarquer à quel point elle était différente des femmes que j'avais connues avant elle.

— Tu m'as manqué quand je me suis réveillée, répondit-elle de cette voix un peu enrouée qui me faisait toujours bander. Depuis combien de temps es-tu levé ?

— Pas très longtemps.

Je repoussai la tablette du clavier pour lui faire de la place.

Elle s'approcha, pieds nus, me séduisant instinctivement. La première fois que je l'avais vue, j'avais su d'emblée qu'elle allait faire dérailler le cours de ma vie. C'était là, dans son regard, dans sa démarche. Partout où elle allait, les hommes la dévoraient des yeux. Comme je le faisais à cet instant précis.

Je l'attrapai par la taille, l'attirai sur mes genoux et inclinai la tête pour aspirer entre mes lèvres la pointe d'un sein que je suçai avidement. Son petit cri étouffé accompagné d'un frisson de plaisir me fit sourire intérieurement. Je pouvais lui faire tout ce que je voulais. Elle m'avait donné ce droit. C'était le plus beau des cadeaux qu'on m'ait jamais fait.

— Gideon, murmura-t-elle en plongeant les mains dans mes cheveux.

Je me sentais déjà infiniment mieux.

Je relevai la tête, l'embrassai et, sous le parfum à la cannelle de son dentifrice, débusquai cette saveur unique, ce petit goût magique qui n'appartenait qu'à elle.

Elle me caressa le visage et son regard fouilla le mien.

— Tu as encore fait un cauchemar ?

Un soupir m'échappa. Elle avait toujours lu facilement en moi. Je n'étais pas certain de m'y habituer un jour.

Je caressai son sein, là où ma bouche avait laissé une trace humide sur le tissu de son débardeur.

— Je préférerais parler des rêves érotiques que tu m'inspires.

— De quoi as-tu rêvé ?

Je pinçai les lèvres, agacé par son insistance.

— Je ne m'en souviens pas.

— Gideon...

— Laisse tomber, mon ange.

— Je veux juste t'aider, répliqua-t-elle.

— Tu sais ce qu'il faut faire pour cela.

— Obsédé, pouffa-t-elle.

Je resserrai mon étreinte. Incapable de trouver les mots pour décrire ce que je ressentais quand je la tenais dans mes bras, je me contentai d'effleurer son cou du bout du nez et d'inhaler le délicieux parfum de sa peau.

— Tu sais, champion...

Quelque chose dans son ton m'alarma. Je m'écartai lentement et scrutai son visage.

— Dis-moi.

— À propos de San Diego...

Elle baissa les yeux, se mordit la lèvre inférieure.

Je me figeai, attendant la suite.

— Les Six-Ninth seront là-bas, lâcha-t-elle finalement.

Elle n'avait pas essayé de me cacher ce que je savais déjà, et ce fut un soulagement. Pourtant, presque aussitôt, je me tendis de nouveau.

— À t'entendre, on dirait que c'est un problème, observai-je d'un ton posé, alors que j'étais tout sauf calme.

— Non, ce n'en est pas un, murmura-t-elle.

13

Ses doigts se crispèrent dans mes cheveux.

— Ne me mens pas.

— Je ne te mens pas.

Elle inspira profondément, puis, soutenant mon regard, elle ajouta :

— J'ai l'impression que quelque chose ne tourne pas rond et... je suis troublée.

— Qu'est-ce qui ne tourne pas rond ?

— Ne fais pas cela, m'avertit-elle doucement. Ne me repousse pas par ta froideur.

— Tu voudras bien m'excuser si entendre ma femme dire qu'elle est « troublée » à cause d'un autre homme ne me met pas de bonne humeur.

Elle se dégagea de mon étreinte et je ne la retins pas. Je voulais qu'il y ait une certaine distance entre nous pour l'observer – l'évaluer.

— Je ne sais pas comment expliquer cela.

J'ignorai délibérément le nœud glacé qui me comprimait les entrailles.

— Essaie.

— Je crois que...

Elle s'interrompit, baissa de nouveau les yeux en se mordillant la lèvre.

— ... qu'il y a quelque chose... d'inachevé.

Ma poitrine se contracta.

— Il te plaît toujours, Eva ?

— Ce n'est pas cela, riposta-t-elle.

— C'est quoi alors ? Sa voix ? Ses tatouages ? Sa baguette magique ?

— Arrête, tu veux ? Ce n'est pas facile d'en parler. Ne rends pas les choses plus difficiles.

— Figure-toi que ce n'est pas facile pour moi non plus, rétorquai-je en me levant.

Je la déshabillai du regard, saisi d'une soudaine envie de la baiser et de la punir en même temps. De l'attacher, de l'enfermer, de la garder à l'abri de quiconque menacerait l'emprise que j'avais sur elle.

— Il t'a traitée comme une merde, Eva. C'est cette vidéo de *Golden* qui te l'a fait oublier ? Tu as besoin de quelque chose que je ne te donne pas ?

— Ne sois pas ridicule.

Elle croisa les bras – une attitude défensive qui ne fit qu'attiser ma colère.

Je la voulais douce et ouverte. Je la voulais toute à moi. J'enrageais parfois de découvrir à quel point sa présence m'était vitale. L'idée de la perdre m'était intolérable. Et elle était en train de me dire la seule chose que je ne supportais pas d'entendre.

— Je t'en prie, ne sois pas odieux, souffla-t-elle.

— Je me comporte de façon remarquablement civilisée, vu la rage que j'éprouve en ce moment.

— Gideon.

La culpabilité assombrit son regard, puis des larmes roulèrent sur ses joues. Je détournai les yeux.

— Ne pleure pas !

Mais elle lut en moi, comme toujours.

— Je ne voulais pas te faire de peine.

Les diamants de son alliance – preuve qu'elle m'appartenait – accrochèrent la lumière, projetant sur les murs l'éclat démultiplié de leurs feux.

— Je ne supporte pas de te bouleverser ou de te mettre en colère, poursuivit-elle. Cela me fait aussi mal qu'à toi, Gideon. Je n'ai pas envie de lui. Je te le jure.

Je m'approchai de la fenêtre, tâchant de puiser en moi le calme nécessaire pour affronter la menace que représentait Brett Kline. Nous avions échangé un serment de mariage, j'avais passé une alliance à son doigt. Je me l'étais attachée de toutes les façons possibles. Et pourtant, cela ne suffisait pas.

De hauts bâtiments me bouchaient l'horizon. Depuis mon penthouse, on voyait à des kilomètres, mais ici, dans cet appartement de l'Upper West Side que j'avais pris pour vivre près d'elle, la vue était limitée. Ni le ruban sinueux des rues encombrées de taxis ni les rayons du soleil se reflétant sur les fenêtres des gratte-ciel n'étaient visibles.

J'aurais pu offrir tout New York à Eva. J'aurais pu lui donner le monde entier. Je ne pouvais l'aimer davantage ; l'amour que j'éprouvais pour elle me consumait. Et pourtant, un crétin surgi de son passé s'évertuait à me supplanter dans son cœur.

Je la revoyais dans les bras de Brett Kline, l'embrassant avec un désespoir que moi seul aurais dû lui inspirer. La pensée qu'elle puisse encore éprouver du désir pour ce type me donnait envie de casser quelque chose.

Je serrai les poings à me faire mal.

— Essaies-tu de me dire qu'il est temps de faire un break ? D'autoriser Kline à clarifier ton trouble ? Parce que, dans ce cas-là, je pourrais aussi aider Corinne à clarifier le sien.

À la mention du nom de mon ex-fiancée, je l'entendis inspirer.

— Tu es sérieux ?

Un silence – affreux –, puis :

— Tu peux être fier de toi, abruti. Tu viens de me blesser comme jamais Brett n'y est parvenu.

Je me retournai à temps pour la voir quitter la pièce, le dos raide. Le trousseau de clefs qui lui permettait d'entrer chez moi gisait sur mon bureau et cette vision déclencha en moi un élan désespéré.

— Arrête.

Je la rattrapai et elle se débattit. Une dynamique familière entre nous – Eva prenant la fuite, moi lui courant après.

— Laisse-moi !

Je fermai les paupières et pressai mon visage contre le sien.

16

— Il ne t'aura pas. Je ne le permettrai pas.

— Tu m'énerves tellement que je pourrais te frapper.

J'eus envie qu'elle le fasse. Qu'elle me fasse mal.

— Vas-y.

Elle m'agrippa les bras.

— Lâche-moi, Gideon.

Je la retournai et la plaquai contre le mur du couloir.

— Comment suis-je censé réagir quand tu m'avoues que Brett Kline te trouble ? J'ai l'impression de me retrouver suspendu au bord d'une falaise, Eva, et d'être en train de lâcher prise.

— Et tu crois que c'est en me faisant mal que tu éviteras de tomber dans le vide ? répliqua-t-elle. Pourquoi refuses-tu d'admettre que je n'ai pas l'intention d'aller voir ailleurs ?

Je la foudroyai du regard et me creusai la cervelle pour trouver la formule magique qui arrangerait tout entre nous. Sa lèvre inférieure se mit à trembler et je... je fondis.

— Dis-moi comment gérer cela, soufflai-je en me laissant aller contre elle, mes mains lui enserrant les poignets. Dis-moi quoi faire.

— Comment me gérer ? répondit-elle en me repoussant d'un coup d'épaule. Parce que c'est de moi que vient le problème. J'ai connu Brett à une époque où je ne supportais pas d'être dans ma peau et où j'avais désespérément besoin d'être aimée. Aujourd'hui, Brett se comporte comme je rêvais qu'il le fasse à cette époque-là. Et, oui, ça me prend la tête.

— Bon sang, Eva, grondai-je en me pressant de nouveau contre elle, comment veux-tu que je ne me sente pas menacé quand j'entends cela ?

— Tu es supposé me faire confiance. Je t'en ai parlé parce que je ne voulais pas qu'il y ait de malentendu entre nous. Parce que je ne voulais surtout pas que tu te sentes menacé. Je sais que j'ai encore des trucs à éclaircir dans ma tête. Je dois voir le Dr Travis ce week-end et j...

— Les psys n'ont pas réponse à tout !

— Ne crie pas contre moi.

Je luttai contre une furieuse envie de flanquer un coup de poing dans le mur. La foi aveugle de ma femme dans les vertus curatives de la thérapie me mettait hors de moi.

— On ne fonce pas chez le psy chaque fois qu'on rencontre un problème. C'est de toi et de moi qu'il s'agit, et de notre mariage. Pas de la communauté psychiatrique !

Elle leva le menton, affichant cette détermination farouche qui me rendait dingue. Elle ne cédait jamais un pouce de terrain tant que mon sexe n'était pas en elle. Alors seulement, elle s'avouait vaincue.

— Tu crois peut-être que tu n'as pas besoin d'aide, champion, mais tu te trompes.

J'encadrai son visage de mes mains

— C'est de toi que j'ai besoin. De ma femme. Et j'ai aussi besoin de savoir qu'elle pense à moi et pas à un autre !

— J'en viendrais presque à regretter de m'être confiée à toi.

— Je savais déjà ce que tu ressentais, répondis-je d'un ton supérieur. Tu ne peux rien me cacher.

— Tu es vraiment d'une jalousie maladive... soupira-t-elle avant de laisser fuser un gémissement ténu. Pourquoi n'arrives-tu pas à comprendre à quel point je t'aime ? Tu n'as rien à envier à Brett. Rien. Mais franchement, là, tout de suite, je n'ai pas envie d'être près de toi.

Elle tenta de se dégager et je m'accrochai à elle comme si ma vie en dépendait.

— Tu ne vois donc pas ce que tu me fais ?

— Je ne te comprends pas, Gideon. Comment peux-tu te couper de tes sentiments comme si tu appuyais sur un bouton ? Comment peux-tu me balancer Corinne à la figure alors que tu sais ce qu'elle m'inspire ?

Je lui effleurai la joue de mes lèvres.

— Tu es ma raison de vivre, je ne peux pas faire abstraction de cela. Je ne pense qu'à toi. Tout le temps. Tous les jours. Tout ce que je fais, je le fais en pensant à toi. Il n'y a de place pour personne d'autre. Et cela me tue que toi, tu puisses avoir de la place pour lui.

— Tu n'écoutes pas ce que je te dis.

— Ne t'approche pas de lui.

— La fuite n'est jamais une solution. Je suis en miettes, Gideon, tu le sais. J'essaie de me reconstruire.

Je l'aimais telle qu'elle était. Pourquoi cela ne suffisait-il pas ?

— Grâce à toi, je suis plus forte que jamais, poursuivit-elle. Certes, il y a encore des fêlures en moi et, quand je les aurai identifiées, il faudra que je trouve d'où elles viennent et comment les guérir. Définitivement.

— Qu'est-ce que tu racontes, bordel ? m'écriais-je, mes mains remontant sous son débardeur, cherchant avidement sa peau nue.

Elle se raidit et me repoussa, presque brutalement.

— Gideon, ne fais pas...

Je couvris sa bouche de la mienne, la soulevai et l'allongeai sur le sol. Elle se débattit.

— Ne t'oppose pas à moi, grondai-je.

— Si tu choisis d'ignorer nos problèmes, c'est nous que tu baises, Gideon.

— C'est toi que j'ai envie de baiser.

D'un mouvement preste, je tirai sur son short. J'étais pressé de m'enfoncer en elle, de la posséder, de la sentir capituler. Tout était bon pour faire taire la voix dans ma tête qui me disait que j'avais merdé. Une fois de plus. Et que cette fois ne me serait pas pardonnée.

— Lâche-moi.

Elle roula sur le ventre.

Je refermais les bras autour de son ventre quand elle se mit à quatre pattes. Elle était assez entraînée pour se dégager de mon étreinte, mais elle pouvait aussi m'arrêter d'un seul mot. Son mot de passe...

— Crossfire.

Dès qu'elle m'entendit prononcer ce mot, le mot qui symbolisait à lui seul le tumulte d'émotions qu'elle suscitait en moi, elle se figea, piégée avec moi dans l'œil du cyclone.

Il y eut comme un basculement. Un silence aussi puissant que familier explosa en moi, étouffant la panique qui menaçait d'ébranler mon assurance. Aussi pétrifié qu'elle, je laissai l'absence soudaine de turbulences se déployer. Cela faisait longtemps que je n'avais plus ressenti ce vertige qui accompagne le passage du chaos au contrôle. Seule Eva était capable de me bouleverser aussi profondément, de me renvoyer à l'époque où j'étais à la merci de tout et de tout le monde.

— Tu vas arrêter de t'opposer à moi, dis-je alors calmement. Et je vais te présenter des excuses.

Elle se détendit entre mes bras. Sa soumission fut aussi totale qu'immédiate. J'avais repris la main.

Je la soulevai et l'assis sur mes cuisses. Eva avait besoin de me sentir maître de la situation. Si je partais en vrille, elle volait en éclats, ce qui ne faisait que me bouleverser davantage. C'était un cercle vicieux et je devais le briser.

— Je suis désolé, murmurai-je.

Désolé de l'avoir blessée. Désolé d'avoir perdu le contrôle. Mon cauchemar m'avait mis à cran – elle l'avait deviné – et le coup qu'elle m'avait porté en mentionnant Kline aussitôt après ne m'avait pas laissé le temps de me ressaisir.

J'allais devoir régler le cas de Kline et surveiller étroitement Eva. Point barre. Je n'avais pas d'autre choix.

— J'ai besoin de ton soutien, Gideon.

— J'ai besoin que tu lui dises qu'on est mariés.

Elle appuya la tempe contre ma joue.

— Je vais le faire.

Je la soulevai le temps de m'adosser au mur, puis la serrai contre moi. Elle noua les bras autour de mon cou, et l'univers retrouva ses contours familiers.

Sa main glissa sur mon torse.

— Champion…

Je connaissais ce timbre caressant. Mon sexe durcit. Accepter ma domination excitait Eva, et je m'enflammai comme une allumette en réponse.

J'enfouis la main dans ses cheveux, enroulai les longues mèches blondes autour de mon poing. Son regard se voila lorsque je tirai légèrement. Elle était entravée, à ma merci, et elle adorait cela. Elle en avait autant besoin que moi.

Je pris sa bouche.

Puis je la pris, elle.

Alors qu'Angus nous conduisait au bureau, je consultai mon planning et songeai au vol de 20 h 30 de ma femme.

Je lui jetai un coup d'œil.

— Tu prendras l'un des jets ce soir.

Elle regardait par la fenêtre de la Bentley, dévorant des yeux le paysage urbain, comme à son habitude.

Je suis né à New York, je ne m'en suis jamais beaucoup éloigné et j'ai fini par me l'approprier. À un moment donné, cependant, j'ai cessé de la voir. Mais la fascination que ma ville natale exerçait sur Eva m'avait incité à la regarder de nouveau. Sans la scruter avec la même intensité qu'elle, je la voyais désormais d'un œil neuf.

— Ah bon ? lança-t-elle d'un ton de défi, heureusement contredit par le regard énamouré qu'elle tourna vers moi.

Un regard qui m'excitait si violemment qu'il me plaçait instantanément sur la ligne rouge.

— Oui, répondis-je en refermant ma tablette. C'est plus rapide, plus confortable et plus sûr.

— Très bien, concéda-t-elle avec un sourire en coin.

Le plaisir qu'elle prenait à me taquiner me captivait et me donnait envie de la soumettre aux supplices les plus insensés, jusqu'à la reddition totale.

— Tu te chargeras de l'annoncer à Cary, ajouta-t-elle.

Elle croisa les jambes, révélant la bordure de dentelle de ses bas et un peu de son porte-jarretelles.

Elle portait un chemisier sans manches rouge vif, une jupe blanche et des sandales à lanières et talons hauts. Une tenue de travail tout à fait acceptable que le corps d'Eva transformait en proposition indécente. Un courant électrique passa entre nous – la reconnaissance instinctive que nous avions été conçus pour nous emboîter parfaitement l'un dans l'autre –, et la pensée qu'elle serait loin de moi tout un week-end me fut soudain insupportable.

— Demande-moi de t'accompagner à San Diego, dis-je.

Son sourire s'effaça.

— Je ne peux pas. Si je dois annoncer qu'on est mariés, Cary doit être le premier à l'apprendre, et je ne pourrai pas le lui dire si tu es là. Je ne veux pas qu'il ait l'impression d'être tenu à l'écart de la vie que je crée avec toi.

— Moi non plus, je ne veux pas me sentir tenu à l'écart.

Elle entrelaça ses doigts aux miens.

— Consacrer du temps à nos amis ne nous empêche pas de former un couple.

— Je préfère te consacrer du temps à toi. Tu es la personne la plus intéressante que je connaisse.

Ouvrant de grands yeux, elle me dévisagea. Puis, d'un seul mouvement, elle remonta sa jupe et s'assit à califourchon sur moi avant que j'aie compris ce qu'elle faisait. Elle prit mon visage entre ses mains, pressa ses lèvres brillantes de gloss sur les miennes et m'embrassa avec fougue.

Je laissai échapper un gémissement approbateur et elle s'écarta, à bout de souffle. Mes mains se refermèrent sur son sublime postérieur.

— Recommence, pour voir.

— Tu n'imagines pas à quel point j'ai envie de toi, souffla-t-elle en passant le pouce sur mes lèvres pour les essuyer.

— Je n'ai rien contre.

Son rire de gorge m'arracha un frisson d'anticipation.

— Je me sens carrément fabuleuse.

— Encore plus que dans le couloir ?

Sa joie était contagieuse. Si j'avais eu le pouvoir d'arrêter le temps, j'aurais choisi de le faire à cet instant.

— Il y a plusieurs façons de se sentir fabuleuse, répondit-elle en pianotant sur mes épaules.

Elle était... radieuse quand elle était heureuse, et son plaisir illuminait tout ce qui l'entourait. Même moi.

— Ce compliment que tu viens de me faire, champion, c'était le plus beau qui soit. Surtout venant du célèbre Gideon Cross, qui croise des gens fascinants tous les jours...

— ... et souhaite qu'ils s'en aillent pour pouvoir enfin te retrouver.

Les yeux d'Eva étincelèrent.

— Mon Dieu, je t'aime tellement que cela me fait mal !

Mes mains se mirent à trembler. Gêné, je m'empressai de les glisser sous ses cuisses. Mon regard se mit à errer dans l'habitacle, cherchant un point d'ancrage.

Si seulement elle avait conscience de l'effet dévastateur de ces trois mots sur moi !

Elle me serra dans ses bras.

— Je voudrais que tu fasses quelque chose pour moi, murmura-t-elle.

— Tout ce que tu veux. N'importe quoi.

— J'ai envie d'une grande fête.

Je sautai sur l'occasion pour changer de sujet.

— Excellente idée. Je me charge d'installer la balançoire.

Eva recula et me donna une tape sur l'épaule.

— Pas ce genre de fête, espèce d'obsédé !

— Dommage, soupirai-je.

Elle me décocha un sourire coquin.

— Que dirais-tu si je te promettais la balançoire en échange de la fête ?

— Ah, alors là, je suis tout ouïe ! déclarai-je en m'installant plus confortablement, enchanté par sa proposition. Comment vois-tu les choses ?

— De l'alcool et des amis, les tiens et les miens.

— Entendu, acquiesçai-je. J'accepte alcool et amis, à condition de te faire ta fête dans un recoin sombre au cours de la soirée.

Elle avala sa salive et je retins un sourire. Je connaissais bien mon ange. Satisfaire son penchant pour les situations frisant l'exhibitionnisme était pour moi un changement radical quand j'y songeais, mais je m'en fichais royalement. J'aurais été prêt à tout pour partager avec elle l'un de ces moments où elle ne se souciait de rien d'autre que m'avoir en elle.

— Tu es dur en affaires, commenta-t-elle.

— Toujours.

— D'accord, fit-elle. J'accepte de me laisser coincer pendant la fête, sous réserve que tu te laisses caresser sous la table avant.

Je haussai les sourcils.

— Tout habillé, objectai-je.

Eva émit un bruit proche du ronronnement.

— Je crois que vous feriez bien de réviser vos fondamentaux, monsieur Cross.

— Je crois que vous allez devoir travailler davantage pour me convaincre, madame Cross.

Comme chaque fois avec Eva, cette négociation fut la plus revigorante de la journée.

Nos chemins se séparèrent au vingtième étage, lorsqu'elle quitta l'ascenseur pour rejoindre les bureaux de l'agence publicitaire Waters, Field & Leaman. J'étais bien décidé à lui faire intégrer mon équipe et peaufinais chaque jour la stratégie qui me permettrait d'atteindre cet objectif.

Quand je pénétrai dans mon bureau, Scott, mon assistant, était déjà là.

— Bonjour, me salua-t-il en se levant. Les relations publiques viennent d'appeler. Ils sont confrontés à un nombre inhabituel de requêtes concernant une rumeur de fiançailles entre Mlle Tramell et vous. Ils aimeraient savoir ce qu'ils doivent répondre.

— Ils peuvent confirmer.

— Félicitations.

— Merci, répondis-je en passant devant lui pour suspendre ma veste au portemanteau.

Quand je me retournai, il arborait un grand sourire.

Scott Reid accomplissait pour moi une myriade de tâches avec une telle discrétion que les autres avaient tendance à le sous-estimer, ce qui lui permettait de passer inaperçu. Plus d'une fois, son sens aigu de l'observation s'était révélé extrêmement précieux, aussi avais-je jugé bon de bien le payer, histoire de l'empêcher d'aller voir ailleurs.

— Mlle Tramell et moi serons mariés avant la fin de l'année, précisai-je. Toute demande d'interview ou de photos concernant l'un de nous devra passer par Cross Industries. Vous préviendrez la sécurité. Personne ne doit la contacter sans être d'abord passé par moi.

— Ce sera fait. M. Madani a demandé à être prévenu de votre arrivée. Il aimerait s'entretenir avec vous avant la réunion de ce matin.

— Je suis prêt à le recevoir quand il veut.

— Parfait, déclara Arash Madani en entrant dans le bureau. Il fut un temps où tu étais à pied d'œuvre avant 7 heures. Tu te relâches, Cross.

Je gratifiai mon avocat et conseiller juridique d'un coup d'œil faussement assassin. Arash ne vivait que pour son travail, dans lequel il excellait, raison pour laquelle je l'avais soufflé à son précédent employeur.

Je lui indiquai l'un des fauteuils en face de mon bureau et m'assis. Son costume bleu nuit était élégant sans ostentation et ses cheveux ondulés parfaitement disciplinés. Ses yeux sombres reflétaient une intelligence aiguë, quant à son sourire, il était plus circonspect que chaleureux. C'était un ami en plus d'être un employé, et j'appréciais son goût pour la concision.

— Nous avons reçu une offre correcte pour la propriété de la 36ᵉ Rue, annonça-t-il.

— Ah oui ? fis-je, pris de court, et soudain en proie à des émotions diverses.

Tant que j'en serais propriétaire, l'hôtel qu'Eva détestait demeurerait un problème.

— Tant mieux, ajoutai-je, laconique.

— C'est d'autant plus curieux que la reprise du marché immobilier est plus que timide, observa-t-il. J'ai dû creuser pas mal, mais j'ai fini par découvrir que l'enchérisseur est une filiale de LanCorp.

— Intéressant.

— Gonflé, je dirais. LanCorp sait qu'il est très loin de l'estimation la plus élevée – un écart de dix millions, grosso modo. Je te recommande de retirer la propriété de la vente et de voir où en sera le marché d'ici un an ou deux.

— Non, répondis-je en écartant sa suggestion d'un revers de main. S'il le veut, qu'il l'ait.

Arash cilla.

— Tu déconnes ? s'exclama-t-il. Pourquoi es-tu tellement pressé de te débarrasser de cet hôtel ?

Parce que je ne peux pas le garder sans faire souffrir ma femme.

— J'ai mes raisons.

— C'est ce que tu m'as répondu quand je t'ai conseillé de le vendre il y a des années et que tu as choisi d'engloutir des millions en frais de rénovation au lieu de m'écouter. Tu commences à peine à rentrer dans tes frais, et tu veux t'en débarrasser maintenant, alors que le marché est encore très hésitant et que l'acheteur potentiel est ton ennemi juré ?

— Il n'y a pas de mauvais moment pour vendre de la pierre à Manhattan.

Et n'importe quel moment était bon pour bazarder ce qu'Eva appelait ma « garçonnière ».

— Certains sont meilleurs que d'autres, tu le sais. Landon le sait. En acceptant de lui vendre, tu ne feras que l'encourager.

— Parfait. Peut-être qu'il montrera son jeu.

Ryan Landon avait une revanche à prendre ; je ne lui en tenais pas rigueur. Mon père avait décimé la fortune des Landon et Ryan voulait qu'un Cross paie pour cela. Ce n'était ni le premier ni le dernier des hommes d'affaires à me reprocher les exactions de mon père, mais c'était le plus tenace. Et il était suffisamment jeune pour avoir beaucoup de temps à consacrer à cette tâche.

Je contemplai la photo d'Eva posée sur mon bureau. Toute autre considération était secondaire.

— À ta guise, déclara Arash, qui, moqueur, leva les mains en signe de reddition. Préviens-moi simplement si tu as l'intention de changer les règles.

— Rien n'a changé.

— Si tu crois cela, Cross, c'est que tu es davantage sur la touche que je ne le pensais. Parce que pendant que monsieur se prélasse à la plage, Landon, lui, travaille à ta défaite.

— Tu vas me reprocher encore longtemps d'avoir pris un malheureux week-end de congé, Arash ?

Et j'avais bien l'intention de récidiver. Cette parenthèse idyllique avec Eva dans les Outer Banks avait été à elle seule un concentré de tous les rêves que je ne m'étais jamais autorisé à faire.

Je me levai et m'approchai de la fenêtre. Les bureaux de LanCorp se trouvaient dans un gratte-ciel à deux blocs de là et le bureau de Ryan Landon jouissait d'une vue imprenable sur le Crossfire Building. Je le suspectais de passer pas mal de temps chaque jour à fixer mon bureau d'un regard songeur en réfléchissant au prochain tour qu'il allait me jouer. Il m'arrivait à l'occasion de lui retourner symboliquement son regard pour le défier.

Mon père était un criminel qui avait détruit de nombreuses vies. C'était aussi l'homme qui m'avait appris à faire du vélo et à être fier de mon nom. Je ne pouvais pas sauver la réputation de Geoffrey Cross, mais je me faisais fort de protéger ce que j'avais bâti sur ses cendres.

Arash me rejoignit devant la fenêtre.

— Je ne dis pas que l'idée de m'évader avec une aussi jolie fille qu'Eva Tramell me déplairait si l'occasion m'en était donnée. Je dis juste que je prendrais mon portable avec moi. Surtout si j'étais au beau milieu d'une négociation importante.

Je me souvins de la saveur du chocolat fondu sur la peau d'Eva et je me dis qu'une tempête aurait pu arracher le toit sans que je m'en soucie une seconde.

— Tu me fais presque pitié, Arash.

— Le software que vient d'acquérir LanCorp a renvoyé Crossfire Industries à l'âge de la pierre en matière de recherche et développement. C'est pour cela qu'il joue les impudents.

C'était surtout cela qui irritait Arash – l'idée que Landon allait se gargariser de son succès.

— Ce software ne vaut pratiquement rien sans le hardware de PosIT.

— Et alors ? rétorqua-t-il.

— Rappelle-moi le troisième point du planning ?

— Sur mon exemplaire, j'ai lu *À déterminer*, répondit-il en se tournant vers moi.

— Le mien stipule *PosIT*. Satisfait, monsieur ?

— Merde alors… souffla-t-il.

Le téléphone posé sur mon bureau sonna, et la voix de Scott retentit dans l'interphone.

— Deux choses, monsieur Cross. Mlle Tramell est sur la ligne un.

— Merci, Scott.

Je me dirigeai vers l'appareil, galvanisé par le plaisir de la partie de chasse qui s'annonçait.

Si nous réussissions à acquérir PosIT, Landon se retrouverait à la case départ.

— Lorsque j'aurai terminé, vous me passerez Victor Reyes.

— Entendu. Et Mme Vidal est à la réception, poursuivit-il, me coupant dans mon élan. Souhaitez-vous que je repousse la réunion ?

Je ne pouvais pas apercevoir ma mère d'où j'étais, mais je tournai malgré tout les yeux vers la paroi vitrée qui séparait mon bureau du reste de l'étage. Je serrai les poings. Si je me fiais à l'heure affichée sur le téléphone, je ne disposais que de dix minutes et ma femme était en ligne. L'urgence imposait de faire patienter ma mère jusqu'à ce que je puisse la caser dans mon emploi du temps, je choisis néanmoins d'écarter cette option.

— Accordez-moi vingt minutes, lui dis-je. Une fois que j'aurai pris les deux appels, vous ferez entrer Mme Vidal.

— Bien.

Je laissai passer une seconde, puis décrochai le téléphone et appuyai sur la touche qui clignotait.

2

— Mon ange.

La voix de Gideon me troubla aussi intensément que la première fois que je l'avais entendue. Cultivée et cependant sensuelle, elle me chamboulait d'autant plus que, dans l'obscurité de ma chambre ou au téléphone, mon attention n'était pas distraite par son beau visage.

— Salut, dis-je en rapprochant ma chaise de mon bureau. Je te dérange ?

— Si tu as besoin de moi, je suis là.

Quelque chose dans son ton me perturba.

— Je peux rappeler plus tard si tu préfères.

— Eva, fit-il avec une autorité telle que j'en recroquevillai les orteils dans mes sandales Louboutin, dis-moi ce que tu veux.

« Toi », fus-je sur le point de répondre. Ce qui aurait été plus que dingue dans la mesure où on avait baisé quelques heures plus tôt. Après avoir baisé une bonne partie de la nuit.

— J'aurais besoin d'une faveur, annonçai-je plus sobrement.

— Excellent. J'imagine déjà ce que je pourrai te demander en retour.

La tension qui me raidissait les épaules reflua. La façon dont il avait mentionné Corinne m'avait meurtrie et la dispute qui s'était ensuivie était encore fraîche dans mon esprit. Mais je devais oublier tout cela, tourner la page.

— Est-ce que la sécurité a l'adresse de tous les employés du Crossfire Building ?

— Elle a une photocopie de leurs cartes d'identité. Pourquoi cette question ?

— Je suis amie avec la réceptionniste et elle est malade depuis une semaine. Je m'inquiète pour elle.

— Pourquoi ne lui demandes-tu pas directement son adresse si tu as l'intention de passer chez elle ?

— Je le ferais si elle répondait à mes appels, dis-je en suivant du bout du doigt le bord de ma tasse, les yeux rivés sur le pêle-mêle de photos de Gideon et de moi.

— Pourquoi est-ce qu'elle ne répond pas ? Vous êtes en froid ?

— Pas du tout. Justement, cela ne lui ressemble pas de me laisser sans nouvelles. Elle est plutôt du genre pipelette, tu comprends.

— Pas du tout.

Venant de n'importe quel autre homme, j'aurais vu là un commentaire sarcastique. Mais pas avec Gideon. Tout me laissait à penser qu'il n'avait jamais eu de vraie conversation avec une femme. Il n'y avait qu'à voir la maladresse dont il faisait preuve avec moi pour en être convaincu ; c'était à croire qu'il n'avait jamais appris à dialoguer avec une personne du sexe opposé.

— Dans ce cas, tu devras te contenter de ma parole, champion. Le truc, c'est que… j'aimerais être sûre qu'elle va bien.

— Mon avocat est à côté de moi. De toute façon, je n'ai même pas besoin de lui demander si le service que tu me demandes est légal. Appelle Raúl. Il te trouvera son adresse.

— Tu crois qu'il sera d'accord ?

— Mon ange, il est payé pour être d'accord avec tout.

— Ah oui ? soufflai-je en jouant avec mon stylo.

Je savais que je n'avais aucune raison de me sentir mal à l'aise parce que j'utilisais les réseaux de Gideon, il n'empêche, j'avais l'impression que cela déséquilibrait notre relation en sa faveur. Il ne me le reprocherait sans doute pas, mais il ne me considérait pas comme son égale, alors que c'était extrêmement important à mes yeux.

Il avait déjà réglé des problèmes qui me concernaient. Comme cette horrible sextape de Brett et moi que détenait Sam Yimara...

... et Nathan.

— Comment puis-je le contacter ? demandai-je malgré tout.

— Je t'envoie son numéro par texto.

— D'accord. Merci.

— Et quand tu iras voir ton amie, je veux que ce soit avec moi, Raúl ou Angus.

— Ben voyons... ce ne sera pas du tout gênant de se pointer chez une copine en groupe, rétorquais-je en jetant un coup d'œil du côté du bureau de Mark pour m'assurer que mon boss n'avait besoin de rien.

J'évitais autant que possible les appels personnels quand j'étais au travail, mais Megumi était absente depuis plus de quatre jours et n'avait répondu à aucun des messages que j'avais laissés sur son portable.

— Épargne-moi le refrain des copines qui passent avant les mecs, s'il te plaît, Eva. Et fais un petit effort.

Je captai parfaitement le non-dit. S'il acceptait mon escapade à San Diego, je devais me montrer conciliante en contrepartie.

— Entendu. Si elle ne refait pas surface au bureau d'ici à lundi, on décidera d'un mode d'intervention.

— Parfait. Y a-t-il autre chose ?

— Non, rien d'autre.

Mon regard se posa sur une photo de lui, et mon cœur se serra un peu, comme chaque fois.

— Merci, ajoutai-je. Je te souhaite une bonne journée. Je t'aime follement, tu sais. Et, non, je ne m'attends pas que tu répondes, sachant que ton avocat traîne dans les parages.

— Eva, dit-il d'un ton meurtri qui m'émut plus qu'aucun mot ne l'aurait pu, viens me retrouver quand tu auras fini de travailler.

— Promis. N'oublie pas d'appeler Cary à propos de l'avion.

— C'est comme si c'était fait.

Je raccrochai et m'adossai à mon siège.

— Bonjour, Eva.

Je fis pivoter ma chaise et découvris Christine Field, l'un des trois directeurs exécutifs.

— Bonjour.

— Je tenais à vous féliciter pour vos fiançailles, dit-elle en balayant du regard les photos qui se trouvaient derrière moi. Je suis désolée, je n'avais pas réalisé que vous fréquentiez Gideon Cross.

— Il n'y a aucun mal. J'évite de parler de ma vie privée au travail.

Je déclarai cela d'un ton posé, soucieuse de ne pas froisser l'un des principaux associés. J'espérais qu'elle comprendrait le message. Gideon était au centre de ma vie, et j'entendais garder une partie de celle-ci pour moi seule.

— Je m'en réjouis, s'esclaffa-t-elle. Cela prouve que je n'ai pas les oreilles qui traînent partout.

— Je doute que vous passiez à côté de quoi que ce soit d'essentiel.

— Est-ce grâce à vous que nous avons décroché le budget Kingsman ? demanda-t-elle sans détour.

Sans doute pensait-elle que j'avais recommandé Mark à Gideon parce qu'elle partait du principe que, si nous étions fiancés, cela signifiait forcément que nous nous fréquentions depuis un certain temps. Lui révéler que mon embauche chez Waters, Field & Leaman était antérieure à ma relation avec Gideon aurait suscité des conjectures que je préférais éviter.

Pire, je suspectais moi aussi Gideon d'avoir bel et bien utilisé la campagne Kingsman comme prétexte pour m'attirer dans ses filets à ses conditions. Cela n'enlevait rien au travail exceptionnel que Mark avait accompli, mais je ne voulais pas que ma relation avec Gideon le prive de son mérite.

— M. Cross a contacté l'agence de son propre chef, répondis-je, m'en tenant à la stricte vérité. Et il n'a pas eu à regretter cette décision. Mark a vraiment fait du bon boulot sur ce projet.

— En effet, acquiesça Christine. Bien, je vous laisse travailler. À propos, Mark m'a également chanté vos louanges. Nous sommes très heureux de vous avoir dans l'équipe, Eva.

Je me contraignis à sourire. Ce début de journée laissait de plus en plus à désirer. Gideon qui menaçait de renouer avec Corinne, Megumi qui était toujours malade et, cerise sur le gâteau, je découvrais qu'on allait désormais me traiter différemment au travail sous prétexte que j'étais fiancée avec Gideon Cross.

J'ouvris ma boîte mail et consultai mes messages. Je comprenais que Gideon avait cherché à me rendre la monnaie de ma pièce en me lançant Corinne à la figure. Je m'étais doutée que lui parler de Brett ne serait pas simple, raison pour laquelle j'avais longtemps repoussé cette conversation. Pourtant, je n'avais eu aucune arrière-pensée en abordant le sujet, pas plus que je n'en avais eu quand j'avais embrassé Brett. J'avais blessé Gideon, certes, mais je pouvais affirmer en toute sincérité que je ne l'avais pas fait intentionnellement.

Alors que Gideon, lui, avait délibérément cherché à me blesser. Je ne l'avais pas imaginé capable de faire une chose pareille, ni qu'il en eût seulement envie. L'incident de ce matin n'avait rien d'anodin. Il avait touché le noyau dur de ma confiance.

S'en rendait-il compte ? Avait-il conscience de la gravité de son acte ?

La sonnerie du téléphone retentit et je répondis en prononçant la phrase d'accueil rituelle.

— Tu comptais attendre longtemps avant de m'annoncer tes fiançailles ?

Un soupir m'échappa. Ce vendredi prenait décidément une très mauvaise tournure.

— Bonjour, maman. Je voulais t'appeler pendant la pause du déjeuner.

— Tu le sais depuis hier soir ! m'accusa-t-elle. Il t'a fait sa demande avant le dîner ? Parce que tu n'en as pas soufflé mot quand nous avons parlé du fait qu'il avait approché ton père et Richard à ce sujet. J'ai vu la bague, au *Cipriani*, et j'étais pratiquement sûre que c'était chose faite, mais tu es tellement susceptible en ce moment que je me suis abstenue de tout commentaire. Et...

— Et toi, tu as enfreint la loi dernièrement, répliquai-je.

— ... Gideon portait une bague, lui aussi, j'en ai conclu que vous aviez peut-être échangé une sorte de promesse ou de serment...

— Oui, c'est exactement cela.

— ... et voilà que je découvre sur Internet que tu es fiancée. Franchement, Eva ! Aucune mère ne devrait apprendre une telle nouvelle de cette façon-là !

Je fixai sans le voir l'écran de mon ordinateur et mon cœur se mit à battre à toute allure.

— Quoi ? Où ça, sur Internet ?

— Partout ! Par exemple, page 6 du *Huffington Post*...
Permets-moi de te rappeler qu'il est absolument hors
de question que j'organise un mariage digne de ce nom
avant la fin de l'année !

Mon alerte Google n'était pas encore arrivée dans ma
boîte mail. Je m'empressai de lancer une recherche,
pianotant si vite que j'orthographiai mal mon propre
nom...

*Eva Tramell avait déjà ses entrées dans la jet-set,
désormais elle va faire bien des jalouses ! L'homme
d'affaires multimilliardaire Gideon Cross, dont le nom
est synonyme de luxe et d'excès, n'est plus un cœur à
prendre. Il s'est décidé à passer la bague au doigt de la
jeune femme qui portera désormais son nom (cf. photo
de gauche). Notre source à Cross Industries nous a en
effet confirmé officiellement la signification de l'énorme
diamant qu'on ne peut manquer d'admirer à la main
gauche d'Eva Tramell. Aucun commentaire n'a été fait en
revanche sur la bague que porte Gideon Cross (cf. photo
de droite). Le mariage sera célébré avant la fin de l'année.
Pourquoi tant de précipitation ? L'opération surveillance
du « baby-bump » de Gideva a commencé...*

— Oh, non ! soufflai-je, horrifiée. Je te laisse, maman.
Il faut que j'appelle papa.

— Eva, je veux te voir après ton travail. Nous devons
parler du mariage.

Heureusement, comme mon père vivait sur la côte
Ouest, le décalage horaire jouait en ma faveur – à
condition toutefois qu'il ne soit pas de service de nuit.

— Impossible. Je passe le week-end à San Diego avec
Cary.

— Je crois que tu devrais reporter tout voyage pour
le moment. Tu dois t'occ...

— Commence sans moi, maman, l'interrompis-je en jetant un regard désespéré à la pendule. Je n'ai pas d'idée précise en tête.

— Tu plaisantes, j'esp...

— Je te laisse, j'ai du travail.

Je raccrochai et m'empressai de sortir mon cellulaire.

— Salut. Prête à te mettre au boulot ?

La tête de Mark Garrity venait de surgir au-dessus de la cloison de mon bureau.

— Heu...

Mon doigt s'immobilisa au-dessus du répertoire de mon téléphone. J'étais soudain tiraillée entre faire ce pour quoi j'étais payée – travailler – et annoncer sans attendre mes fiançailles à mon père. En temps normal, ce choix n'aurait pas été un tel dilemme. J'aimais trop mon job pour ne pas y consacrer toute mon énergie. Mais mon père était chamboulé depuis qu'il avait recouché avec ma mère et je m'inquiétais pour lui. Ce n'était pas le genre d'homme à prendre à la légère le fait de coucher avec une femme mariée, même s'il l'aimait.

J'éteignis mon téléphone.

— Absolument, déclarai-je en me levant.

Une fois assise en face de Mark, dans son bureau, j'envoyai un bref texto à mon père depuis ma tablette, pour le prévenir que j'avais une importante nouvelle à lui annoncer et que je l'appellerais à midi.

Je ne pouvais pas faire mieux. Il ne me restait plus qu'à espérer que ce serait suffisant.

3

— Alors là, je dis respect.

Je reposai le combiné du téléphone et regardai Arash.

— Tu es encore là ?

Il rit et se renversa contre le dossier du canapé.

— Tu veilles à figurer dans les petits papiers de ton beau-père. Je suis impressionné. Eva le sera aussi, aucun doute. Je parie que tu comptes là-dessus pour marquer des points ce week-end.

Et comment ! Il faudrait que j'en aie accumulé un maximum quand je retrouverais Eva à San Diego.

— Elle quitte New York ce soir. Et toi, je te conseille de filer dans la salle de conférences avant qu'ils se lassent d'attendre. Je te rejoins dès que possible.

— J'ai entendu, fit-il en se levant. Madame Mère est là. Tu n'as pas fini d'en baver avec les préparatifs de mariage. Puisque tu es libre ce soir, que dirais-tu de réunir nos vieux complices pour une soirée entre hommes à la maison ? Ça fait un bail et tes jours de célibataire sont comptés, désormais. En fait, techniquement, ils sont déjà terminés, mais cela, personne ne le sait.

À part lui. Et Arash était tenu au secret professionnel.

— D'accord, répondis-je après une seconde d'hésitation. À quelle heure ?

— Vers 20 heures ?

J'acquiesçai, puis accrochai le regard de Scott. Il comprit le message, contourna son bureau et gagna la réception.

— Parfait, déclara Arash avec un grand sourire. À tout de suite.

Je profitai de son départ pour informer Angus par texto que nous allions en Californie. J'avais quelques affaires à régler là-bas, et m'en occuper pendant qu'Eva rendait visite à son père justifiait ma présence à San Diego. Non que j'aie vraiment besoin d'excuses.

— Gideon !

Mes ongles s'enfoncèrent dans mes paumes dès que ma mère entra.

— Vous êtes certaine de ne rien vouloir, madame Vidal ? demanda Scott derrière elle. Un café peut-être ? Ou un verre d'eau ?

— Non, je vous remercie, répondit-elle.

Il opina du chef, quitta la pièce et referma la porte derrière lui.

Une pression du doigt sur le bouton de la télécommande suffit à opacifier la paroi vitrée de mon bureau ; plus personne ne pouvait nous voir depuis l'étage. Ma mère s'approcha. Son pantalon bleu marine et son chemisier blanc flattaient son élégante minceur. Relevés en chignon, ses cheveux d'un noir d'ébène mettaient en valeur le visage parfait que mon père avait adoré. Et que j'avais, moi aussi, adoré autrefois. À présent, j'avais du mal à le regarder.

Nous nous ressemblions tellement, elle et moi, que j'avais parfois du mal à me regarder dans un miroir.

— Bonjour, mère. Qu'est-ce qui vous amène en ville ?

Elle posa son sac sur un coin de mon bureau.

— Pourquoi Eva porte-t-elle ma bague ?

Le vague plaisir que j'avais ressenti en la voyant se dissipa instantanément.

— C'est *ma* bague. Et la réponse à votre question est évidente : elle la porte parce que je la lui ai offerte quand je l'ai demandée en mariage.

— Gideon, tu ne sais pas à quoi tu t'exposes avec elle.

Je me forçai à ne pas me détourner. Je détestais ce regard douloureux qu'elle posait sur moi. Ses yeux bleus étaient si semblables aux miens...

— Je n'ai pas de temps à perdre avec cela. J'ai repoussé une réunion importante pour vous recevoir.

— Je ne serais pas obligée de venir à ton bureau si tu prenais la peine de répondre à mes appels ou de passer à la maison de temps en temps.

Sa jolie bouche fardée forma un pli désapprobateur.

— Ce n'est pas ma maison.

— Cette fille se sert de toi, Gideon.

J'allai décrocher ma veste.

— Nous avons déjà eu cette conversation.

Elle croisa les bras sur sa poitrine comme pour se protéger. Je connaissais ma mère ; l'offensive ne faisait que commencer.

— Elle est liée à ce chanteur, Brett Kline. Tu le savais ? Je suis persuadée que tu ne la connais pas vraiment. Elle s'est montrée parfaitement odieuse avec moi, hier soir.

— Je lui parlerai, dis-je en me dirigeant vers la porte. Elle ferait mieux d'éviter de perdre son temps.

Ma mère retint son souffle.

— J'essaie seulement de t'aider.

— C'est un peu tard, vous ne croyez pas ?

Je là foudroyai du regard, et elle recula d'un pas.

— Je sais que la mort de Geoffrey t'a porté un coup très rude. Ç'a été une épreuve pour nous tous. J'ai tenté de te donner...

41

— Je refuse de parler de cela ici ! lançai-je, furieux qu'elle ose aborder un sujet aussi personnel que le suicide de mon père dans mon bureau – qu'elle ose l'aborder tout court. Vous empiétez sur mon temps de travail pour me mettre hors de moi. Que les choses soient bien claires. Le scénario dans lequel Eva serait en compétition avec vous et dont vous sortiriez victorieuse n'existe pas.

— Tu refuses de m'écouter !

— Rien de ce que vous pourriez dire ne changerait quoi que ce soit. Si Eva voulait mon argent, je lui donnerais jusqu'au dernier cent. Et si elle voulait un autre homme, je le lui ferais oublier.

D'une main tremblante, elle lissa ses cheveux, qui n'en avaient nul besoin.

— Je ne veux que ton bonheur, alors qu'elle s'ingénie à remuer d'affreux souvenirs. Cette relation n'est pas saine. Elle crée un fossé entre toi et la famille qui t'a...

— La famille avec laquelle j'étais brouillé, mère. Eva n'y est pour rien.

Elle s'avança vers moi, la main tendue. Un rang de perles noires brillait à son cou et une Patek Philippe à verre saphir ornait son poignet. Elle ne s'était pas contentée de refaire sa vie après la mort de mon père. Elle avait tout effacé pour repartir de zéro. Sans un regard en arrière.

— Je ne veux pas que les choses soient ainsi entre nous. Tu me manques. Je t'aime.

— Pas assez.

— Tu es injuste avec moi, Gideon. Tu ne me laisses aucune chance.

— Si vous avez besoin d'une voiture, Angus est à votre service, déclarai-je en posant la main sur la poignée de la porte. Ne revenez plus ici, mère. Je n'aime pas me disputer avec vous. Il vaut mieux pour nous deux que vous gardiez vos distances.

Je laissai la porte ouverte derrière moi et gagnai la salle de conférences.

— Tu as pris cette photo aujourd'hui ?

Je levai les yeux vers Raúl, qui se tenait devant mon bureau, vêtu de son éternel complet noir. Son regard direct était celui d'un homme qui gagne sa vie en étant constamment vigilant.

— Oui, répondit-il. Il y a un peu moins d'une heure.

Je reportai mon attention sur la photo. J'avais du mal à regarder Anne Lucas. Son visage de renarde, avec son menton pointu et son regard acéré, ramenait à la surface des souvenirs que j'aurais voulu effacer de ma mémoire. Des souvenirs d'elle, mais aussi de son frère. Il partageait avec elle des ressemblances qui me flanquaient la chair de poule.

— Eva m'a dit que la femme avait de longs cheveux, murmurai-je, notant qu'Anne portait toujours les siens très courts.

Je me souvins de leur texture plastique, de la façon dont les pointes enduites de gel me grattaient les cuisses pendant qu'elle me suçait, s'efforçant désespérément de me faire durcir pour que je puisse la baiser.

Je rendis sa tablette à Raúl.

— Trouve de qui il s'agissait.

— Ce sera fait.

— Eva t'a appelé ?

— Non, répondit-il en sortant son portable pour vérifier. Non, répéta-t-il.

— Elle attend peut-être que vous partiez pour San Diego. Elle veut que tu trouves l'adresse d'une de ses amies.

— J'y veillerai.

— Prends soin d'elle, dis-je en soutenant son regard.

— Cela va de soi.

43

— Je sais. Merci.

Il quitta mon bureau, et je m'adossai à mon siège. Un certain nombre de femmes de mon passé risquaient de créer des problèmes entre mon épouse et moi. Celles avec qui j'avais couché étaient toutes de nature plutôt agressive, des prédatrices qui m'obligeaient à lutter pour avoir le dessus. Eva était la seule à avoir réussi à prendre les rênes et à faire en sorte que j'en veuille davantage.

La laisser s'éloigner de moi se révélait de plus en plus difficile avec le temps.

— L'équipe d'Envoy est arrivée, annonça Scott dans le haut-parleur.

— Faites-la entrer.

Les réunions s'enchaînèrent, me permettant de boucler le programme de la semaine et de planifier la suivante. J'avais encore pas mal de boulot à abattre avant de pouvoir envisager de m'évader avec Eva. Notre lune de miel d'un jour avait été parfaite, quoique trop brève. Je rêvais de m'enfuir au moins deux semaines avec elle, peut-être même un mois. Loin du travail et des obligations, dans un endroit où elle serait toute à moi et où je n'aurais aucune interruption à redouter.

Mon téléphone vibra sur le bureau. J'y jetai un coup d'œil et je découvris, surpris, le visage de ma sœur sur l'écran. Je lui avais envoyé un texto un peu plus tôt pour lui annoncer mes fiançailles. Sa réponse avait été aussi simple que courte. *Yeah ! Piégé. Félicitations, frangin.*

J'eus à peine le temps de dire allô qu'elle me coupait déjà la parole.

— Putain, mais c'est génial ! glapit-elle d'une voix si aiguë que je dus écarter le téléphone de mon oreille.

— Ireland, surveille un peu ton langage.

— Tu déconnes ? J'ai dix-sept ans, pas sept. C'est trop bien ! J'ai toujours rêvé d'avoir une sœur, mais à vous voir papillonner, Christopher et toi, je m'étais dit que ça n'arriverait pas avant que j'aie les cheveux gris.

— À ton service, ma chère.

— C'est cela, oui... Tu as bien fait, tu sais. Eva est une perle rare.

— Je sais.

— Maintenant, grâce à elle, je vais pouvoir te harceler. Tu ne peux pas savoir ce que ça me réjouit !

La douleur qui me comprima la poitrine, m'obligea à laisser passer un instant avant de lui répondre d'un ton faussement dégagé.

— Bizarrement, cela me réjouit aussi, figure-toi.

— J'espère bien ! Maman a piqué une vraie crise tout à l'heure, ajouta-t-elle en baissant la voix. Je l'ai entendue dire à papa qu'elle était venue te voir et que vous avez eu une engueulade. Je crois qu'elle est jalouse. Remarque, elle s'en remettra.

— Ne t'inquiète pas. Tout va bien.

— Enfin, ça craint quand même. Elle aurait pu faire un effort, un jour comme aujourd'hui. Bon, moi je suis aux anges, et je tenais à te le dire de vive voix.

— Merci.

— Ne comptez pas sur moi pour tenir le bouquet de la mariée ! J'ai passé l'âge. Je serai demoiselle d'honneur, sinon rien !

— Entendu, répondis-je en souriant. Je transmettrai le message à Eva.

L'interphone bourdonna dès que j'eus raccroché.

— Mlle Tramell est là, annonça la voix de Scott. Et je vous rappelle que la visioconférence avec l'équipe de développement de Californie a lieu dans cinq minutes.

Comme je reculais mon fauteuil, je vis Eva apparaître dans le bureau de Scott. J'adorais la regarder marcher.

45

Le souple balancement de ses hanches incendiait mes sens et cette façon volontaire qu'elle avait de projeter le menton en avant titillait mon instinct dominateur.

J'avais envie d'attraper sa queue-de-cheval, de capturer ses lèvres et de me frotter contre elle. Comme la première fois que je l'avais vue. Et comme chaque fois depuis.

— Exposez le projet aux membres de l'équipe, répondis-je à Scott. Qu'ils fassent le point, je les rejoins bientôt.

— Bien, monsieur.

Eva entrebâilla la porte et se faufila dans mon bureau.

— Eva, dis-je en me levant, comment s'est passée ta journée ?

Elle contourna mon bureau et agrippa ma cravate.

Je durcis instantanément. Elle jouissait de toute mon attention.

— Je t'aime, déclara-t-elle avant d'attirer ma bouche vers la sienne.

Je l'enlaçai et cherchai à tâtons la commande pour opacifier la paroi vitrée tout en la laissant m'embrasser comme si elle me possédait. Ce qui était le cas. Eva me possédait corps et âme.

Le contact de ses lèvres, son attitude possessive, c'était exactement ce dont j'avais besoin après la journée que je venais de passer. Je la serrai plus étroitement, me tournai à demi pour caler une fesse sur le rebord du bureau et l'attirai entre mes cuisses. Je pourrais prétendre que c'était pour l'étreindre plus confortablement, à vrai dire, c'était surtout parce que j'avais senti mes genoux faiblir.

Oui, ses baisers me plongeaient dans un état de faiblesse auquel trois heures de lutte contre mon coach particulier ne parvenaient pas à me réduire.

J'inhalai son odeur, me grisai de la fragrance de son parfum associée à cette senteur provocante qui n'appartenait qu'à elle. Ses lèvres douces et humides

46

se firent subtilement exigeantes. Sa langue me léchait, me savourait, me taquinait, m'excitant sans effort.

Eva m'embrassait comme si j'étais le mets le plus délectable qu'elle ait jamais goûté, une saveur qu'elle adorait et dont elle ne pouvait se passer. C'était une sensation entêtante qui m'était devenue indispensable. Je vivais pour ses baisers.

Quand elle m'embrassait, je me sentais parfaitement à ma place.

Elle inclina la tête et gémit contre mes lèvres, plaisir et abandon mêlés. Ses doigts fourrageaient dans mes cheveux avec une sensualité presque brutale qui me donnait l'impression de me retrouver possédé – piégé – et qui éveillait au plus profond de moi le besoin de relever le défi. Je la plaquai contre moi jusqu'à ce que son ventre se presse contre ma queue palpitante et douloureuse.

— Tu vas me faire jouir, murmurai-je.

Autrefois, connaître un degré d'excitation qui me permette d'atteindre l'orgasme me demandait pas mal d'efforts, ce n'était plus le cas avec ma femme. Sa seule existence m'échauffait le sang. La puissance de son désir suffisait à me faire bander.

Elle ploya légèrement en arrière, aussi haletante que moi.

— Cela ne me dérange pas.

— Cela ne me dérangerait pas non plus si on ne m'attendait pas à cette visioconférence.

— Je ne veux pas te retenir. Je voulais juste te remercier d'avoir appelé mon père.

Je souris et lui pressai doucement les fesses.

— Mon avocat avait prédit que je marquerais des points avec cela.

— J'ai eu tellement de travail que je n'ai pas pu l'appeler avant le déjeuner. Cela m'aurait contrariée qu'il apprenne nos fiançailles avant que j'aie pu lui en parler.

Tu aurais pu me prévenir que tu allais l'annoncer au monde entier ! ajouta-t-elle en m'appliquant une petite tape sur l'épaule.

— Je n'avais pas prévu de le faire, mais je n'allais pas non plus mentir si on me posait la question.

— Bien sûr que non, répliqua-t-elle avec un sourire narquois. Est-ce que tu as vu cet article ridicule qui commence déjà à spéculer sur mon « baby-bump » ?

— J'avoue que je trouve l'idée assez effrayante, pour le moment, répondis-je en m'efforçant d'adopter un ton léger en dépit de la bouffée de panique qui m'avait soudain submergé. J'aimerais bien te garder pour moi tout seul encore un peu.

— Je sais, ne t'inquiète pas, m'assura-t-elle. J'étais affolée à l'idée que mon père croie que je m'étais fiancée parce que j'étais enceinte et que je n'avais même pas pris la peine de lui en parler. Quand je l'ai appelé, ç'a été un vrai soulagement d'apprendre que tu lui avais tout expliqué. Cela m'a facilité la tâche.

— Tu m'en vois ravi.

S'il l'avait fallu, je n'aurais pas hésité à incendier la terre entière pour lui simplifier la vie.

Ses doigts agiles entreprirent de déboutonner mon gilet. Je haussai un sourcil interrogateur et ne fis rien pour l'en empêcher.

— Je ne suis pas encore partie que tu me manques déjà, confessa-t-elle en ajustant ma cravate.

— Tu n'as qu'à rester.

— S'il ne s'agissait que de m'isoler un moment avec Cary, je le ferais ici, pas à San Diego, répondit-elle en croisant mon regard. Il ne sait plus où il en est depuis que Tatiana est enceinte. Et je dois absolument passer du temps avec mon père. Maintenant plus que jamais.

— Y a-t-il quelque chose que j'ignore ?

— Non. Il avait l'air en forme quand je lui ai parlé. Je crois qu'il espérait qu'on se fréquenterait davantage avant que je me marie. À ses yeux, je viens à peine de te rencontrer.

J'aurais dû me taire, mais j'en fus incapable.

— Et puis, à San Diego, il y aura Kline...

Sa mâchoire se crispa et elle baissa les yeux sur ses doigts, toujours occupés avec les boutons de mon gilet.

— Je pars bientôt. Je ne veux pas recommencer à me disputer avec toi.

Je lui immobilisai les mains.

— Regarde-moi, Eva.

Je scrutai ses yeux, qui avaient pris la couleur d'un ciel de tempête, et je sentis une douleur familière dans ma poitrine – comme une lente torsion, capable de m'anéantir. Elle était encore en colère contre moi et je ne le supportais pas.

— Tu ne vois toujours pas la portée de ce que tu me fais. À quel point tu me rends fou.

— Je t'en prie ! Tu n'avais aucun besoin de mentionner Corinne.

— Peut-être. Reconnais que c'est toi qui as commencé avec Kline et que l'idée de le revoir t'inquiète.

— Je ne suis pas inquiète !

— Mon ange, dis-je d'un ton patient, tu es inquiète. Je ne pense pas que tu vas coucher avec lui, mais je suis certain que tu redoutes de franchir la ligne rouge. Tu voulais obtenir une réaction de ma part, et tu l'as obtenue en me balançant Kline à la figure dès le réveil. Tu avais besoin de voir comment je réagirais et à quel point l'idée de vous imaginer ensemble me rendrait dingue.

— Gideon, affirma-t-elle en refermant les mains sur mes bras, il ne va rien se passer.

— Je ne me cherche pas d'excuses, murmurai-je en lui caressant la joue du bout des doigts. Je t'ai blessée et j'en suis désolé.

— Je le suis aussi. Je voulais éviter les problèmes et je n'ai fait que les provoquer.

Je savais déjà qu'elle regrettait notre dispute. Son regard me le confirma.

— On apprend de ses erreurs. Il nous arrivera encore d'en faire. L'essentiel, c'est que tu aies confiance en moi, mon ange.

— Si je n'avais pas confiance en toi, nous n'en serions pas là. Ce qui me dérange, c'est que tu m'aies blessée exprès…

Elle secoua la tête et je compris que ce que j'avais dit ce matin la rongeait.

— Tu es supposé être celui sur qui je peux compter, celui qui ne cherchera jamais délibérément à me faire du mal.

L'entendre douter de la confiance qu'elle avait en moi me porta un coup très rude. Je l'encaissai, puis tentai de m'expliquer comme je ne l'avais jamais fait qu'avec elle. Pour qu'elle accepte de croire en moi, j'étais disposé à tout lui raconter, à lui parler pendant des heures, à signer un pacte avec mon sang s'il le fallait.

— Il y a une différence entre un acte délibéré et l'intention de nuire, tu ne crois pas ? commençai-je en prenant son visage entre mes mains. Je promets de ne plus jamais te décocher une flèche à seule fin de te faire mal. Tu ne vois donc pas que je suis aussi vulnérable que toi ? Tu as autant que moi le pouvoir de me blesser.

Son expression s'adoucit et elle me parut encore plus belle.

— Je ne l'utiliserai jamais.

— Contrairement à moi. Pardonne-moi.

Elle fit un pas en arrière.

— Je déteste t'entendre parler sur ce ton.

L'instinct de survie me conseilla de réprimer le sourire qui me venait.

— Peut-être, mais ça t'excite.

Eva, qui avait pivoté, me jeta un regard noir par-dessus son épaule avant de s'approcher de la fenêtre devant laquelle elle se planta. Ses cheveux attachés révélaient la pureté de ses traits – et la privaient de tout moyen de dissimuler ses émotions. Ses joues s'étaient vivement colorées.

Se doutait-elle que j'avais eu souvent envie de l'attacher quand elle était en rogne ? Non pour la soumettre ni la tenir en laisse, mais dans l'espoir de capturer l'énergie qui l'animait, cet incroyable appétit de vivre dont j'ignorais tout avant de la connaître. Eva m'offrait tout cela quand elle s'abandonnait à moi.

— N'essaie pas de me contrôler en ramenant tout au sexe, Gideon, répliqua-t-elle sans cesser de me tourner le dos.

— Je ne cherche nullement à te contrôler.

— Tu me manipules. Tu fais des choses... tu dis des choses... dans le but d'obtenir de moi une réponse particulière.

Je la revis en train d'embrasser Kline et croisai les bras.

— Je ne fais rien d'autre que ce que tu fais toi-même en ce moment.

— Oui, mais moi, j'ai le droit, répliqua-t-elle en se retournant. Je suis une femme.

— J'aurais dû m'en douter, commentai-je avec un sourire.

— Tu es une telle énigme, soupira-t-elle, et je sentis sa colère commencer à refluer. Alors que toi, tu me tiens en ton pouvoir. Tu sais exactement comment je fonctionne et sur quel bouton appuyer.

— Si tu ne vois pas que je consacre une bonne partie de mon temps à tâcher de te comprendre, c'est que tu ne fais pas attention. Penses-y pendant que je m'occupe de cette réunion, après quoi on se fera nos adieux comme il convient.

Elle me suivit du regard quand j'allai m'asseoir. J'ajustai mon oreillette, puis m'immobilisai en me rendant compte qu'elle ne m'avait pas quitté des yeux. Eva adorait m'observer. Et son regard avide était le seul qui m'ait jamais rendu heureux. Son intérêt ouvertement sexuel n'avait jamais provoqué chez moi ce sursaut défensif que déclenchait le désir des autres femmes. Avec elle, je me sentais aimé et désiré d'une façon qui n'avait absolument rien de menaçant.

— Te regarder passer en mode travail m'excite, avoua-t-elle d'une voix juste assez rauque pour m'empêcher de me concentrer complètement. Je te trouve sexy en diable.

Je m'autorisai un petit sourire.

— Mon ange, tu veux bien être sage un quart d'heure ?

— Ce ne serait franchement pas drôle. Et puis, tu adores que je sois vilaine.

Et comment !

— Juste quinze minutes, insistai-je.

Vu que j'avais prévu que cette réunion dure près d'une heure, c'était une énorme concession.

— Fais ce que tu as à faire...

Eva s'approcha de mon fauteuil, puis se pencha pour me parler à l'oreille en adoptant une pose de bimbo.

— Je trouverai bien de quoi m'occuper pendant que tu es au téléphone à jongler avec tes millions.

Mon sexe se raidit si brutalement que c'en fut douloureux. Elle avait dit quelque chose de similaire au tout début de notre relation, et je n'avais cessé d'en rêver depuis.

Je lui aurais demandé d'attendre s'il y avait eu la moindre chance qu'elle m'obéisse. Une lueur déterminée s'alluma dans son regard quand elle contourna mon bureau en ondulant. J'avais merdé et elle voulait sa revanche. Dans certains couples, les partenaires se punissent mutuellement en se faisant du mal ou en pratiquant la grève du sexe. Eva et moi nous punissions par le biais du plaisir.

Quand elle atteignit l'extrémité opposée du bureau, je me connectai à la visioconférence en veillant à n'activer ni ma webcam ni le micro. La demi-douzaine de participants discutaient déjà âprement des informations que Scott venait de leur transmettre. Je leur laissai le temps de s'apercevoir que je m'étais connecté...

... et en profitai pour me lever et déboutonner ma braguette.

Eva ôta ses sandales.

— Parfait, lança-t-elle. Ce sera plus facile pour toi si tu coopères.

— Tu ne penses pas une seconde qu'avoir ta bouche autour de ma queue pendant que je suis en visioconférence mérite le qualificatif de facile, j'en suis sûr.

Alors que je disais cela, toute l'équipe de Californie m'avait salué dans mon casque. Je ne répondis pas, incapable de penser à quoi que ce soit d'autre qu'à ce qui se passait dans mon bureau.

Quelques semaines plus tôt, l'idée de m'amuser pendant que je travaillais me serait apparue comme une aberration. Et si Eva n'avait pas été Eva, je lui aurais demandé de patienter jusqu'à ce que j'aie le temps de me consacrer pleinement à elle.

Mais mon ange était une amante dangereuse, et rien ne l'excitait davantage que les situations à la limite de l'exhibitionnisme. Sans elle, jamais je n'aurais découvert ce penchant-là chez moi. À présent, il m'arrivait d'avoir envie de la baiser devant le monde entier afin que tous sachent que je la possédais corps et âme.

Elle me gratifia d'un sourire d'une absolue perversité.

— Si tu appréciais la facilité, tu ne m'aurais pas épousée.

Et j'allais bientôt l'épouser une deuxième fois – le plus tôt possible. Ce ne serait pas la dernière. Nous comptions renouveler souvent notre serment pour nous rappeler l'un à l'autre que nous avions promis de nous aimer éternellement, quoi qu'il arrive.

Eva s'agenouilla avec grâce, posa les mains sur le sol et s'avança lentement vers moi telle une lionne en chasse. Le plateau de verre fumé de mon bureau me permettait de surveiller sa progression et je la vis s'humecter les lèvres de la pointe de la langue.

Un frisson d'impatience me parcourut. Le défi érotique qu'elle me jetait était calibré sur mesure pour me rendre fou. Je tirais un plaisir prodigieux du corps de ma femme et j'appréciais tout particulièrement sa bouche. Elle me suçait comme si elle était accro à mon sperme. Elle me suçait parce qu'elle adorait cela. Elle aimait aussi me regarder me décomposer quand elle me soumettait à la douce torture de sa bouche, mais ce n'était pour elle qu'un bonus.

J'écartai davantage ma braguette et baissai mon caleçon afin de lui montrer quel effet elle produisait sur moi. Ses lèvres s'entrouvrirent et elle s'agenouilla telle une suppliante.

Mon pantalon à demi baissé me sciait le haut des cuisses et l'élastique de mon caleçon me comprimait les bourses. Je me tortillai sur mon siège, assailli par des souvenirs que je gardais enfouis au plus profond de ma mémoire, et que cette impression d'être entravé ravivait.

Mon pouls s'emballa et je fus sur le point de me raviser, de reculer mon fauteuil...

Eva me prit en bouche.

J'inspirai entre mes dents serrées et j'agrippai les accoudoirs quand les doigts d'Eva s'enfoncèrent dans mes cuisses.

Son haleine chaude et moite sur la partie la plus sensible de mon sexe déclencha un choc intense. Je me sentis happé par la succion de sa bouche, et sa langue, aussi douce que du satin, trouva d'emblée le point parfait. Par-delà les battements sourds de mon cœur, j'entendis l'équipe de Californie se demander si ma webcam et mon oreillette fonctionnaient correctement.

Je me redressai, me penchai en avant et activai le son et l'image.

— Désolé du retard, lâchai-je sèchement tandis qu'Eva m'avalait un peu plus. Maintenant que Scott a fait le point avec vous, passons aux étapes nécessaires à la mise en place des modifications.

Eva émit un bourdonnement approbateur dont la vibration se répercuta en moi. J'étais dur comme l'acier, et ses doigts agiles me caressaient avec la précision requise pour que j'en veuille davantage.

Tim Henderson, le chef de projet et directeur d'équipe, prit la parole. Je voyais trouble, au point que je dus me fier davantage à ma mémoire qu'à mon écran pour identifier ses traits. C'était un grand type très pâle, d'une maigreur quasi maladive, affligé d'une tignasse sombre et bouclée, et qui adorait parler. Une bénédiction étant donné l'état de sécheresse de ma bouche.

— J'aimerais disposer d'un peu plus de temps pour revoir tout cela en détail, commença-t-il, mais a priori, le délai me paraît beaucoup trop court. Entendons-nous bien, c'est un projet génial, et j'ai hâte de voir ce que nous allons en faire, mais, d'après moi, il faut envisager la première phase de tests sur les consommateurs d'ici à un an, pas dans six mois.

— C'est ce que vous m'avez déjà dit il y a six mois, lui rappelai-je, mon poing se serrant quand Eva m'aspira entièrement.

Ma nuque se couvrit de sueur quand sa bouche de velours entreprit d'exercer ses talents sur une belle longueur de ma queue.

— LanCorp nous a privés de notre meilleur designer...

— Je vous ai proposé un remplaçant que vous avez refusé.

Henderson se crispa visiblement. Ce type était un génie de l'encodage, un concepteur débordant de talent et d'imagination, mais le travail en équipe lui posait problème et il se montrait rétif à toute intervention extérieure. Je ne lui en aurais pas tenu grief, si ça ne m'avait pas coûté beaucoup d'argent et de temps.

— L'équilibre est délicat au sein d'une équipe de développement, répliqua-t-il. Les éléments qui la composent ne se remplacent pas comme les pièces détachées d'une machine. Mais nous avons fini par trouver la personne idéale et...

— Merci, intervint Jeff Simmons avec un grand sourire, ravi du compliment.

— Et nous progressons, poursuivit Tim. Nous...

— Vous tiendrez les délais que vous vous êtes imposés à vous-mêmes.

La délicieuse habileté de ma femme m'avait fait m'exprimer plus durement que je ne le voulais. Ses petits coups de langue enjoués me rendaient à moitié fou. L'effort pour rester assis me contractait les muscles des cuisses. Elle suivait le tracé d'une veine sensible, l'agaçant tour à tour de la pointe et du plat de la langue.

— L'objectif prioritaire consiste à créer une expérience complètement révolutionnaire pour l'utilisateur, rétorqua-t-il. Nous nous appliquons à le faire, et à le faire bien.

J'avais maintenant envie de forcer Eva à se pencher sur mon bureau pour la baiser.

D'abord, il fallait que je boucle cette satanée réunion.

— Parfait, dis-je. Faites-le juste un peu plus vite. Je vous envoie une équipe qui vous aidera à atteindre les objectifs dans les délais. Elle...

— Minute, Cross, coupa Henderson. Si on se retrouve avec des pinailleurs en costard-cravate sur le dos, cela ne fera que nous retarder ! Le développement, c'est notre affaire. Si on a besoin de votre aide, on vous le fera savoir.

— Si vous pensiez que j'allais vous payer sans exercer aucun droit de regard, vous vous êtes fourré le doigt dans l'œil.

— Pas content, le monsieur, murmura Eva, le regard brillant de malice.

Je tendis le bras sous le bureau, refermai la main sur sa nuque et la serrai doucement.

— Le marché des applications est très compétitif. C'est pour cette raison que vous m'avez approché. Vous m'avez présenté un concept de jeu révolutionnaire et fascinant que vous vous engagiez à développer sur un an, délai que mon équipe a estimé raisonnable.

Je dus m'interrompre pour reprendre mon souffle. Les lèvres d'Eva qui glissaient sur toute la longueur de mon sexe me mettaient à la torture. Elle y allait de bon cœur à présent, accompagnant les caresses de sa bouche de celles de son poing serré. Il n'était plus question de me titiller ou de m'agacer gentiment. Elle voulait que je jouisse. Là, tout de suite.

— Vous ne considérez pas la problématique sous l'angle qui convient, monsieur Cross, intervint Ken Harada en lissant son bouc. Un délai technique ne tient pas compte de l'aspect organique du processus créatif. Vous ne comprenez pas que...

— Ne me faites pas passer pour le méchant, Harada.

Le besoin d'empaler, de baiser Eva avait atteint le stade de l'urgence et catalysait mon agressivité. Je devais lutter de toutes mes forces pour maintenir un semblant de courtoisie.

— Vous avez garanti la livraison de tous les éléments dans les délais impartis sur la base d'un planning que vous avez conçu et vous ne tenez pas votre engagement. C'est donc vous qui me contraignez à intervenir.

Le concepteur se laissa aller en marmonnant contre le dossier de son fauteuil.

J'affermis mon étreinte sur la nuque d'Eva pour l'inciter à ralentir... au lieu de quoi ma main accompagna son mouvement et l'incita à me sucer plus vigoureusement encore.

— Voici comment les choses vont se dérouler, décrétai-je. Vous allez travailler avec l'équipe que j'envoie. Au prochain retard, je retire Tim du projet.

— Mon cul ! cria celui-ci. C'est mon projet ! Vous ne pouvez pas me le retirer.

J'aurais dû négocier cela en finesse, mais mon esprit embrumé par le désir animal de s'accoupler en était totalement dénué.

— Vous auriez dû lire le contrat plus attentivement, Henderson. Je vous conseille de vous y plonger ce soir, et nous reprendrons cette conversation demain, une fois que mon équipe sera sur place.

Une fois que j'aurai joui...

Un frisson courut le long de ma colonne vertébrale. J'étais au bord de l'explosion et Eva le savait. Ses joues se creusaient, sa langue palpitait sur le frein sensible à l'extrémité de mon sexe. J'avais le cœur qui cognait, les mains moites.

L'orgasme me heurta tel un train lancé à grande vitesse, alors qu'un tumulte de protestations retentissait dans mon oreillette, la colère déformant les visages des membres de l'équipe de Californie. Je coupai le son, laissai échapper un grognement et jouis puissamment dans la petite bouche avide d'Eva. Elle gémit et me caressa des deux mains jusqu'à ce que le flot de semence se tarisse.

Je sentis une bouffée de chaleur gagner mon visage. Les yeux rivés sur l'écran, je luttai contre l'envie de fermer les paupières et de rejeter la tête en arrière pour m'immerger dans le plaisir de jouir pour ma femme. De jouir grâce à elle.

Quand la pression se relâcha, je lui caressai la joue.
Je rallumai le micro.

— Mon administrateur vous contactera d'ici à quelques minutes pour régler les modalités de notre prochain rendez-vous, annonçai-je d'une voix enrouée. J'espère que nous parviendrons à trouver un arrangement à l'amiable. À demain.

Je coupai la communication et me débarrassai de mon oreillette.

— Viens ici, mon ange, articulai-je.

Je reculai mon fauteuil, attirai ma femme à moi sans lui laisser le temps de se relever toute seule.

— Tu es une vraie machine ! haleta-t-elle d'une voix aussi rauque que la mienne, les lèvres rouges et enflées. Je n'en reviens pas, tu n'as même pas cillé ! Comment peux-tu... Oh !

Je venais de déchirer le bout de dentelle microscopique qui lui tenait lieu de slip et le laissai tomber par terre.

— J'aimais bien cette culotte, souffla-t-elle.

Je la soulevai et posai ses fesses nues sur le plateau de verre, plaçant sa fente dans l'alignement exact de ma queue.

— Tu vas aimer encore plus ce que je te réserve.

— Mon ange.

Eva cligna des yeux tel un chaton ensommeillé alors que je sortais du cabinet de toilette de mon bureau.

— Hmm ?

Je souris de la trouver toujours mollement alanguie dans mon fauteuil.

— Je suppose que tu te sens bien.

— Je ne me suis jamais sentie mieux, répondit-elle en se passant la main dans les cheveux. Je ne suis pas certaine que mon cerveau soit intact, mais à part cela, je suis en pleine forme, merci beaucoup.

— Je t'en prie.

— Aurais-tu décidé de décrocher le record du plus grand nombre d'orgasmes en une seule journée ? hasarda-t-elle.

— Une proposition fascinante. Je suis partant pour relever le défi.

Elle tendit la main devant elle, comme pour m'empêcher d'approcher.

— Arrière, obsédé ! Si tu t'avises de me faire jouir encore une fois, je vais me mettre à baver comme une demeurée.

— Préviens-moi, si tu changes d'avis.

Je m'accroupis devant elle et lui écartai les jambes. Sa petite vulve rose et épilée était adorable. Tout en me regardant procéder à sa toilette avec un gant tiède, elle me coiffa avec les doigts.

— Ne travaille pas trop, ce week-end, d'accord ?

— Comme si j'avais mieux à faire que travailler quand tu n'es pas là.

— Tu pourrais dormir, lire, organiser une fête.

Je souris.

— Je n'ai pas oublié, dis-je. Figure-toi que je vais justement retrouver des copains, ce soir.

— Ah oui ? Quels copains ?

Son regard retrouva toute sa vivacité et je m'empressai de reculer avant que ses jambes se referment sur moi. Je me levai.

— Ceux que tu as envie de rencontrer.

— Qu'est-ce que vous allez faire ?

— Boire, traîner, répondis-je en regagnant le cabinet de toilette.

— En boîte ? demanda Eva qui m'avait suivi.

— Possible. Mais je ne crois pas.

Elle s'appuya contre le chambranle et croisa les bras.

— Certains d'entre eux sont-ils mariés ?

— Oui, dis-je en me retournant vers elle. Moi.

— Seulement toi ? Est-ce qu'il y aura Arnoldo ?

— Peut-être. Certainement.

— C'est quoi, ces réponses lapidaires ?

— C'est quoi, cet interrogatoire ?

Je savais fort bien pourquoi elle me posait toutes ces questions. Ma femme est jalouse et possessive. Heureusement pour nous, j'adore cela.

— Je veux savoir ce que tu vas faire, c'est tout, se défendit-elle.

— Je peux rester à la maison si tu veux.

— Je ne te le demande pas.

Son mascara avait coulé. J'adorais qu'elle soit décoiffée et arbore ce visage de femme comblée. Cela lui allait mieux qu'à aucune autre.

— Alors cesse de tourner autour du pot.

Elle laissa échapper un soupir contrarié.

— Pourquoi ne me dis-tu pas ce que vous avez prévu de faire ?

— Parce que je ne le sais pas encore, Eva. En général, on se retrouve chez l'un d'entre nous, on boit quelques verres, on joue aux cartes. Parfois, on sort.

— Vous allez faire un tour une fois que vous êtes bien éméchés. Je vois ça d'ici : une brochette de beaux gosses en goguette...

— Ce n'est pas un crime, que je sache. Et qui te dit qu'ils sont tous beaux ?

Elle me décocha un bref coup d'œil.

— S'ils sortent avec toi, c'est qu'ils sont certains de pouvoir supporter la comparaison, ou qu'ils sont tellement sûrs d'eux qu'ils s'en fichent complètement.

Je levai la main gauche. Les rubis de mon alliance étincelèrent. Elle ne me quittait jamais. Ne me quitterait jamais.

— Tu te souviens de cela ?

— Je ne m'inquiète pas pour toi, marmonna-t-elle. Si tu trouves qu'on ne baise pas assez, c'est que tu as besoin de te faire soigner.

— Tu ne crois pas que tu exagères, alors que toi, tu es incapable de patienter un tout petit quart d'heure !

Elle me tira la langue.

— Méfie-toi, c'est à cause de cet organe qu'il vient de t'arriver ce qui vient de t'arriver.

— Arnoldo se méfie de moi, Gideon. Ça ne lui plaît pas qu'on soit ensemble.

— Ce n'est pas à lui d'en décider. Et certains de tes amis ne m'aiment pas non plus. À commencer par Cary, qui observe notre relation avec la plus grande méfiance.

— Imagine qu'Arnoldo aille dire aux autres ce qu'il pense de moi ?

— Mon ange, dis-je en la rejoignant pour la prendre par les hanches, divulguer ses sentiments est une activité strictement féminine.

— Ne sois pas sexiste.

— Tu sais que j'ai raison. En outre, Arnoldo comprend. Il a déjà été amoureux.

Elle leva vers moi ses yeux magnifiques.

— Êtes-vous amoureux, monsieur Cross ?

— Absolument.

Manuel Alcoa me donna une claque dans le dos tandis qu'il me contournait.

— Je viens de perdre mille dollars à cause de toi, Cross.

Je m'appuyai contre l'îlot central de la cuisine, enfonçai la main dans la poche de mon jean et la refermai sur mon téléphone. L'avion d'Eva était à mi-parcours et je guettais un message d'elle ou de Raúl. Je ne m'étais jamais inquiété pour mes proches quand ils prenaient l'avion. Jusqu'à maintenant.

— Comment ça ? demandai-je à Manuel avant d'avaler une gorgée de bière.

— Tu étais la dernière personne que je m'attendais à voir se faire passer la corde au cou, et finalement, c'est toi le premier ! Ça me tue, ajouta-t-il en secouant la tête.

J'écartai la bouteille de mes lèvres.

— Tu avais parié là-dessus ?

— Ouais. Mais je suspecte quelqu'un d'avoir eu des infos de première main.

Le gérant de portefeuille regarda Arnoldo Ricci, qui se tenait de l'autre côté de l'îlot, et étrécit les yeux. Celui-ci haussa les épaules.

— Si ça peut vous consoler, dis-je, je n'aurais pas non plus parié sur moi.

Manuel sourit.

— Les brunes au teint cuivré, il n'y a que ça de vrai, mon pote. Sexy, bien balancées. Chaudes comme la braise. Passionnées. Excellent choix, fredonna-t-il, moqueur.

— Manuel ! beugla Arash depuis le salon. Apporte les citrons par ici !

Je le regardai s'éloigner, un bol de quartiers de citrons verts à la main. L'appartement d'Arash, spacieux et moderne, jouissait d'une vue panoramique sur l'East River. Il était dépourvu de cloisons, à l'exception de celles de la salle de bains.

Je contournai l'îlot et m'approchai d'Arnoldo.

— Comment vas-tu ?

— Bien, répondit-il en baissant les yeux sur le liquide ambré qu'il faisait tournoyer dans son verre. Je te poserais bien la même question, mais tu as l'air en pleine forme. Ça me fait plaisir.

Je ne perdis pas de temps en bavardage.

— Eva s'inquiète de ton attitude vis-à-vis d'elle.

Il releva les yeux.

— Je ne lui ai jamais manqué de respect.

— Elle n'a jamais dit cela.

Arnoldo sirota longuement une gorgée d'alcool avant de l'avaler.

— Je comprends que tu es... comment dit-on ?... captif de cette femme.

— Captivé par elle, suggérai-je en me demandant ce qui l'avait empêché de s'exprimer en italien.

— C'est ça, acquiesça-t-il en esquissant un sourire. Je suis passé par là, mon ami, tu ne l'ignores pas. Je ne te juge pas.

Je savais qu'il comprenait. Quand j'avais rencontré Arnoldo à Florence, il se consolait de la perte de sa belle en buvant comme un trou et en cuisinant comme un dément, produisant une telle quantité de mets raffinés qu'il en gâchait son talent. L'ampleur de son désespoir m'avait fasciné parce qu'elle n'éveillait en moi aucune résonance.

J'étais alors si sûr de ne jamais connaître de telles souffrances. La vision que j'avais de la vie était à cette époque aussi opaque et à l'épreuve du bruit que la paroi vitrée de mon bureau. Jamais je ne serais capable d'expliquer à Eva comment elle m'était apparue la première fois que je l'avais vue, si vibrante et si chaleureuse. Une explosion de couleurs dans un paysage en noir et blanc.

— *Voglio che sia felice.*

C'était là une déclaration toute simple, mais le nœud du problème. *Je veux qu'elle soit heureuse.*

— Si son bonheur dépend de ce que je pense, répondit-il en italien, tu m'en demandes trop. Je ne me permettrai jamais de dire quoi que ce soit contre elle. Je la traiterai avec le même respect que j'ai pour toi tant que vous serez ensemble. Mais ce que je crois relève de mon choix et de mon droit, Gideon.

Je jetai un coup d'œil à Arash, occupé à aligner des verres de tequila sur le bar du salon. Étant mon avocat, il était au courant à la fois de mon mariage et de la sextape d'Eva, et cela ne le dérangeait pas plus que cela.

— Notre relation est… complexe, expliquai-je posément. Je l'ai blessée autant qu'elle m'a blessé – sans doute plus.

— Cela ne me surprend pas. J'en suis désolé, m'assura Arnoldo avant de m'étudier un instant. N'aurais-tu pas pu choisir parmi toutes celles qui t'ont aimé une femme qui ne t'aurait pas causé d'ennuis ? Une femme décorative qui se serait fondue dans ta vie sans faire de vagues ?

— Eva te répondrait : « Et qu'est-ce que cela aurait eu de drôle ? » Elle me tire vers le haut, ajoutai-je, soudain très sérieux. Elle me fait voir des choses, me fait réfléchir à des choses, comme cela ne m'était encore jamais arrivé. Et elle m'aime. Contrairement aux autres, ajoutai-je, palpant une fois de plus mon téléphone au fond de ma poche.

— Tu n'as pas permis aux autres de t'aimer.

— Je ne pouvais pas. J'attendais Eva.

Comme il affichait une expression songeuse, j'ajoutai :

— Je crois me souvenir que Bianca était une femme à histoires, elle aussi, non ?

Il s'esclaffa.

— Oui. Mais moi, ma vie est simple. Je peux m'autoriser les complications.

— Ma vie était ordonnée. Maintenant, elle est aventureuse.

Arnoldo cessa de rire et son regard se fit grave.

— C'est justement cette folie que tu aimes en elle qui m'inquiète.

— Arrête de t'inquiéter.

— Ce que je vais te dire, je ne te le dirai qu'une seule fois, après quoi je me tairai à jamais. Tu m'en voudras peut-être, mais je le fais pour toi.

— Dis ce que tu as sur le cœur, répondis-je, tendu d'appréhension.

— Je me suis trouvé à table avec Eva et Kline. J'ai observé ce qui se passait entre eux. J'ai perçu entre eux une alchimie qui m'a rappelé celle que j'avais sentie entre Bianca et l'homme pour lequel elle m'a quitté. J'aimerais croire qu'Eva l'ignore, mais elle a déjà prouvé que ce n'est pas le cas.

Je soutins son regard.

— Elle avait ses raisons. C'était à cause de moi.

Arnoldo remplit son verre.

— Alors je prie pour que tu ne lui donnes jamais plus d'autres raisons.

— Hé ! lança Arash. Arrêtez vos messes basses en italien et ramenez vos fesses par ici !

Arnoldo fit tinter son verre contre ma bouteille et passa devant moi.

Je pris le temps de finir ma bière en réfléchissant à ce qu'il venait de dire.

Puis j'allai rejoindre les autres.

4

— Qu'est-ce qui te tracasse, baby girl ? demanda Cary, la voix légèrement pâteuse à cause du tranquillisant qu'il avait pris au décollage.

J'étais en train de parcourir du regard les choix offerts par le menu déroulant au-dessus duquel la flèche de mon curseur hésitait. *Fiancée* ou *C'est compliqué* ? Vu que *Mariée* aurait également pu convenir, j'en étais venue à me dire qu'il manquait l'option *Tous les choix précédents.*

Expliciter la chose n'aurait certes pas manqué de sel.

Je balayai des yeux la luxueuse cabine du jet privé de Gideon avant de les poser sur mon meilleur ami, étendu de tout son long sur un canapé de cuir blanc, les mains calées derrière la tête. Avec sa chemise qui remontait et son jean taille basse révélant les abdos qui faisaient vendre à Grey Isles toute sa ligne de vêtements et de sous-vêtements masculins, il n'était franchement pas vilain à regarder.

Cary n'avait eu aucun problème à s'habituer au confort luxueux dû à l'immense fortune de Gideon. Il avait trouvé ses marques d'emblée dans l'élégante cabine ultramoderne. Et en dépit de sa tenue débraillée, il paraissait parfaitement à sa place dans ce décor de chêne gris et d'acier poli.

— J'essaie de mettre à jour mon statut amoureux sur mon réseau social, soupirai-je.

— Génial ! s'exclama-t-il en se redressant d'un mouvement vif, étonnamment alerte tout à coup. Une étape cruciale.

— À qui le dis-tu !

Pendant des années, je m'étais interdit d'apparaître sur les réseaux sociaux de crainte que Nathan ne me retrouve.

— D'accord, fit Cary, qui cala les coudes sur ses genoux et joignit le bout des doigts. Alors explique-moi pourquoi ton visage est tout chiffonné.

— Pour un tas de raisons. Qu'est-ce que je peux montrer, finalement ? Nathan n'est plus un souci, c'est vrai, mais Gideon est une personnalité publique.

À peine eus-je prononcé ces mots que je lançai une recherche sur le profil de Gideon. Une bulle de réponse apparut, la petite case bleue cochée confirmant que je faisais partie de ses amis. Sur la photo de son profil, il portait un costume trois pièces noir et ma cravate bleue préférée. Un flot de nostalgie m'envahit. La photo avait été prise sur un toit-terrasse. Il se détachait avec netteté sur la ligne crénelée un peu floue des gratte-ciel de Manhattan.

La photo était superbe, mais Gideon était mille fois plus beau en vrai. Je fixai ses yeux sur l'écran et me perdis dans leurs profondeurs incroyablement bleues. Ses cheveux d'un noir d'encre encadraient son visage d'ange déchu.

Un tel lyrisme pourrait faire sourire, mais la beauté de Gideon était digne d'inspirer des sonnets. Sans parler de la façon dont il m'avait épousée...

Quand cette photo avait-elle été prise ? Avant ou après notre rencontre ? Il arborait ce regard implacable et lointain des êtres qui appartiennent aux rêves inaccessibles.

— Je suis mariée, lâchai-je en m'arrachant à la contemplation du plus bel homme qu'il m'ait été donné de connaître. À Gideon, bien sûr. À qui d'autre pourrais-je être mariée ?

J'avais senti Carry se figer tandis que je babillais.

— Tu peux répéter ?

Je frottai mes paumes sur mon pantalon de yoga. Lui annoncer la nouvelle alors qu'il était abruti de cachets contre le mal de l'air pourrait passer pour une lâcheté de ma part, mais je me contentais de profiter de l'occasion.

— Quand on est partis ce week-end. On s'est mariés en secret.

Son silence, pesant, s'éternisa durant une longue minute. Puis il bondit sur ses pieds.

— Tu déconnes ?

Raúl tourna la tête dans notre direction. Le mouvement était tranquille, mais le regard, acéré. Depuis le décollage, il avait accompli le miracle de se rendre invisible malgré sa stature imposante.

— Pourquoi une telle précipitation ? aboya Cary.

— C'est arrivé… comme cela, répondis-je.

Je ne pouvais pas l'expliquer. Moi aussi, j'avais pensé que c'était trop tôt. Je le pensais toujours. Mais je savais aussi que je n'aimerais jamais aussi complètement un autre que Gideon. Avec le recul, je devais reconnaître qu'il avait eu raison ; en repoussant notre mariage, nous n'aurions fait que remettre l'inévitable à plus tard. Et Gideon avait besoin d'un serment éternel de ma part. Mon merveilleux mari qui avait tellement de mal à croire qu'on puisse l'aimer.

— Et je ne le regrette pas.

— Pour l'instant, répliqua Cary en fourrageant dans ses cheveux. Merde, Eva, ce n'est pas à moi de t'expliquer qu'on ne se marie pas avec le premier type avec qui on noue un semblant de relation.

— Il ne s'agit pas du tout de cela, protestai-je en évitant de regarder Raúl. Tu sais ce qu'on éprouve l'un pour l'autre.

— Bien sûr. Pris séparément, vous êtes aussi déglingués l'un que l'autre. Ensemble, vous formez une maison de fous.

Je lui adressai un doigt d'honneur.

— On s'en sortira. Porter une alliance ne signifie pas qu'on cesse d'essayer de résoudre nos problèmes.

Cary se laissa choir dans le fauteuil en face du mien.

— Qu'est-ce qui pourrait l'inciter à s'y atteler désormais ? Il a remporté le gros lot. Tu te retrouves coincée avec ses cauchemars de psychotique et ses sautes d'humeur d'hypercyclothymique.

— Attends un peu, ripostai-je, blessée par le bon sens de ses réflexions. Tu n'as rien trouvé à redire quand je t'ai annoncé qu'on était fiancés.

— Parce qu'à ce moment-là je me suis dit que Monica mettrait au moins un an pour venir à bout des préparatifs du mariage. Et que d'ici là, vous auriez trouvé le moyen de vivre ensemble.

Je le laissai fulminer. Mieux valait qu'il le fasse à trente mille pieds d'altitude, plutôt que dans un lieu public.

Il se pencha et braqua sur moi son regard vert, plus étincelant que jamais.

— Je vais avoir un enfant, pourtant je ne me marie pas. Tu sais pourquoi ? Parce que je suis trop barjo. Je n'ai pas le droit d'embarquer quelqu'un d'autre dans cette galère. S'il t'aimait, Gideon penserait d'abord à toi et à ce qui est bon pour toi.

— Je suis tellement heureuse que tu te réjouisses pour moi, Cary. Cela me touche beaucoup.

J'avais prononcé ces paroles d'un ton plein de sarcasme, mais, à leur façon, elles étaient honnêtes. J'aurais pu appeler tout un tas de copines qui m'auraient dit que j'avais une chance folle. Cary était mon meilleur ami parce qu'il ne mâchait jamais ses mots avec moi, même quand j'avais désespérément besoin qu'on enrobe la pilule.

Il ne voyait que la part d'ombre. Il ne comprenait pas que Gideon était la lumière de ma vie. L'amour et l'acceptation. La sécurité. Il m'avait rendu ma liberté, une vie délivrée de toute terreur. Échanger un serment avec lui en contrepartie était loin d'être équitable.

Je reportai mon attention sur la photo de Gideon. Son dernier post était un lien vers un article sur nos fiançailles. Je doutais qu'il en fût l'auteur ; il était trop occupé pour perdre du temps avec cela. Mais il avait dû donner son accord. Ou du moins fait savoir que l'événement était assez important pour figurer sur un profil par ailleurs exclusivement professionnel.

Gideon était fier de moi. Fier de m'épouser, moi, la fille à problèmes qui traînait encore tellement de casseroles derrière elle. Quoi qu'en pense Cary, c'était moi qui avais décroché le gros lot.

— Et merde, soupira-t-il en s'affalant sur son siège. Je me sens vraiment con, par ta faute.

— Il n'y a que la vérité qui blesse… marmonnai-je en cliquant sur le lien *photos* concernant Gideon Cross.

Je n'aurais pas dû.

Toutes les photos postées par l'administrateur de son profil étaient des photos de travail, mais les photos non officielles n'avaient rien à voir. Une mosaïque de clichés en couleurs se déploya devant mes yeux, tous représentant Gideon en compagnie de très belles femmes. Le choc fut rude. La jalousie me tordit le ventre.

Dieu qu'il était beau en smoking ! Ténébreux et menaçant. La beauté sauvage de ce visage, ces pommettes et cette bouche parfaitement ciselées, cette posture confiante qui frisait l'arrogance... Le mâle alpha dans toute sa splendeur.

Je savais que ces photos n'étaient pas récentes. Je savais aussi que ces femmes n'avaient pas eu le privilège de découvrir son incroyable talent au lit – Gideon avait une règle stricte à ce sujet. Cela ne m'empêcha pas de ressentir un certain malaise.

— Je suis le dernier à l'apprendre ? demanda Cary.

— Tu es le seul.

Je jetai un coup d'œil à Raúl.

— De mon côté, en tout cas, ajoutai-je. Gideon voudrait l'annoncer à la terre entière, mais on a décidé de garder le secret.

Il m'étudia un instant.

— Jusqu'à quand ?

— Pour toujours. Officiellement, le mariage qui va avoir lieu sera censé être le premier.

— Tu as des doutes ?

Cela me tuait que Cary ne comprenne pas que Gideon et moi étions perpétuellement sous les feux de la rampe. Moi, j'avais affreusement conscience que le moindre de mes gestes, la moindre de mes paroles, était étudié à la loupe.

La présence de Raúl n'influa cependant pas sur ma réponse.

— Non. Je suis heureuse d'être mariée. Je l'aime, Cary.

Oui, j'étais heureuse que Gideon soit à moi. Et il me manquait. Plus que jamais, depuis que j'avais eu le malheur de regarder ces photos.

— Je sais bien que tu l'aimes, soupira Cary.

Ce fut plus fort que moi. J'adressai un texto à Gideon. *Tu me manques.*

Il me répondit presque instantanément. *Ordonne au pilote de faire demi-tour.*

Je souris. Du Gideon tout craché. Et qui me ressemblait si peu. Faire perdre son temps au pilote, gaspiller du carburant... cela me paraissait tellement inconséquent. Pire encore, en agissant ainsi, j'aurais prouvé à quel point j'étais devenue dépendante de Gideon. Un véritable baiser de la mort pour notre relation. Il pouvait avoir tout ce qu'il voulait, toutes les femmes qu'il voulait. Si jamais je devenais trop accessible, nous perdrions l'un et l'autre tout respect pour moi. Et au-delà de la perte de respect se profilait le désamour...

Je revins à mon profil et téléchargeai un selfie de nous deux depuis mon téléphone. Je l'incrustai en tête de page, puis le légendai : *L'amour de ma vie.*

Après tout, si les photos qui circulaient sur le Net le représentaient en galante compagnie, il n'y avait pas de raison pour qu'il n'y en ait pas une sur laquelle je figure. Celle que j'avais choisie reflétait une indéniable intimité. Nous étions allongés sur le dos, tête contre tête, moi sans maquillage et lui très détendu, son sourire illuminant son regard. Je défiais quiconque qui verrait cette photo de ne pas comprendre que le lien qui nous unissait était unique.

J'eus soudain envie de l'appeler. À tel point, en fait, que j'entendais pratiquement sa voix dans ma tête, aussi sexy et enivrante que le plus fin des alcools, si délicieusement suave et cependant non dépourvue de mordant. J'aurais voulu être près de lui, ma main dans la sienne, mes lèvres pressées au creux de son cou, là où l'odeur de sa peau éveillait en moi un appétit primitif.

J'avais un tel besoin de lui, à l'exclusion de toute autre chose, que cela m'effrayait parfois. Je n'avais jamais ressenti un tel manque vis-à-vis de qui que ce soit, pas même de mon meilleur ami, qui avait pourtant bien besoin de moi en ce moment.

— Tout va bien, Cary, lui assurai-je. Ne t'inquiète pas.

— Je m'inquiéterais beaucoup plus si je pensais que tu crois à ce que tu dis, répondit-il en repoussant d'un geste impatient la mèche qui lui barrait le front. C'est trop tôt, Eva.

J'acquiesçai.

— Mais ça marchera.

Il le fallait. Je n'imaginais pas ma vie sans Gideon.

Cary rejeta la tête en arrière et ferma les yeux. Si je n'avais pas vu ses phalanges blanchir sur les accoudoirs, j'aurais pu penser que les cachets qu'il avait avalés commençaient à agir. Il avait du mal à encaisser la nouvelle et je ne savais pas quoi dire pour le rassurer.

Tu te diriges toujours dans la mauvaise direction, me fit remarquer Gideon dans son texto.

Je faillis lui demander comment il le savait, mais je me retins. *Tu t'amuses bien avec tes potes ?*

Je m'amuserais mieux avec toi.

Je souris. *J'espère bien*. Mes doigts s'immobilisèrent un instant. *Je l'ai dit à Cary*, ajoutai-je finalement.

La réponse fut immédiate. *Toujours amis ?*

Il ne m'a pas encore reniée.

Il n'envoya pas de message et je décidai de ne pas en tirer de conclusions. Il était avec ses copains, et c'était déjà bien qu'il m'ait répondu.

Je n'en fus pas moins au comble du bonheur quand son message me parvint, dix minutes plus tard.

J'ai intérêt à te manquer.

Je levai les yeux et découvris que Cary m'observait. Gideon était-il confronté à pareille désapprobation de la part de ses amis ?

Tu as intérêt à m'aimer, tapotai-je.

Sa réaction fut aussi lapidaire qu'emblématique. *Marché conclu.*

— Californie chérie, tu m'as tant manqué ! s'exclama Cary en descendant de l'avion.

Une fois sur le tarmac, il leva la tête pour contempler les étoiles.

— Putain que c'est bon de laisser l'humidité de la côte Est derrière soi !

Je lui emboîtai le pas, pressée de rejoindre la haute silhouette sombre qui nous attendait près d'une voiture noire dont la carrosserie brillait sous la lune. Victor Reyes était le genre d'homme qui retenait l'attention. Parce qu'il était flic. Et parce qu'il était vraiment très beau.

— Papa !

Je courus droit sur lui et il se détacha du 4 x 4 en écartant les bras.

Mon corps heurta le sien et il en absorba l'impact avant de me soulever dans ses bras si fort que j'en eus le souffle coupé.

— C'est bon de te voir, ma puce, souffla-t-il.

Cary nous rejoignit et mon père me reposa sur le sol.

— Cary, le salua mon père en lui serrant la main avant de l'attirer vers lui pour une brève accolade ponctuée d'une chaleureuse claque dans le dos. Tu as l'air en forme, mon garçon.

— Je me maintiens.

— Vous n'oubliez rien ? s'enquit mon père.

Il jeta un coup d'œil à Raúl qui était descendu de l'avion le premier et se tenait à présent près de la Mercedes noire qui était là à notre arrivée.

Gideon m'avait dit de faire fi de la présence de Raúl, mais ce n'était pas facile.

— On a tout, assura Cary en ajustant la bandoulière de son sac de voyage sur son épaule.

Il s'était aussi chargé de mon sac qui, malgré mon stock de maquillage et mes trois paires de chaussures, était plus léger que le sien.

Encore une chose que j'aimais chez lui.

— Vous avez faim ? demanda mon père en m'ouvrant la portière côté passager.

Il était à peine plus de 21 heures en Californie, et minuit passé à New York. Je ne mangeais pas aussi tard d'habitude, cela dit, nous n'avions pas dîné.

— Je meurs de faim, répondit Cary avant de grimper à l'arrière.

— Tu as tout le temps faim, m'esclaffai-je.

— Toi aussi, répliqua-t-il en s'installant sur le siège du milieu. La différence, c'est que je ne culpabilise pas.

La voiture démarra et je regardai le jet privé de Gideon devenir de plus en plus petit tandis que nous nous dirigions vers la sortie. Je tournai alors la tête vers mon père et tâchai de deviner ce qu'il pensait de mon mode de vie en tant qu'épouse de Gideon Cross. Jet privé. Garde du corps. Je savais comment il considérait la fortune de Stanton, mais il s'agissait de mon beau-père. J'espérais qu'il serait plus indulgent vis-à-vis de mon mari.

J'avais bien conscience malgré tout d'un changement radical. Si je n'avais pas connu Gideon, nous aurions atterri sur le tarmac du Lindberg Field, au lieu de cet aéroport privé. Nous nous serions dirigés vers le quartier central de Gaslamp pour nous attabler au *Dick's Last Resort* où nous aurions passé une bonne heure à rire de tout et de rien en éclusant une bière pour accompagner le dîner.

Je percevais une tension qui n'existait pas autrefois. Gideon. Nathan. Ma mère. Tous se dressaient entre nous.

Un truc franchement pas cool, en fait.

— Qu'est-ce que vous diriez de ce boui-boui sur Oceandrive ? Celui où ils servent de la bière dégueulasse et où on marche sur les épluchures de cacahuètes ? suggéra Cary.

— Oh, oui ! dis-je en me tournant vers lui pour lui adresser un sourire reconnaissant. Ce serait génial !

Un petit resto familial et sans chichis. L'idéal.

Le sourire en coin de mon père m'apprit qu'il partageait ce sentiment.

— C'est parti.

Nous laissâmes l'aéroport derrière nous. Je pris mon téléphone portable et l'allumai pour le connecter à la stéréo de la voiture, histoire que la musique nous ramène à des temps moins compliqués.

Une flopée de textos défila à l'écran avant de s'arrêter sur le plus récent. Un message de Brett. *Appelle-moi quand tu arrives.*

Je venais à peine de le déchiffrer lorsque *Golden* retentit à la radio.

Le lendemain matin, mon téléphone vibra alors que je grimpais les marches du perron miniature de la maison de mon père. Je le sortis de la poche de mon short et frémis de joie en découvrant la photo de Gideon sur l'écran.

— Bonjour, toi, dis-je en m'installant sur l'une des deux chaises en fer forgé garnies de coussins qui se trouvaient près de la porte. Alors, bien dormi ?

— Plutôt bien.

Le timbre légèrement rauque de sa voix m'arracha un délicieux frisson.

— Si j'en crois Raúl, le café de Victor pourrait réveiller un ours en pleine hibernation, ajouta-t-il.

Je jetai un coup d'œil à la Mercedes garée en face. Les vitres teintées dissimulaient l'homme qui se trouvait à l'intérieur. Raúl avait déjà parlé à Gideon du café que je venais tout juste de lui apporter. C'était un peu flippant.

— Tu essaies de m'intimider en me faisant subtilement savoir qu'aucun de mes faits et gestes ne t'échappe ?

— Si je voulais t'intimider, la subtilité ne serait pas de mise.

J'attrapai la tasse de café que j'avais laissée sur la petite table de jardin avant d'aller en offrir une à Raúl.

— Tu sais que quand tu parles ainsi, tu me donnes envie de riposter, pas vrai ?

— C'est parce que tu adores mon goût de la surenchère, ronronna-t-il, et j'en eus la chair de poule malgré le soleil.

— Alors ? m'enquis-je en esquissant un sourire. Qu'est-ce que vous avez fait de beau, hier soir, tes potes et toi ?

— Rien de spécial. Picole. Vannes de mecs.

— Vous êtes sortis ?

— Un peu, oui.

Ma main se crispa sur le téléphone. Je ne pus m'empêcher de l'imaginer, paradant avec ses copains.

— J'espère que vous vous êtes bien amusés.

— C'était sympa. Raconte-moi ce que tu as prévu de faire aujourd'hui.

Je notai dans sa voix une tension qui faisait écho à la mienne. Le mariage n'était malheureusement pas un remède à la jalousie.

— Une fois que Cary aura daigné émerger, on déjeunera sur le pouce avec mon père avant d'aller voir le Dr Travis.

— Et ce soir ?

Je bus une gorgée de café pour me blinder contre la dispute qui s'annonçait. Gideon pensait à Brett, évidemment.

— Le manager du groupe m'a envoyé un mail pour me dire où récupérer des billets VIP, mais j'ai décidé de ne pas assister au concert. Cary pourra inviter qui bon lui semblera. Ce que j'ai à dire à Brett ne prendra pas longtemps. Soit je le verrai demain avant de partir, soit je lui en parlerai au téléphone.

Je perçus son soupir.

— J'en conclus que tu as une idée très précise de ce que tu comptes lui dire.

— C'est très simple. Entre *Golden* et mes fiançailles, je ne pense pas qu'il soit convenable qu'on se fréquente. J'espère qu'on ne se perdra pas de vue, mais à moins que tu sois présent, je préfère qu'on s'en tienne aux textos et aux mails.

Son silence s'éternisa au point que je crus que la communication avait été interrompue.

— Gideon ?

— J'ai besoin de savoir si tu as peur de le voir.

Mal à l'aise, je repris une gorgée de café. Il avait refroidi, mais je m'en aperçus à peine.

— Je n'ai pas envie qu'on se dispute à cause de Brett.

— Ta solution consiste donc à l'éviter.

— On a assez de problèmes à régler toi et moi sans qu'il vienne s'y ajouter. Il ne vaut pas la peine qu'on se soucie de lui.

Silence. J'attendis cette fois que ce soit Gideon qui reprenne la parole. Quand il le fit, ce fut d'une voix ferme et confiante.

— Je peux m'en accommoder

Mes épaules se détendirent. Et puis, paradoxalement, quelque chose se contracta dans ma poitrine. Je me souvins de ce qu'il m'avait dit un jour – qu'il supporterait que j'en aime un autre tant que je lui appartenais.

Il m'aimait infiniment plus qu'il ne s'aimait lui-même.

— Tu es tout pour moi, soufflai-je. Je pense à toi tout le temps.

— Je peux en dire autant.

— C'est vrai ? Parce que tu sais quoi ? murmurai-je. Je suis dingue de toi. Penser à toi me rend folle. Je suis submergée par le besoin de te toucher. Ça m'obsède tellement que j'ai un mal fou à me concentrer sur autre chose. J'ai eu si souvent envie de tout laisser tomber pour te rejoindre.

— Eva...

— Dans un de mes fantasmes, je fais irruption au beau milieu d'une de tes réunions et je me précipite sur toi. Est-ce que je te l'ai déjà dit ? Quand tu me manques trop, j'ai presque l'impression de te sentir m'attirer à toi.

Je l'entendis gronder doucement et m'empressai d'enchaîner :

— Chaque fois que je te vois, j'en ai le souffle coupé. Quand je ferme les yeux, j'entends ta voix. Quand je me suis réveillée, ce matin, j'ai paniqué à l'idée de te savoir si loin de moi. J'aurais donné n'importe quoi pour te rejoindre. Et j'avais envie de pleurer parce que je ne le pouvais pas.

— Eva, je t'en prie...

— Si tu dois te méfier de quelque chose, Gideon, méfie-toi de moi. Parce que je suis incapable d'être raisonnable quand il s'agit de toi. Je suis folle de toi. Littéralement. Je ne peux pas envisager l'avenir sans toi – cela me terrifie.

— Tu ne vivras jamais sans moi, Eva. Nous allons vieillir ensemble. Mourir ensemble. Je ne vivrai pas un seul jour sans toi.

Une larme roula du coin de mon œil. Je l'essuyai.

— Il faut que tu comprennes que tu n'auras jamais à te contenter de fragments de moi. Il n'y a aucune raison pour que tu sois condamné à cela. Tu mérites beaucoup mieux. Tu pourrais avoir toutes les femmes que...

— Arrête !

Son ton était si cinglant que je sursautai.

— Ne me redis jamais ce genre de chose, ajouta-t-il sèchement. Ou je jure de te punir, mon ange.

Un silence choqué tomba entre nous. Les paroles que j'avais prononcées tournaient sans fin dans ma tête comme pour railler ma faiblesse. Je ne voulais pas dépendre de Gideon, mais le mal était fait.

— Il faut que j'y aille, dis-je d'une voix enrouée.

— Ne raccroche pas. Bon sang, Eva, on est mariés. On s'aime. Il n'y a rien de honteux à cela. C'est de la folie, et alors ? C'est nous. On est fous. Il faut que tu l'acceptes.

La porte moustiquaire grinça et mon père apparut sur le perron.

— Mon père vient d'arriver, Gideon. Je te rappellerai.

— Tu me rends heureux, déclara-t-il de ce ton ferme dont il usait quand il prenait une décision irrévocable. J'avais oublié ce que l'on ressent quand on est heureux. Ne dévalorise pas ce que tu représentes pour moi.

Mon Dieu !

— Moi aussi, je t'aime.

Je coupai la communication et posai le téléphone sur la table d'une main tremblante.

Mon père s'installa sur l'autre chaise avec son café. Il était pieds nus, en bermuda et tee-shirt kaki. Il s'était rasé et les pointes de ses cheveux humides rebiquaient légèrement.

C'était mon père, mais je ne pouvais m'empêcher de le trouver incroyablement séduisant. Il se maintenait en forme et possédait une assurance naturelle. Je comprenais que ma mère n'ait pas pu lui résister quand elle l'avait rencontré. Et n'y parvenait toujours pas, apparemment...

— J'ai surpris ta conversation, dit-il sans me regarder.

— Ah !

Mon estomac se noua. Mettre mon cœur à nu devant Gideon n'avait pas été une expérience agréable, et savoir que mon père m'avait entendue ne faisait qu'ajouter à mon malaise.

— J'avais l'intention de te demander si tu savais ce que tu faisais en te fiançant aussi vite, alors que tu es encore si jeune.

— Je me doutais que tu le ferais, répondis-je.

— Finalement, je crois que je sais ce que tu ressens.

Son doux regard gris chercha le mien.

— Tu l'exprimes bien mieux que je n'aurais jamais su le faire quand cela m'est arrivé. Je n'ai rien su dire d'autre qu'un pitoyable « je t'aime », et c'est loin d'être suffisant.

Il pensait à ma mère, bien sûr. Difficile pour lui de faire autrement – je lui ressemblais tant.

— Gideon aussi pense que cela ne suffit pas.

Je regardai mes bagues. Celle que Gideon m'avait offerte pour exprimer son besoin de se raccrocher à moi, et celle qui symbolisait son engagement vis-à-vis de moi, doublé d'un hommage à la période de sa vie où il s'était senti aimé pour la dernière fois.

— Mais il me le prouve. Tout le temps.

— Je lui ai parlé à plusieurs reprises, dit mon père, qui fit une pause avant d'ajouter : J'ai parfois du mal à me souvenir qu'il n'a pas encore trente ans.

— Il est très maître de lui.

— Il est aussi très secret.

— C'est un joueur de poker, répondis-je en souriant. Mais il est sincère.

Je croyais implicitement Gideon. Il me disait toujours la vérité. Le seul problème, c'était qu'il ne me disait pas toujours tout.

— Et il veut épouser ma fille.

Je lui jetai un coup d'œil.

— Tu lui as donné ta bénédiction.

— Il a dit qu'il prendrait toujours soin de toi. Il a promis de veiller sur toi et de te rendre heureuse.

Son regard se posa sur la Mercedes garée de l'autre côté de la rue.

— Je ne sais toujours pas pourquoi je le crois, alors qu'il essaie d'assumer mon rôle auprès de toi. Cela n'aide pas vraiment qu'il ait menti en prétendant qu'il attendrait pour te faire sa demande.

— Il ne pouvait pas attendre, papa. Ne lui en veux pas. Il m'aime trop.

— Tu ne semblais pas très heureuse quand tu lui parlais à l'instant, dit-il en me regardant de nouveau.

— Non, je devais avoir l'air vulnérable et désespéré, soupirai-je. Je l'aime à la folie, et je ne supporte pas d'être dépendante de lui. Je voudrais que notre relation soit équilibrée. Qu'on soit égaux.

— C'est un bon objectif. Ne le perds pas de vue. Est-ce que c'est ce qu'il souhaite, lui aussi ?

— Il veut qu'on soit ensemble. Pour tout. Il s'est construit une réputation, il a érigé un empire, et j'aimerais en faire autant. Pas forcément ériger un empire, mais au moins forger ma réputation.

— Tu en as parlé avec lui ?

— Oh, oui ! Il pense que Mme Cross doit forcément faire partie de l'équipe Cross. Et je comprends son point de vue.

— C'est une bonne chose que tu y aies pensé.

Je perçus ses réticences.

— Mais ?

— Mais cela pourrait poser un sérieux problème, tu ne crois pas ?

J'avais toujours apprécié la façon dont mon père m'incitait à réfléchir sans me juger ni chercher à m'influencer.

— Si. Peut-être pas au point d'aboutir à une rupture, mais ça risque de coincer. Gideon n'a pas l'habitude de ne pas obtenir ce qu'il veut.

— Alors tu es bien pour lui.

— C'est ce qu'il pense, répondis-je en haussant les épaules. Le problème, ce n'est pas Gideon. C'est moi.

Sa vie n'a pas été facile et il a dû se battre pour en arriver là où il en est aujourd'hui. Je ne veux pas qu'il ait l'impression que c'est toujours à lui de tout gérer. Il faut qu'il sente que nous formons une équipe et que je suis là pour le soutenir. Le message est d'autant plus difficile à faire passer que je tiens aussi à garantir mon indépendance.

— Tu me ressembles beaucoup, observa-t-il avec un sourire, et il était si beau que mon cœur se gonfla de fierté.

— Je sais que tu t'entendras avec lui. C'est quelqu'un de bien et il a du cœur. Il ferait n'importe quoi pour moi, papa.

Y compris tuer.

Cette pensée me mit mal à l'aise. Le risque que Gideon doive répondre de la mort de Nathan d'une façon ou d'une autre n'était que trop réel. Je ne pouvais me résoudre à cette idée.

— Crois-tu qu'il me permettrait de participer aux frais du mariage ? demanda mon père avant de laisser échapper un ricanement. Je crois que je ferais mieux de me demander si ta mère m'y autorisera sans faire trop d'histoires.

— Papa...

Mon cœur se serra. Le financement de mes études avait fait l'objet de tant de discussions que je me garderais bien de lui dire que je ne voulais pas qu'il se prive à cause de moi. Il s'agissait là d'une question de fierté, et mon père était quelqu'un de très fier.

— Je ne sais pas quoi te dire d'autre à part merci.

À en juger par son sourire de soulagement, il s'était attendu que je résiste, moi aussi.

— J'ai mis de côté pas loin de cinquante mille. Ce n'est pas grand-chose...

— C'est parfait, assurai-je en posant ma main sur la sienne.

J'imaginais déjà la scène que ma mère allait faire, mais mon père paraissait si heureux que cela vaudrait la peine de lui tenir tête le moment venu.

— Ça n'a pas changé.

Cary s'immobilisa sur le trottoir devant l'ancien centre de loisirs et remonta ses lunettes de soleil sur son front. Son regard s'arrêta sur l'entrée du gymnase.

— Cet endroit m'a manqué.

— À moi aussi, murmurai-je en le prenant par la main.

Nous remontâmes l'allée et saluâmes d'un hochement de tête les deux personnes qui fumaient une cigarette près de l'entrée. À l'intérieur, un mini-match de basket était en cours. Deux équipes de trois joueurs s'affrontaient sur une moitié du terrain, s'interpellant les uns les autres entre deux éclats de rire. Je savais d'expérience que les locaux du Dr Travis – assez inhabituels pour un psy – étaient pour certains le seul endroit où ils se sentaient suffisamment libres et en sécurité pour s'autoriser à rire.

Nous adressâmes un signe de la main aux joueurs, qui s'interrompirent à peine, et gagnâmes la porte sur laquelle était toujours fixée la plaque portant la mention *Entraîneur*. Celle-ci était entrouverte et j'aperçus la silhouette familière du Dr Travis, assis dans son fauteuil, les pieds sur le bureau. Il était occupé à lancer une balle de tennis contre le mur, tandis que la patiente qui lui faisait face vidait son sac entre deux bouffées de cigarette électronique.

— Ô mon Dieu ! s'exclama Kyle en se levant d'un bond, un nuage de vapeur s'échappant de sa jolie bouche rouge. Je ne savais pas que vous étiez de retour, vous deux !

Elle se jeta dans les bras de Cary, me laissant à peine le temps de lui lâcher la main.

Le Dr Travis posa les pieds sur le sol et se leva, un grand sourire aux lèvres. Il portait son éternel pantalon de camouflage et sa chemise blanche, ainsi que ses sandales de cuir et ses boucles d'oreilles qui trahissaient une personnalité assez peu conventionnelle. Ses cheveux étaient décoiffés et ses lunettes, un peu de guingois.

— Je ne vous attendais pas avant 15 heures, dit-il.

— C'est l'heure qu'il est à New York, répondit Cary en se dégageant de l'étreinte de Kyle.

Je suspectais Cary d'avoir couché au moins une fois avec la jolie blonde, et celle-ci d'avoir eu plus de mal à l'oublier que lui.

Le Dr Travis me serra dans ses bras, puis en fit autant avec Cary, qui ferma les yeux et appuya brièvement la joue contre son épaule. Mes yeux s'embuèrent de larmes, comme chaque fois que je voyais mon meilleur ami heureux. Le Dr Travis était ce qui se rapprochait le plus d'un père pour lui, et je savais à quel point il l'aimait.

— Alors, vous veillez toujours l'un sur l'autre dans la ville qui ne dort jamais ?

— Bien sûr, répondis-je.

Cary me désigna de la tête.

— Elle va se marier. Je vais avoir un bébé.

Kyle étouffa un cri.

Je décochai un coup de coude à Cary.

— Aïe ! gémit-il en se frottant les côtes.

— Félicitations, dit le Dr Travis. Vous ne perdez pas de temps.

— J'avoue, commenta Kyle. Ça fait quoi ? Un mois que vous êtes partis ?

— Kyle, fit le Dr Travis en repoussant son fauteuil vers le bureau, tu nous laisses une minute ?

— Vous êtes doué, docteur, pouffa Kyle en se dirigeant vers la porte, mais je crois qu'une minute ne suffira pas.

— Alors comme ça, te voilà fiancée ? me dit Kyle en vapotant, le regard rivé sur Cary qui s'appliquait à marquer des paniers contre le Dr Travis.

Nous avions pris place sur les vieux gradins du gymnase, suffisamment loin d'eux pour ne pas entendre la séance de thérapie qui se déroulait sur le terrain.

Cary avait tendance à ne pas tenir en place quand il se confiait et le Dr Travis avait vite compris qu'il valait mieux le maintenir en mouvement s'il voulait qu'il parle.

— J'avais toujours pensé que Cary et toi finiriez ensemble, avoua Kyle en tournant les yeux vers moi.

Je ris et secouai la tête.

— Non, il n'a jamais été question de cela entre nous.

Elle haussa les épaules. Un trait d'eye-liner bleu électrique soulignait son regard, du même bleu limpide que le ciel de San Diego.

— Tu le connais depuis longtemps, le type avec qui tu vas te marier ?

— Assez.

Le Dr Travis marqua un panier impeccable, puis ébouriffa les cheveux de Cary d'un geste affectueux. Il leva ensuite les yeux vers moi et je compris que mon tour était venu.

Je me levai et m'étirai.

— On se revoit tout à l'heure, Kyle.

— Bonne chance.

Un sourire narquois aux lèvres, je descendis les marches pour rejoindre le Dr Travis. Il était à peu près de la même taille que Gideon, et je m'arrêtai sur l'avant-dernière marche pour me trouver au même niveau que lui.

— Vous n'avez jamais songé à vous installer à New York, doc ?

— Comme si les impôts n'étaient déjà pas assez élevés en Californie, répondit-il.

— J'aurai essayé, soupirai-je en descendant la dernière marche.

— Cary en a fait autant, me confia-t-il en passant le bras autour de mes épaules. Je suis très flatté.

Nous regagnâmes son bureau. Je fermai la porte et il attrapa une vieille chaise métallique sur laquelle il s'assit à califourchon, les bras croisés sur le dossier. C'était une de ses petites manies. Il s'asseyait dans le fauteuil du bureau quand il était en mode détente ; il enfourchait cette relique quand il passait aux choses sérieuses.

— Parle-moi de ton fiancé, dit-il une fois que j'eus retrouvé ma place habituelle sur le canapé de skaï vert, rafistolé avec du ruban adhésif et orné de signatures de patients.

— Pas de ça avec moi, doc, plaisantai-je. Nous savons tous les deux que Cary vous a déjà briefé.

Cary démarrait toutes ses séances par un prologue me concernant. Après quoi il embrayait sur son cas personnel.

— Et je sais qui est Gideon Cross, ajouta le Dr Travis, son pied battant la mesure d'une façon qui n'avait rien de nerveux ni d'impatient. Je veux que tu me parles de l'homme que tu vas épouser.

Je réfléchis un instant, et il se contenta de m'observer tranquillement.

— Gideon est... Mon Dieu, il est tellement de choses ! Il est compliqué. Nous avons des problèmes à résoudre, mais nous y arriverons. Mon problème le plus immédiat étant ce que je ressens pour ce chanteur avec qui je… sortais.

— Brett Kline ?

— Vous vous souvenez de son nom.

— Cary vient de me le souffler, et je me rappelle nos conversations à son sujet.

Je baissai les yeux sur mon alliance et la fis tourner autour de mon doigt.

— Je suis éperdument amoureuse de Gideon. Il a changé mon existence de tant de façons. Grâce à lui, je me sens belle et aimée. Je sais que cela paraît très rapide, mais je suis sûre que c'est l'homme de ma vie.

Le Dr Travis sourit.

— Avec ma femme, ça a été le coup de foudre. On était encore au secondaire quand on s'est connus, et j'ai tout de suite su que c'était la fille que j'épouserais.

Mon regard se posa sur les photos de sa femme sur son bureau. L'une d'elles la représentait encore toute jeune, l'autre était plus récente. Le bureau du Dr Travis était un plaisant capharnaüm de paperasses et d'équipements de sport sur fond de posters de célébrités sportives d'un autre temps, mais les cadres et les vitres qui protégeaient ces photos n'avaient pas un grain de poussière.

— Je ne comprends pas pourquoi Brett me fait encore de l'effet. Ce n'est pas que j'ai envie de lui. Je n'imagine pas être avec personne d'autre que Gideon. Sexuellement ou de n'importe quelle autre manière. Mais Brett ne me laisse pas indifférente.

— Pourquoi te laisserait-il indifférente ? Il a fait partie de ta vie à une époque charnière et la fin de votre relation a été pour toi une sorte de révélation.

— Mon… intérêt – ce n'est pas le mot qui convient – n'a rien de nostalgique.

— Non, je m'en doute. J'imagine que tu éprouves des regrets. Que tu te demandes ce qui se serait passé si… Votre relation était très forte sur le plan sexuel et il est possible qu'une certaine attirance demeure, même si tu sais que tu n'y céderas jamais.

J'étais presque sûre qu'il disait vrai.

Ses doigts pianotèrent sur le dossier de la chaise.

— Tu dis que ton fiancé est un homme compliqué et que vous avez des problèmes à résoudre. Brett était quelqu'un de simple ; il n'y avait pas de complications avec lui. Ces derniers mois, tu viens d'opérer de grands changements dans ta vie. Tu t'es rapprochée de ta mère, et te voilà fiancée. Il t'arrive peut-être parfois de souhaiter que les choses soient plus simples.

Je le dévisageai, le temps de digérer ses paroles.

— Comment faites-vous pour trouver la clef aussi facilement ?

— À force de pratique.

La peur me poussa à lâcher :

— Je ne veux pas tout gâcher avec Gideon.

— Est-ce que tu as quelqu'un à qui parler à New York ?

— On suit une thérapie de couple.

— C'est bien, approuva-t-il. Il a envie que cela fonctionne, lui aussi. Est-ce qu'il sait ?

À propos de Nathan ?

— Oui.

— Je suis fier de toi, Eva.

— Je vais éviter Brett, mais je me demande si ça ne signifie pas que je n'ose pas m'attaquer à la racine du problème. Comme un alcoolique qui ne boit plus, mais reste toujours un alcoolique. Le problème demeure, il ne fait que le tenir à distance.

— Ce n'est pas tout à fait vrai, mais c'est intéressant que tu fasses un parallèle avec une addiction. Tu as tendance à adopter un comportement autodestructeur avec les hommes. C'est le cas de beaucoup de personnes

91

ayant une histoire semblable à la tienne, cela n'a donc rien de surprenant, nous en avons du reste déjà parlé.

— Je sais.

C'était bien pour cela que j'avais tellement peur de perdre Gideon.

— Il y a un certain nombre d'éléments que tu dois prendre en considération. Tu es fiancée à un homme qui, en surface, est tout à fait le genre dont ta mère rêve pour toi. Vu ce que tu penses de la dépendance de ta mère vis-à-vis des hommes, il est possible que cela t'inspire une certaine résistance.

Je fronçai le nez et il agita un doigt.

— C'est juste une possibilité. Il est également possible que tu aies l'impression de ne pas mériter ce qu'il t'apporte.

Ce fut comme si une pierre se logeait au creux de mon ventre.

— Et de mériter Brett ?

— Eva, dit-il avec un sourire bienveillant, le simple fait que tu poses cette question... c'est à toi de régler ce problème.

5

— Je ne vous ai pas reconnu sans le costard, avoua Sam Yimara quand je m'assis en face de lui.

Il était du genre compact, moins d'un mètre quatre-vingts, mais très musclé. Son crâne rasé était tatoué, les lobes de ses oreilles percés au point de voir au travers.

Le *Pete's 69th Street Bar* n'était pas situé sur la 69e Rue, je n'avais donc aucune idée de l'origine de son nom. Je savais juste que les Six-Ninth tiraient leur nom de ce bar parce qu'ils s'y étaient produits pendant des années. Je savais aussi que Brett Kline avait baisé ma femme dans les toilettes de cet établissement.

Rien que pour cela, j'avais envie de le démolir. Ma femme méritait des palaces et des îles privées, pas des toilettes de bar miteux.

Sans être un bouge, le *Pete's Bar* n'avait aucune classe. C'était au mieux un bar de plage qui supportait à peine un éclairage tamisé, et le haut lieu de rendez-vous des étudiants de la fac de San Diego qui venaient s'y saouler au point de ne plus se souvenir de rien le lendemain matin.

Une fois que j'aurais rasé l'endroit, ils ne se souviendraient même plus qu'il ait jamais existé.

En choisissant ce lieu de rendez-vous, Yimara s'était montré habile. L'endroit me mettait à cran et me rappelait cruellement les enjeux de notre transaction. Si mon apparition en jean et tee-shirt l'avait désarçonné, ce n'était qu'un juste retour de bâton.

Je l'étudiai attentivement. Il n'y avait pas beaucoup de clients dans le bar et la plupart étaient sur la terrasse. Seule une poignée d'entre eux occupait la salle au décor très plage.

— Avez-vous décidé d'accepter mon offre ?

— Je l'ai étudiée.

Il croisa les jambes et cala le bras sur le dossier de la banquette, adoptant la posture d'un homme très sûr de lui et pas assez malin pour se montrer prudent.

— Mais vu l'importance de votre fortune, je m'étonne que la vie privée d'Eva ne représente pas plus d'un million de dollars à vos yeux.

Je souris intérieurement.

— À mes yeux, la tranquillité d'esprit d'Eva est inestimable. Si vous croyez que je suis prêt à vous faire une meilleure offre, cela prouve que vous n'avez rien compris à la situation. Si vous refusez cette offre, la plainte vous concernant suivra son cours. Et il y a aussi ce sale détail concernant cet enregistrement dont la légalité sans le consentement d'Eva reste à prouver.

— Je croyais que vous vouliez étouffer l'affaire, pas que vous envisagiez de la citer publiquement. Eva se retrouverait seule à affronter un procès, vous savez ? J'en ai parlé avec Brett et nous sommes tombés d'accord.

— Il a visionné l'enregistrement ?

— Il en a une copie, répondit Sam en sortant de sa poche une clef USB. En voilà une pour Eva. Je me suis dit que vous auriez envie de savoir ce que vous achetez.

Imaginer Kline en train de se regarder baiser avec Eva m'emplit de rage. Les souvenirs qu'elle gardait de cette histoire étaient assez pénibles. Un enregistrement était inacceptable.

Je serrai la clef USB dans mon poing.

— L'existence de cet enregistrement finira par se savoir, je ne peux pas l'empêcher, déclarai-je. Vous avez déjà contacté trop de journalistes. Ce que je peux faire, en revanche, c'est vous détruire. Personnellement, c'est ce que je préférerais. Vous regarder vous consumer à petit feu comme la merde que vous êtes.

Yimara se tortilla sur la banquette. Je me penchai vers lui.

— Vous n'avez pas seulement filmé Eva et Kline. Il y a des dizaines d'autres victimes qui n'ont jamais signé la moindre autorisation. Je suis propriétaire de ce bar. Et des Six-Ninth. Trouver des groupies qui vous ont vu filmer illégalement et qui sont prêtes à témoigner contre vous n'a pas été difficile.

La dernière lueur vénale qui brillait encore dans ses yeux s'éteignit.

— Si vous étiez plus malin, poursuivis-je, vous auriez parié à plus long terme. Maintenant, il ne vous reste plus qu'à signer le contrat que je vais vous soumettre et vous estimer heureux d'empocher un chèque d'un quart de million de dollars.

— Bordel ! cracha-t-il en se redressant. On avait dit un million, alors c'est un million.

— Un million que vous n'avez pas accepté, lui rappelai-je en me levant. Et qui n'est plus sur la table. Si vous hésitez encore, vous n'aurez rien du tout. Et si vous n'êtes pas content, je vous écraserai et vous ferai jeter en prison. Que je puisse dire à Eva que j'ai tout essayé me suffit.

Je quittai la table et glissai la clef USB dans ma poche ; j'avais l'impression de la sentir me brûler la peau à travers le tissu. Mon regard croisa celui d'Arash quand je passai près du comptoir. Il quitta aussitôt son tabouret.

— C'est toujours un plaisir de te regarder ficher les jetons à quelqu'un, murmura-t-il avant de se diriger vers le siège que je venais de libérer, contrat et chèque à la main.

Après la lumière tamisée du bar, je fus heureux de retrouver le soleil. Eva ne voulait pas voir cet enregistrement et elle m'avait fait promettre de ne pas le regarder.

Mais Kline la troublait. Il demeurait une menace. Les voir ensemble, dans l'intimité, me donnerait peut-être l'information dont j'avais besoin pour lutter contre lui.

Eva avait-elle été aussi libre sur le plan sexuel avec lui qu'avec moi ? S'était-elle montrée aussi avide et désespérée ? Était-il capable de la faire jouir comme je la faisais jouir ?

Je fermai les yeux pour chasser les images qui m'assaillaient. En vain.

Je me remémorai la promesse que j'avais faite à Eva et traversai le parking jusqu'à ma voiture de location.

Je suis presque aussi excitée de devenir ton « amie » que de devenir ta femme, c'est idiot, non ?
Le texto d'Eva me fit sourire.
Je suis aussi excité d'être ton amant que d'être ton mari.
Obsédé !
Cette fois, j'éclatai franchement de rire.

Arash s'était confortablement installé sur le canapé de ma suite. Il leva les yeux de sa tablette.

— C'était quoi, ce bruit ? Ne me dis pas que tu viens de rire, Cross. Je serais moins inquiet si tu me disais que tu fais une attaque...

Je le gratifiai d'un doigt d'honneur.

— De quoi ? répliqua-t-il. Un doigt ?

— Eva prétend que c'est une réponse classique.

— Eva est assez sexy pour s'en sortir ainsi. Pas toi.

J'ouvris une nouvelle fenêtre sur mon ordinateur portable, me connectai au profil de mon réseau social et le reliai à celui d'Eva en tant que fiancé, puisque nous étions désormais « amis ». J'attendis qu'elle confirme la relation, cliquai sur son nom et souris en découvrant la photo de profil qu'elle avait choisie. Elle s'exposait aux yeux du monde pour la toute première fois, et elle le faisait en montrant qu'elle était à moi.

Je tapai : *Maintenant on est amis et fiancés.*

☺*Je n'oublie pas ma part du marché*, répondit-elle.

Mon regard passa de la fenêtre des messages à la photo de nous deux. Je caressai son visage du bout des doigts et décidai de résister à la furieuse envie de la rejoindre qui m'avait saisi. C'était trop tôt. Eva avait besoin de tout l'espace que je pouvais supporter de lui accorder.

Moi non plus, mon ange.

Sans être immense, le théâtre du casino n'était pas trop petit non plus. Facile à remplir. Les Six-Ninth pourraient ainsi se vanter d'avoir fait salle comble. Christopher avait veillé à leur éviter l'embarras d'être confrontés à des sièges vides dans leur ville d'origine.

Mon frère était doué dans son domaine. J'évitais cependant de le lui dire – les compliments avaient tendance à le rendre plus puant que jamais.

Je me dirigeais vers les coulisses quand la salle commença à se vider. En tant qu'actionnaire majoritaire de Vidal Records, je détenais un passe qui me permettait d'aller où bon me semblait, mais je ne l'utilisais pratiquement jamais. Les coulisses, c'était plutôt le territoire de Brett Kline.

Ce que je faisais n'était pas très malin. Si j'avais patienté jusqu'au lendemain matin, je l'aurais cueilli au saut du lit, certainement affligé d'une gueule de bois carabinée, et c'est moi qui aurais eu l'avantage.

Mais j'étais incapable d'attendre aussi longtemps. Il avait une copie du film. Il devait déjà l'avoir visionnée. Plusieurs fois, peut-être. L'idée qu'il puisse encore la regarder était impossible à encaisser. Récupérer ce film était ma priorité.

Je voulais aussi qu'il sache que j'étais dans le coin avant qu'il revoie Eva. Marquer mon territoire, pour ainsi dire, et j'avais choisi de le faire avec le jean et le tee-shirt que j'avais portés pour rencontrer Yimara. Ce qui concernait Eva relevait du domaine privé, pas des affaires, et je tenais à ce que ce soit clair dès que Kline me verrait.

J'accédai aux coulisses côté jardin et me retrouvai aussitôt en plein chaos. Une foule de groupies plus ou moins défoncées et très peu vêtues encombraient un couloir étroit. Une bonne dizaine de mecs arborant tatouages et piercings s'affairaient à remballer le matériel ; j'admirai au passage leur efficacité et leur rapidité – loin de brasser de l'air inutilement, ils étaient passés maîtres dans l'art d'économiser leurs gestes. La musique que diffusaient des haut-parleurs invisibles se heurtait de façon discordante à celles qui s'échappaient des portes ouvertes des loges. Je me frayai un chemin à travers la mêlée, cherchant des yeux une tête surmontée de piques de cheveux décolorés, aisément reconnaissable.

Une jeune femme blonde à la silhouette douloureusement familière franchit d'un pas chancelant le seuil d'une loge à quelques mètres de moi. Ses cheveux retombaient gracieusement sur ses épaules et mon attention fut attirée par la courbe de son appétissant postérieur.

Je ralentis le pas. Mon cœur, en revanche, se mit à battre plus vite. Kline apparut derrière elle, tenant une bouteille de bière dans une main et tendant l'autre vers elle. Elle s'en empara et l'entraîna dans le couloir.

Je connaissais le contact de cette main délicate, la douceur de cette peau. La surprenante fermeté de son étreinte. Je connaissais la morsure de ses ongles dans mon dos. La façon dont ses doigts m'agrippaient les cheveux quand elle jouissait contre ma bouche. Le frisson électrique, la conscience primitive, qui accompagnait ses caresses.

Je me pétrifiai, les tripes nouées. Elle se tenait tout près, trop près de Kline. Elle appuya l'épaule contre le mur, sa hanche saillant de façon provocante, et effleura du bout des doigts la peau nue du ventre du chanteur. Un sourire impertinent, séducteur, incurva les lèvres de Kline qui lui caressa le haut du bras d'une façon bien trop intime.

Il suffisait de les voir ensemble, debout dans ce couloir, pour comprendre qu'ils étaient amants.

Un sombre dégoût m'envahit.

La douleur fulgurante qui plongea ses racines au tréfonds de mon âme me coupa le souffle et me priva soudain de tout contrôle.

Un bras féminin se posa sur mon épaule. La main qui le prolongeait plongea sous l'encolure de mon tee-shirt pour me caresser le torse, tandis qu'une autre main glissait sur ma hanche pour se plaquer sur mon sexe. Le parfum écœurant qui assaillit mes narines m'incita à repousser violemment l'inconnue alors même qu'une brune aussi mince qu'une brindille, aux yeux bleus trop maquillés, tentait de s'attaquer à moi par-devant.

— Dégagez ! grondai-je en les gratifiant d'un regard si furieux qu'elles battirent en retraite en me traitant de connard.

Il fut un temps où je les aurais baisées toutes les deux, retournant contre elles la sensation que leur tentative de me prendre en sandwich avait éveillée en moi.

Après Hugh, j'avais appris à gérer les prédateurs sexuels, fussent-ils mâles ou femelles. À les remettre à leur place.

Je fonçai droit devant, jouant des coudes parmi la foule, et le souvenir du contact de la mâchoire de Kline contre mon poing ressurgit dans ma mémoire. L'impitoyable fermeté de son torse. Le grognement qui lui avait échappé quand je l'avais frappé de toutes mes forces.

Je voulais le mettre à terre. Le réduire en bouillie. Contempler son corps ensanglanté. Brisé.

Kline se pencha pour lui parler à l'oreille. Mes poings se serrèrent. Quand elle rejeta la tête en arrière et qu'elle se mit à rire, je m'immobilisai. Surpris. Perdu. En dépit du bruit ambiant, ce rire avait sonné faux à mes oreilles.

Ce n'était pas le rire d'Eva.

Il était trop haut perché. Eva avait un rire de gorge, grave et profond. Sexy. Aussi unique que la femme à laquelle il appartenait.

La blonde tourna la tête et j'aperçus son profil. Ce n'était pas Eva. Elle avait les mêmes cheveux et la même silhouette qu'elle, mais son visage était différent.

Qu'est-ce que c'est que ce bordel ?

Je compris d'un coup. Cette fille était l'actrice du clip de *Golden*. La doublure d'Eva.

Machinistes et groupies me bousculaient au passage, mais je demeurai figé sur place, tétanisé par cette vision de Kline occupé à séduire une pâle copie de mon incomparable épouse.

La vibration de mon portable me tira de ma transe. Je le sortis de ma poche en jurant. Un texto de Raúl.

Elle arrive au casino.

100

Elle avait donc changé d'avis et décidé de voir Kline. Comptant tourner la situation à mon avantage, je répondis :

Conduis-la dans les coulisses côté jardin.

Reçu.

Je me plaquai contre le mur, avisai une alcôve à demi dissimulée par une colonne de caisses de matériel et m'y glissai. Les minutes s'égrenèrent lentement.

Un frisson me parcourut avant même de la voir. Je tournai la tête et la repérai immédiatement. Contrairement à sa doublure, affublée d'une petite robe moulante, Eva était vêtue d'un jean et d'un débardeur gris tout simple. Ses sandales à talons et les créoles en or à ses oreilles apportaient une touche d'élégance décontractée à sa tenue.

Le désir me saisit, brutal. Eva était la plus belle femme que j'aie jamais vue, la créature la plus sexy qui soit. Les autres femmes la suivaient des yeux, lui enviant sa beauté et sa sensualité débordante. Les hommes la couvaient d'un regard intéressé, mais elle ne semblait pas s'en apercevoir, toute son attention concentrée sur Kline.

Elle étrécit les yeux quand elle découvrit la scène qui m'avait frappé un instant plus tôt. Je la vis évaluer la situation et en tirer la conclusion qui s'imposait. Une myriade d'émotions se succéda sur son visage. Voir son ancien amant tenter de capturer l'illusion de ce qu'il avait eu autrefois avec elle devait être bizarre.

À mes yeux, c'était inconcevable. Si je n'avais pas pu avoir Eva, je n'aurais eu personne d'autre.

Elle carra les épaules, releva le menton, puis sourit. Je vis l'acceptation, une paix nouvelle l'envahir. Quoi qu'elle eût cherché, elle l'avait trouvé.

Eva passa devant moi sans me voir, mais Raúl me rejoignit.

— Gênant, laissa-t-il échapper quand Kline leva les yeux et aperçut ma femme.

Le chanteur resta un instant saisi.

— Parfait, répliquai-je quand ma femme tendit vers lui la main gauche pour le saluer.

Impossible de ne pas remarquer l'alliance qui étincelait à son doigt.

— Tiens-moi au courant de la suite des événements, glissai-je à Raúl avant de partir.

Je venais d'enchaîner quatre-vingts pompes, les yeux rivés sur la clef USB posée sur le sol devant moi. La façon dont j'avais géré l'affaire avec Yimara et Kline s'était révélée efficace, mais insatisfaisante. J'étais toujours aussi tendu et contrarié, et je brûlais d'en découdre avec ce clown.

Les filets de sueur qui coulaient de mon front me piquaient les yeux. J'avais le souffle court. Savoir qu'Eva passait la soirée en boîte avec Cary et leurs amis californiens me mettait les nerfs à vif. Je connaissais l'effet que l'alcool et la danse avaient sur elle. J'adorais la coincer quand elle était en nage, m'enfouir dans sa petite chatte avide.

Ma queue durcit. Mes bras se mirent à trembler comme j'approchais du seuil de fatigue musculaire. Mes veines saillantes se détachaient avec netteté sur mes mains et mes avant-bras. J'avais grand besoin d'une douche froide, mais il n'était pas question que je me soulage. Je gardais tout pour Eva, désormais.

L'alarme de la messagerie retentit sur mon ordinateur. Je ralentis mon rythme infernal, m'arrêtai à la centième pompe et me redressai. Je ramassai la clef USB, la laissai tomber sur le bureau et attrapai la serviette sur le dossier de la chaise. Je m'essuyai le visage avant de consulter ma messagerie. Je m'attendais à recevoir le dernier point sur la soirée d'Eva, mais j'eus la surprise de découvrir un message d'elle.

Dans quelle chambre es-tu ?

Je fixai l'écran un moment, tâchant d'assimiler sa question. Un nouveau tintement annonça un texto de Raúl.

Elle se dirige vers votre hôtel.

Un frisson d'impatience à l'idée de retrouver ma délicieuse épouse affûta mon esprit engourdi par l'exercice.

4269, répondis-je à Eva.

Je décrochai le téléphone et appelai le service aux chambres.

— Une bouteille de champagne Cristal, commandai-je. Deux flûtes, des fraises et de la crème Chantilly. Apportez cela dans dix minutes. Merci.

Je raccrochai et drapai la serviette autour de mon cou. Un rapide coup d'œil à l'horloge m'apprit qu'il était 2 h 30 du matin.

Le temps que la sonnette retentisse, j'avais allumé toutes les lumières de la chambre et du salon et ouvert les rideaux qui bouchaient la vue sur l'océan au clair de lune.

J'allai ouvrir et trouvai Eva ainsi que l'employé du service aux chambres. Eva portait la même tenue que celle que je lui avais vue un peu plus tôt. Avec ses cheveux lâchés, son visage luisant et son mascara qui avait un peu coulé, elle avait un petit côté bad girl qui ranima instantanément mon érection. Elle sentait la sueur fraîche et l'alcool.

Si le garçon d'étage n'avait pas été là, je l'aurais renversée sur le sol de l'entrée avant qu'elle ait compris ce qui lui arrivait.

— Mon Dieu ! souffla-t-elle en me parcourant de la tête aux pieds.

Je baissai les yeux. J'étais encore brûlant, ma peau brillait de transpiration et la ceinture trempée de mon pantalon de jogging attirait l'attention sur mon érection.

— Désolé, j'étais en plein exercice.

— Qu'est-ce que tu fais à San Diego ? demanda-t-elle.

Je reculai et lui fis signe d'entrer.

Elle ne bougea pas.

— Je refuse de me laisser entraîner dans ton vortex de dieu du sexe tant que tu ne m'auras pas répondu.

— Je suis ici pour affaires.

— N'importe quoi, répliqua-t-elle en croisant les bras.

Je la saisis par le coude et l'attirai à l'intérieur.

— Je peux le prouver.

Le garçon d'étage entra derrière elle en poussant son chariot.

— Tu es bien trop optimiste, marmonna-t-elle après avoir jeté un coup d'œil au chariot pendant que je signais le reçu.

Une fois le serveur parti, j'allai décrocher le téléphone et composai le numéro de la chambre d'Arash.

— Non, c'est une blague ? grommela celui-ci quand il décrocha. Tu es au courant qu'il y a des gens qui ont besoin de dormir, Cross ?

— Ma femme veut te parler.

— Quoi ? s'exclama-t-il sur fond de draps froissés. Où es-tu ?

— Dans ma chambre, répondis-je avant de tendre le combiné à Eva. Mon avocat.

— Non, mais ça ne va pas ? s'écria-t-elle. Il est 5 heures du matin à New York. Et c'est dimanche !

— Il est dans la chambre voisine. Vas-y, demande-lui si j'ai travaillé aujourd'hui.

Elle me rejoignit à grands pas et s'empara du combiné.

— À votre place, je changerais de boulot, lui dit-elle. Votre patron est un grand malade.

Elle écouta sa réponse et soupira.

— Avant, dit-elle en me jetant un coup d'œil. Heureusement qu'il est beau. Je devrais quand même me faire examiner la tête. Je suis désolée qu'il vous ait réveillé. Retournez vous coucher.

Eva me rendit le combiné. Je l'approchai de mon oreille.

— Fais ce qu'elle te dit. Rendors-toi.

— Elle me plaît. Elle te donne du fil à retordre.

— Elle me plaît aussi, répondis-je en la déshabillant du regard. Bonne nuit.

Je raccrochai et m'approchai d'elle. Elle recula, échappant à ma main tendue.

— Pourquoi ne m'as-tu pas dit que tu étais ici ?

— Je ne voulais pas te faire perdre tes moyens.

— Tu n'as pas confiance en moi ?

Je haussai les sourcils.

— Demande à la femme qui a placé un mouchard sur mon téléphone pour me pister jusqu'à mon hôtel.

— J'étais curieuse de savoir si tu resterais à la maison ou pas !

Elle fit la moue tandis que je continuais à la dévisager.

— Et puis... tu me manquais, ajouta-t-elle.

— Je suis là, mon ange, dis-je en écartant les bras. Viens.

Elle fronça le nez.

— Il faut que je prenne une douche. Je pue.

— On a transpiré autant l'un que l'autre, fis-je remarquer en me rapprochant d'elle – cette fois, elle ne recula pas. Et tu sais que j'adore ton odeur.

Je posai les mains sur sa taille, les fis remonter et enserrai sa cage thoracique si délicate juste en dessous de ses seins, que je soupesai et pressai doucement à travers son débardeur.

Avant Eva, je n'avais jamais porté un intérêt particulier à cette partie de l'anatomie féminine. Je chérissais

105

désormais chaque centimètre carré de son corps, chacune de ses courbes voluptueuses.

Mes pouces entamèrent un mouvement circulaire autour des pointes de ses seins, qui se dressèrent.

— J'adore te caresser.

Je baissai la tête et frottai le nez contre son cou ; mes cheveux humides la chatouillèrent, lui arrachant un gémissement.

— Ce n'est pas juste… Comment veux-tu que je résiste quand tu es à moitié nu ?

— Pourquoi résister ? répondis-je en glissant les mains sous son débardeur pour dégrafer son soutien-gorge. Laisse-toi faire, Eva.

Je pris une brève inspiration lorsqu'elle plongea la main sous l'élastique de mon pantalon et referma les doigts sur mon sexe.

— Miam, murmura-t-elle. Regarde ce que j'ai trouvé.

— Mon ange, dis-je en plaquant les mains sur ses fesses. Dis-moi que tu as envie de la même chose que moi.

— À quoi penses-tu, exactement ? demanda-t-elle en levant vers moi un regard embrumé de désir.

— Ici. Par terre. Ton jean coincé autour d'une de tes chevilles, ton débardeur relevé et tes sous-vêtements écartés. Je veux ma queue en toi, t'inonder de sperme, chuchotai-je en agaçant de la pointe de la langue la veine qui palpitait à la base de son cou. Je prendrai soin de toi une fois qu'on sera au lit, mais là, tout de suite… j'ai juste envie de me servir de toi.

— Gideon… souffla-t-elle en frissonnant.

Je l'allongeai sur la moquette. Ma bouche recouvrit la sienne, douce, chaude et humide ; sa langue lécha la mienne. Elle noua les bras autour de mon cou pour me retenir contre elle. Je la laissai faire, plaçai les genoux de part et d'autre de ses hanches et tirai sur la fermeture Éclair de son jean.

Son ventre était d'une douceur de soie. Il se creusa et elle laissa échapper un gloussement quand la jointure de mes doigts lui effleura les flancs. Qu'elle soit aussi chatouilleuse me fit sourire contre ses lèvres et me combla de joie.

— Tu resteras avec moi, lui dis-je. Tu te réveilleras près de moi.

— Oui, acquiesça-t-elle en soulevant les hanches pour m'aider à la débarrasser de son pantalon.

Je libérai l'une de ses jambes, laissant l'autre entravée, et lui écartai les cuisses. Avec son slip à demi baissé, elle était telle que je la voulais.

Eva était ma femme, mon bien le plus précieux, et je la chérissais. Mais je l'aimais aussi vicieuse et dévergondée. Un objet sexuel destiné à mon seul plaisir. La seule femme capable de réduire au silence les souvenirs qui m'encombraient l'esprit et de me libérer.

— Mon ange…

Je m'allongeai à plat ventre, l'eau me venait à la bouche à l'idée de retrouver sa saveur unique.

— Non, protesta-t-elle en couvrant son entrejambe de ses mains.

Je lui attrapai les poignets et lui plaquai les bras le long du corps.

— C'est comme cela que je te veux.

— Gideon…

Je la léchai à travers la soie de son slip. Elle cambra le dos, souleva les hanches et planta fermement les talons sur le sol pour amener sa chatte au niveau de ma bouche. J'écartai sa culotte avec les dents, révélant sa peau d'une douceur incroyable. Un grondement m'échappa quand mon sexe durcit à me faire mal.

Mes lèvres se refermèrent sur son clitoris et je la suçai autant que je la léchai. Je sentis la tension monter en elle. Je lui lâchai les poignets, certain qu'elle m'appartenait, qu'elle était incapable de me résister.

— Ô mon Dieu ! souffla-t-elle. Ta bouche…

Je lui écartai davantage les jambes avec mes épaules et la léchai jusqu'à la faire jouir. Elle me tira les cheveux sans pitié, ce qui m'excita violemment, et un cri de surprise accompagna son orgasme. Son vagin palpitait autour de ma langue, elle était de plus en plus moite, de plus en plus chaude.

Je caressai son clitoris, glissai deux doigts en elle et pressai les hanches contre le sol, bouleversé par le contact de son fourreau. Ma queue se souvint douloureusement de la sensation inouïe que déclenchait la plongée au cœur de cette délicieuse petite fournaise.

— S'il te plaît, me supplia Eva, accompagnant le va-et-vient de mes doigts en elle pour m'inciter à la posséder.

J'avais envie de baiser. De jouir. Pas parce que j'avais besoin de baiser, mais parce que j'avais besoin d'elle.

Elle se tordit, submergée par un nouvel orgasme, et rejeta la tête en arrière tandis qu'un cri d'extase lui échappait.

Je m'essuyai la bouche sur sa cuisse, m'agenouillai et baissai mon pantalon. Prenant appui sur une main, je guidai ma queue de l'autre. Je plongeai en elle d'une poussée ferme et un grognement accompagna ma progression dans son vagin étroit.

— Gidèon.

Je frottai mon front humide de sueur sur sa joue. Je voulais qu'elle ait la même odeur que moi. Ses ongles se plantèrent dans mon dos. Je voulais qu'elle me lacère, qu'elle me marque.

Je glissai les mains sous ses fesses et la soulevai pour m'enfouir plus profondément. En gémissant, Eva ondula des hanches afin de m'accueillir en elle.

— Prends-moi, sifflai-je, les dents serrées. Laisse-moi entrer.

Je ne voulais pas jouir avant de l'avoir pénétrée à fond. Sa petite chatte se contracta, m'aspira en elle. Je lui clouai les épaules au sol pour l'immobiliser et poussai plus fort. Elle céda et me laissa la posséder.

Les spasmes de ses muscles intimes sur toute la longueur de ma queue suffirent. Je la pris entre mes bras, l'étreignis et l'embrassai brutalement, en proie à un orgasme si dévastateur qu'il me laissa tremblant.

La vapeur s'enroula autour de nous quand je m'immergeai, Eva blottie au creux de mes bras, dans l'immense baignoire encastrée de ma suite. Ses cheveux mouillés me collaient au torse, ses bras reposaient sur celui dont j'entourais sa taille.

— Champion ?

— Hmm ? fis-je en déposant un baiser sur sa tempe.

— Si on ne pouvait pas être ensemble – non pas que ce soit imaginable, mais en théorie –, est-ce que tu coucherais avec une femme qui me ressemble ?

— Je refuse de spéculer sur des situations qui n'existeront jamais.

— Gideon, dit-elle en inclinant la tête de côté pour me regarder droit dans les yeux, je sais que cela n'arrivera pas. Pourtant je me suis demandé si je songerais à me consoler dans les bras d'un homme qui te ressemblerait. Si je chercherais forcément un mec brun, coiffé comme toi...

— Eva, l'interrompis-je en me raidissant, ne me parle pas de tes fantasmes concernant d'autres hommes.

— Comme d'habitude, tu n'écoutes pas ce que je dis.

— De quoi parles-tu, bon sang ?

Je le savais, évidemment, mais je n'avais pas la moindre envie d'explorer le sujet.

— Brett couche avec cette fille du clip de *Golden*. Celle qui me ressemble.

— Personne ne te ressemble.

Elle leva les yeux au ciel.

— Elle a peut-être ta silhouette, concédai-je. Mais la ressemblance s'arrête là. Elle n'a pas ta voix, ton sens de l'humour, ton esprit. Elle n'a pas ton cœur.

— Oh, Gideon !

Du bout des doigts, je lui caressai le front.

— Même dans le noir, elle ne pourrait pas donner le change. Il ne suffit pas d'être blonde et bien balancée pour avoir ton parfum. Ta manière de bouger. Me toucher comme toi, avoir envie de moi comme toi.

Son visage s'adoucit et elle pressa la joue contre mon épaule.

— C'est ce que j'ai pensé aussi. Je ne pourrais pas. Et il m'a suffi de voir Brett avec cette fille pour savoir que tu ne pourrais pas non plus.

— Avec personne. Jamais, soufflai-je avant de déposer un baiser sur le bout de son nez. Tu as transformé ma façon de voir le sexe, Eva. Je ne pourrais plus revenir en arrière. Je n'essaierais même pas.

Elle se tourna entre mes bras pour m'enfourcher, provoquant des remous et envoyant de l'eau sur le carrelage. Je la regardai, m'absorbai dans sa contemplation : ses cheveux couleur de blé mûr plaqués en arrière, les traces de maquillage sous ses yeux, les gouttelettes d'eau sur sa peau dorée.

— Mon père tient à payer le mariage, dit-elle en me massant doucement la nuque.

— Vraiment ?

Elle hocha la tête.

— J'ai besoin que tu sois d'accord.

J'étais d'accord avec tout quand ma femme nue, mouillée et d'humeur folâtre, était à califourchon sur moi.

— J'ai déjà eu le mariage que je voulais. Libre à toi d'organiser le prochain à ta guise.

Cette profession de foi fut amplement récompensée d'un sourire éclatant ponctué d'un baiser enthousiaste.

— Je t'aime, murmura-t-elle.

Je l'attirai contre moi.

— Ma mère va en avoir une attaque, reprit-elle après s'être mordillé la lèvre. Pour elle, un budget de cinquante mille dollars, cela paie à peine les fleurs et les cartons d'invitation.

— Propose que ton père paie pour la cérémonie et que ta mère se charge de la réception. Comme cela, le problème sera réglé.

— Cela me plaît ! C'est parfois bien pratique de vous avoir sous la main, monsieur Cross.

Je la soulevai et lui léchai la pointe d'un sein.

— Permettez-moi de vous le prouver, madame Cross.

L'aube se levait lorsque la respiration d'Eva adopta le rythme profond et régulier du sommeil. Je m'extirpai de ses bras et des draps en prenant grand soin de ne pas la réveiller, puis restai un instant près du lit pour la regarder. Ses cheveux en désordre lui couvraient les épaules, ses lèvres et ses joues étaient encore tout empourprées par l'amour. Ma poitrine se contracta et je me frottai le torse dans le vain espoir d'en chasser la douleur.

J'avais du mal à la quitter. De plus en plus de mal. J'avais l'impression de m'arracher à elle. Littéralement.

Je fermai les rideaux, puis passai dans le salon et en fis autant, plongeant la pièce dans l'obscurité.

Puis je m'allongeai sur le canapé et m'endormis.

Un éclair de lumière me réveilla brutalement. Je cillai, me frottai les yeux et découvris que les rideaux avaient été entrouverts si bien qu'un rayon de soleil tombait en plein sur mon visage. Eva s'avança vers moi, la lumière formant un halo autour de son corps nu.

— Hé, souffla-t-elle en s'agenouillant près de moi. Tu avais dit que tu te réveillerais près de moi.

— Quelle heure est-il ?

Un coup d'œil à ma montre m'apprit que je ne dormais que depuis une heure et demie.

— Tu étais censée dormir plus longtemps que cela.

Elle pressa les lèvres sur mon abdomen.

— Je ne dors pas bien sans toi.

Le regret me transperça. Ma femme avait besoin de ce que je ne pouvais lui donner. Elle me réveillait avec de la lumière plutôt qu'avec des caresses parce qu'elle craignait ma réaction. Elle avait raison de se montrer prudente. Lorsque j'étais la proie d'un cauchemar, une simple caresse risquait de me faire émerger du sommeil tous poings dehors.

J'écartai les cheveux de son visage.

— Je suis désolé.

Pour tout. Pour tout ce que tu abandonnes pour être avec moi.

— Chut, chuchota-t-elle.

Elle souleva la ceinture élastique de mon pantalon et la fit glisser par-dessus mon sexe. Je bandais déjà. Comment aurait-il pu en être autrement quand elle venait à moi nue et le regard embrumé de sommeil ?

Sa bouche s'empara de ma queue.

Je fermai les yeux et capitulai dans un gémissement.

Des coups frappés à la porte me réveillèrent de nouveau. Eva s'étira entre mes bras, blottie contre moi sur l'étroit canapé.

— Fait chier, marmonnai-je en la serrant contre moi.

— Ne réponds pas.

Mais les coups persistèrent. Je rejetai la tête en arrière.

— Dégage ! hurlai-je.

— J'apporte du café et des croissants, rétorqua Arash sur le même ton. Ouvre, Cross. Il est midi passé et je veux faire la connaissance de ta chère et tendre.

— Putain...

— C'est ton avocat ? demanda Eva en clignant des yeux.

— C'était, grommelai-je en m'asseyant et en me passant la main dans les cheveux. On va partir, toi et moi. Bientôt. Très loin.

Elle déposa un baiser au creux de mes reins.

— Quand tu veux.

Je glissai les pieds dans les jambes de mon jogging et le remontai une fois debout. Eva en profita pour flanquer une claque sur mes fesses nues.

— J'ai entendu ! beugla Arash. Arrête tout de suite et viens m'ouvrir.

— Tu es viré, annonçai-je en me dirigeant vers la porte.

Je jetai un coup d'œil à Eva pour lui conseiller de se couvrir, mais elle courait déjà vers la chambre.

Je découvris Arash qui attendait devant ma suite près d'un chariot de service aux chambres.

— Bordel, qu'est-ce qui te prend ?

Je dus reculer précipitamment pour éviter qu'il me roule dessus avec.

— Arrête un peu de râler.

Il afficha un grand sourire, poussa le chariot de côté et m'examina de la tête aux pieds.

— Garde le marathon du sexe pour ta lune de miel.

— Ne l'écoute pas ! cria Eva depuis la chambre.

— Aucun risque ! assurai-je en tournant la tête vers la porte. Il ne travaille plus pour moi.

— Tu n'es pas en position de me faire des reproches, riposta Arash en me suivant dans le salon. À voir l'état de ton dos, on jurerait que tu t'es battu avec un puma. Pas étonnant que tu sois fatigué.

— Ferme-la, marmonnai-je en ramassant ma chemise qui traînait par terre.

— Tu ne m'avais pas dit qu'Eva serait aussi à San Diego.

— Je ne te l'ai pas dit parce que cela ne te regardait pas.

Il leva les deux mains.

— On fait une trêve.

— Pas un mot au sujet de Yimara, murmurai-je. Je ne veux pas l'inquiéter.

— Promis, assura-t-il, retrouvant son sérieux.

Je m'approchai du chariot, remplis deux tasses de café et préparai celui d'Eva comme elle l'aimait.

— J'en boirais bien un aussi, risqua Arash.

— Sers-toi.

Un sourire narquois flotta sur ses lèvres comme il s'avançait vers le chariot.

— Elle va nous rejoindre ?

Je haussai les épaules.

— Elle n'est pas fâchée, j'espère ?

— J'en doute, dis-je en allant poser les tasses sur la table basse. Il faut vraiment y mettre du sien pour qu'elle se fâche.

— Tu es plutôt doué à ce jeu-là, commenta-t-il en s'asseyant dans un fauteuil. Je me souviens encore de cette vidéo de votre engueulade à Bryant Park qui avait circulé sur le Net...

— Tu dois vraiment t'emmerder dans ton boulot, coupai-je en allant ouvrir les rideaux.

— Tu ne serais pas curieux, toi, si je me mariais dans le plus grand secret avec une fille que je connais depuis deux mois ?

114

— J'adresserais mes condoléances à la demoiselle.

Il rit de bon cœur.

La porte de la chambre s'ouvrit et Eva apparut, portant ses vêtements de la veille. Elle s'était nettoyé le visage, mais ses cernes et ses lèvres gonflées trahissaient la femme comblée et la rendaient extrêmement désirable. Elle était pieds nus et s'était coiffée à la va-vite, mais elle était plus éblouissante que jamais.

Je me rengorgeai de fierté. L'absence de maquillage révélait l'adorable semis de taches de rousseur qui ornait son nez. Son corps était un appel au viol, son assurance naturelle, un appel à la prendre au sérieux, et l'étincelle de malice qui faisait briller ses yeux, la garantie de ne jamais s'ennuyer en sa compagnie.

Elle était à elle seule un concentré de tous les espoirs et de tous les fantasmes qu'un homme pouvait avoir. Et elle était à moi.

Je la contemplai. Arash en fit autant.

— Bonjour, dit-elle avec un petit sourire.

Le son de sa voix tira Arash de sa contemplation, et il se leva si précipitamment qu'il renversa son café.

— Merde. Désolé. Bonjour.

Il posa sa tasse, essuya succinctement les gouttes de café sur son pantalon, puis s'approcha d'Eva, la main tendue.

— Je suis Arash.

— Ravie de vous connaître, Arash, dit-elle en la lui serrant. Je suis Eva.

Je les rejoignis et écartai Arash.

— Arrête de baver.

— Très drôle, Cross, espèce de connard, répliqua-t-il en me fusillant du regard.

Eva s'esclaffa et se laissa aller contre moi quand je lui entourai les épaules du bras.

— Cela me fait plaisir de voir qu'il travaille avec des gens qui n'ont pas peur de lui, commenta-t-elle.

Arash lui décocha un clin d'œil complice.

— Je sais comment il fonctionne.

— Vraiment ? Je serais ravie que vous m'expliquiez cela en détail.

— Je ne crois pas que ce soit une bonne idée, déclarai-je.

— Ne sois pas aussi rabat-joie, champion.

— C'est vrai ça, champion, renchérit Arash. Qu'est-ce que tu as à cacher ?

— Ton cadavre, répondis-je en souriant.

Arash adressa un regard navré à ma femme et soupira :

— Vous voyez ce que je dois supporter...

6

Un déjeuner tardif en terrasse, à San Diego, en compagnie des trois hommes les plus importants de ma vie était définitivement digne de figurer au sommet de la liste des moments les plus agréables de mon existence. J'étais assise entre Gideon et mon père, tandis que Cary se prélassait sur le siège juste en face de moi.

Si l'on m'avait demandé quelques mois plus tôt ce que je pensais des palmiers, j'aurais répondu qu'ils me laissaient indifférente. Le fait de les avoir longtemps perdus de vue m'incita cependant à reconsidérer mon opinion. La contemplation de leur ramure oscillant au gré de la brise océane me procurait ce genre de paix intérieure que je m'évertuais à chercher, mais trouvais rarement. Les mouettes se chamaillaient avec les pigeons pour picorer les miettes sous les tables et le bruit des vagues s'échouant sur la plage formait un contrepoint apaisant au brouhaha de la terrasse bondée.

Des lunettes de soleil dissimulaient les yeux de mon meilleur ami, mais son sourire était aussi fréquent que détendu. Mon père, en short et tee-shirt, qui avait fait montre d'une certaine réserve au début du repas, s'était considérablement relaxé après une bière. Mon mari arborait un pantalon de toile ocre et un tee-shirt blanc, et c'était bien la première fois que je le voyais porter des couleurs claires. Avec ses lunettes de soleil, les doigts noués aux miens sur l'accoudoir de mon siège, il semblait tout à fait à son aise.

— Un mariage au crépuscule, pensai-je tout haut. Sur fond de soleil couchant… Rien que la famille et les amis proches. Tu seras mon témoin, bien sûr, ajoutai-je à l'adresse de Cary.

— Il y a intérêt, répondit celui-ci en souriant.

— Tu sais à qui tu vas demander d'être ton témoin ? demandai-je à Gideon.

Ses lèvres se pincèrent imperceptiblement.

— Je n'ai pas encore décidé.

Mon humeur joyeuse retomba un peu. Gideon hésitait-il à le proposer à Arnoldo à cause des sentiments de ce dernier à mon égard ? Que je puisse être à l'origine d'une tension entre eux m'attristait.

Gideon était tellement secret. Sans en être certaine, j'avais l'impression que les liens qui l'unissaient à ses amis étaient étroits, mais qu'il ne devait pas en compter beaucoup.

Je lui pressai la main.

— Je pensais prendre Ireland comme demoiselle d'honneur.

— Elle en sera ravie.

— Que comptes-tu faire au sujet de Christopher ?

— Rien. Avec un peu de chance, il ne viendra pas.

Mon père fronça les sourcils.

— De qui parlez-vous ?

— De la sœur et du frère de Gideon, répondis-je.

— Vous ne vous entendez pas avec votre frère, Gideon ?

— Christopher n'est pas quelqu'un de très aimable, déclarai-je, de crainte que mon père n'ait une mauvaise opinion de mon mari.

Gideon tourna la tête vers moi. Il ne dit pas un mot, mais je compris le message : il n'avait pas besoin que je prenne sa défense.

— C'est un vrai connard, tu veux dire, intervint Cary. Sans vouloir t'offenser, Gideon.

— Tu ne m'offenses pas, assura-t-il avec un haussement d'épaules avant d'expliquer à mon père : Christopher me voit comme un rival. J'aimerais que les choses soient différentes, mais ce n'est pas de mon ressort.

Mon père hocha la tête.

— C'est dommage, en effet.

— Puisque nous en sommes à parler mariage, enchaîna Gideon, je serais ravi de fournir les moyens de transport. Cela me permettrait d'apporter ma contribution, chose que j'apprécierais grandement.

Je retins mon souffle car cette proposition, aussi directe que pleine de tact, était difficile à refuser.

— C'est très généreux de votre part, Gideon, se contenta de répondre mon père.

— C'est une offre permanente. Il vous suffit de me prévenir une heure à l'avance pour qu'un de mes avions soit à votre disposition. Ce serait un gain de temps considérable et cela vous permettrait de passer plus de temps avec Eva.

Mon père ne répondit pas tout de suite.

— Merci. Cela prendra peut-être un moment pour que je me fasse à l'idée. C'est un peu extravagant, et je ne veux être un fardeau pour personne.

Gideon ôta ses lunettes de soleil.

— C'est à cela que sert l'argent. Tout ce que je souhaite, c'est que votre fille soit heureuse. Faites-moi plaisir, monsieur Reyes, optez pour la simplicité. Ne souhaitons-nous pas autant l'un que l'autre la voir sourire ?

Sa requête me fit soudain comprendre pourquoi mon père s'opposait aussi farouchement à ce que Stanton paie pour quoi que ce soit. Mon beau-père ne le faisait pas pour moi, mais pour ma mère. Gideon, lui, ne pensait qu'à moi. Un tel argument ne pouvait que convaincre mon père.

« Je t'aime », articulai-je silencieusement en croisant le regard de Gideon.

L'étreinte de sa main sur la mienne s'affermit au point de me faire mal. Je m'en moquais.

Mon père sourit.

— Rendre Eva heureuse. Comment pourrais-je m'y opposer ?

Le lendemain matin, je fus réveillée par une délicieuse odeur de café frais. J'ouvris les yeux et reconnus le plafond de mon appartement de l'Upper West Side. Je tournai la tête et souris en découvrant Gideon près du lit, occupé à retirer son tee-shirt. La vision de son torse m'incita à lui pardonner de m'avoir laissée dormir seule alors que je m'étais endormie dans ses bras la veille.

— Bonjour, murmurai-je en roulant sur le côté tandis qu'il se débarrassait de son pantalon de pyjama.

À l'évidence, ceux qui prétendent que le lundi matin est le plus pénible de la semaine ne se sont jamais réveillés près de Gideon Cross entièrement nu.

— La journée promet effectivement d'être bonne, répondit-il en se glissant entre les draps.

Un frisson me saisit au contact de sa peau fraîche.

Ses bras m'enveloppèrent et ses lèvres se pressèrent au creux de mon cou.

— Réchauffe-moi, mon ange.

Une fois que j'en eus terminé avec lui, il était en nage et le café qu'il m'avait apporté était froid.

Et c'était bien le dernier de mes soucis.

120

J'étais d'excellente humeur en arrivant au bureau. Faire l'amour le matin y contribuait, certes, mais j'avais également joui du privilège de regarder Gideon s'habiller. Voir l'homme que j'aimais se transformer sous mes yeux en ténébreux magnat de la finance me fascinait toujours autant. Mon humeur ne fit que s'améliorer quand, sortant de l'ascenseur, j'aperçus Megumi au comptoir de l'accueil.

Je lui fis signe de l'autre côté des portes vitrées. Mon sourire s'effaça quand je la vis de plus près. Elle était pâle et des cernes noirs creusaient son regard. Ses cheveux, dont la coupe asymétrique était d'ordinaire originale et tonique, étaient trop longs et manquaient de ressort. Quant à son chemisier à manches longues et son pantalon noir, ils n'étaient pas du tout adaptés à la chaleur d'un mois d'août.

— Salut, dis-je une fois qu'elle m'eut ouvert la porte. Comment vas-tu ? Je me suis fait du souci pour toi.

— Je suis désolée de ne pas t'avoir rappelée, répondit-elle avec un faible sourire.

— Pas grave. Moi aussi, je deviens complètement asociale quand je suis malade. Je veux juste me rouler en boule au fond de mon lit et qu'on me fiche la paix.

Sa lèvre inférieure se mit à trembler et ses yeux s'embuèrent de larmes.

— Tu es sûre que ça va ? demandai-je avant de regarder autour de moi, inquiète à l'idée que les employés qui passaient devant l'accueil perçoivent sa détresse. Est-ce que tu as vu un médecin ?

Elle fondit soudain en larmes.

Horrifiée, je restai un instant pétrifiée.

— Megumi, qu'est-ce qui ne va pas ?

Elle retira son oreillette et se leva, le visage ruisselant de larmes.

— Je ne peux pas en parler maintenant, dit-elle en secouant la tête.

— Tu fais une pause à quelle heure ?

Elle s'était déjà précipitée vers les toilettes, me laissant aussi déboussolée qu'interdite.

Une fois que j'eus déposé mon sac sur mon bureau, je gagnai celui de Will Granger, au bout du couloir. Il n'y était pas, mais je le découvris dans la salle de repos quand je m'y arrêtai pour faire le plein de café.

— Salut, dit-il.

Son regard était soucieux derrière les verres de ses lunettes carrées.

— Tu as vu Megumi ?

— Oui, répondis-je. Elle a l'air vanné. Et elle a éclaté en sanglots quand je lui ai demandé comment ça allait.

— Je ne sais pas ce qu'elle a, mais ce n'est pas bon.

— Je ne supporte pas de ne pas savoir. J'envisage tous les scénarios catastrophe depuis un cancer jusqu'à une grossesse en passant par tout ce qu'il peut y avoir entre les deux.

Will eut un haussement d'épaules impuissant. Avec ses favoris bien taillés et ses chemises à motifs subtilement excentriques, c'était le genre de type tellement sympa qu'il était impossible de le prendre en grippe.

— Eva, lança Mark en passant la tête dans la salle de repos, j'ai du nouveau.

Si je me fiais à son regard brillant, il avait une excellente nouvelle à m'annoncer.

— Je suis tout ouïe. Café ?

— Volontiers, je te remercie. Je t'attends dans mon bureau, lâcha-t-il avant de s'éclipser.

— Passe une bonne journée, me dit Will en attrapant son mug sur le comptoir.

Il sortit et je me dépêchai de préparer un café avant de rejoindre Mark dans son bureau. Il avait tombé la veste et lisait quelque chose sur son écran. Il leva les yeux, sourit dès qu'il me vit.

— On vient de recevoir une nouvelle proposition de budget, commença-t-il, et son sourire s'épanouit encore davantage. Et figure-toi que le client a demandé que ce soit moi qui m'en charge !

Je me raidis.

— S'agit-il d'un autre produit de Cross Industries ? m'enquis-je d'un ton méfiant en posant son café sur le bureau.

J'avais beau aimer Gideon et avoir la plus grande admiration pour ce qu'il avait accompli, je ne voulais pas vivre perpétuellement dans son ombre. Notre couple était constitué de deux personnes menant des vies professionnelles indépendantes. J'appréciais de me rendre au travail avec mon mari, mais j'appréciais également que nos chemins se séparent. Les quelques heures au cours desquelles il ne me consumait pas m'étaient indispensables.

— Non, c'est encore plus gros que cela.

Je haussai les sourcils. Je n'imaginais pas que quoi que ce soit ou qui que ce soit puisse être plus gros que Cross Industries.

Mark fit glisser vers moi la photo d'une boîte rouge et argent.

— PhazeOne, la nouvelle console de LanCorp !

Je m'assis en face de lui en soupirant secrètement de soulagement.

— Génial ! On va s'amuser.

Peu après 11 heures, Megumi m'appela pour savoir si j'étais libre pour le déjeuner.

— Bien sûr, lui dis-je.

— Un endroit tranquille, de préférence.

Je réfléchis aux choix qui s'offraient à nous.

123

— J'ai une idée. Je m'occupe de tout.

— Super. Merci.

— Ta matinée s'est bien passée ?

— Chargée. J'avais du retard à rattraper.

— Si je peux t'aider pour quoi que ce soit, n'hésite pas.

— Merci, Eva.

Je l'entendis inspirer profondément. Quand elle reprit la parole, sa voix tremblait.

— J'apprécie beaucoup, tu sais.

Nous raccrochâmes et j'appelai aussitôt le bureau de Gideon. Son secrétaire me répondit.

— Bonjour, Scott. C'est Eva. Comment allez-vous ?

— Très bien, répondit-il, et je devinai qu'il souriait. Que puis-je faire pour vous ?

— Pourriez-vous demander à Gideon de me rappeler quand il aura une minute ? demandai-je en tapant nerveusement du pied tant j'étais inquiète pour Megumi.

— Je vous le passe tout de suite.

— Oh ! D'accord, super. Merci.

— Ne quittez pas.

Un instant plus tard, la voix que j'aimais tant me parvint.

— Qu'est-ce que tu veux, Eva ?

Sa brusquerie me surprit.

— Tu es occupé ?

— Je suis en réunion.

Merde.

— Désolée. À plus.

— Eva...

Je raccrochai et rappelai Scott, histoire de voir avec lui comment procéder à l'avenir pour éviter de me faire rabrouer. Avant qu'il ait eu le temps de répondre, le voyant de la ligne secondaire se mit à clignoter, signalant un appel.

— Bureau de Mark Garrity, j'é...

— Ne me raccroche plus jamais au nez, gronda Gideon.

Son ton me hérissa.

— Tu es en réunion, oui ou non ?

— J'étais en réunion. Maintenant, je gère ton cas.

Comme si j'autorisais qui que ce soit à « gérer mon cas » ! Je pouvais me montrer aussi susceptible que lui si l'envie m'en prenait.

— J'ai demandé à Scott de te transmettre un message quand tu aurais un moment de libre et il m'a directement transférée sur ta ligne. Il n'aurait pas dû, si tu étais occupé avec...

— Il a reçu l'ordre de me passer tous tes appels. Si tu veux me laisser un message, envoie un texto ou un mail.

— Oh, pardonne-moi de ne pas maîtriser l'étiquette !

— Peu importe, c'est fait. Dis-moi ce que tu veux.

— Rien. Oublie.

Il soupira.

— Ne joue pas à cela avec moi, Eva.

Je me souvins de la dernière fois où je l'avais appelé au bureau ; là encore, il semblait distant. Si quelque chose le tracassait, il n'avait pas l'intention de m'en parler.

— Gideon, répliquai-je en baissant la voix, ton attitude m'agace. Il est hors de question que je « gère ton cas » quand tu es irrité. Si tu es trop occupé pour me parler, tu ne devrais pas donner d'ordres qui risquent de t'obliger à interrompre ton travail.

— Je ne suis jamais injoignable.

— Ah, vraiment ? C'est pourtant l'impression que tu me donnes en ce moment.

— Pour l'amour du ciel...

J'éprouvai une pointe de satisfaction à entendre son exaspération.

125

— Je ne t'ai pas envoyé de texto parce que je ne voulais pas te déranger si tu étais en réunion. Je ne t'ai pas envoyé de mail parce qu'il s'agit d'un service assez urgent et que j'ignore à quelle fréquence tu consultes ta messagerie. Il m'a donc semblé que le plus simple consistait à appeler Scott et à lui laisser un message.

— Et maintenant, tu as toute mon attention. Dis-moi ce que tu veux.

— Je veux mettre fin à cette conversation et que tu retournes à ta réunion.

— Si tu continues, Eva, dit-il d'une voix dangereusement calme, et que tu ne m'expliques pas pourquoi tu m'as appelé, je vais débouler dans ton bureau.

Je fusillai sa photo du regard.

— Tu me donnes envie de chercher du boulot dans le New Jersey.

— Tu me rends dingue. Tu sais très bien que je ne peux pas travailler quand on se dispute. Dis-moi juste ce que tu veux, Eva, et pardonne-moi pour l'instant. On pourra se chamailler et se réconcilier sur l'oreiller plus tard.

Toute tension m'abandonna. Comment aurais-je pu rester fâchée après qu'il eut reconnu que je le rendais vulnérable ?

— Je déteste t'entendre adopter ce ton raisonnable alors que tu viens de me mettre en rogne, marmonnai-je.

Il laissa échapper une espèce de petit rire vaguement amusé, et je me sentis instantanément beaucoup mieux.

— Mon ange, dit-il alors de cette voix chaude et râpeuse que j'avais besoin d'entendre, tu n'as décidément rien d'un objet décoratif.

— Qu'est-ce que tu racontes ?

— Ne t'inquiète pas. Tu es parfaite. Dis-moi pourquoi tu appelles.

Je connaissais bien ce ton-là. J'ignorais comment, mais j'avais trouvé le moyen de l'exciter.

— Tu n'es qu'un obsédé.

Et j'étais loin de m'en plaindre.

— Querelle mise à part, champion, je voulais savoir si je pouvais emprunter une de tes salles de conférences pour déjeuner avec Megumi. Elle est revenue, mais elle n'a pas l'air d'aller bien et je crois qu'elle a envie de parler.

— Prenez mon bureau. Je vais demander qu'on vous commande quelque chose et vous aurez l'espace pour vous toutes seules pendant que je serai sorti.

— Sérieux ?

— Évidemment. Permets-moi néanmoins de te rappeler que lorsque tu travailleras pour Cross Industries, tu auras un bureau à toi pour déjeuner avec qui tu voudras.

Je rejetai la tête en arrière.

— Tais-toi.

Les recherches nécessaires à la mise en place du projet de campagne de PhazeOne m'occupèrent énormément, mais j'avais tellement hâte de retrouver Megumi que l'heure qui suivit parut se traîner.

Je la rejoignis finalement au comptoir d'accueil à midi.

— Si cela ne te semble pas trop bizarre, dis-je alors qu'elle sortait son sac de son tiroir, on va déjeuner dans le bureau de Gideon. Il n'est pas là et on sera tranquilles.

— Ô mon Dieu ! s'écria-t-elle en me gratifiant d'un regard d'excuse. Je suis désolée, Eva. J'aurais dû te féliciter. Will m'a parlé de tes fiançailles et ça m'est complètement sorti de la tête.

— Il n'y a pas de mal.

Elle me prit la main et la serra très fort.

— Je suis très heureuse pour toi. Sincèrement.

— Merci.

Mon inquiétude grimpa d'un cran. Megumi était toujours au courant des derniers ragots. En temps normal, elle aurait pratiquement été informée de mes fiançailles avant moi.

Nous gagnâmes le dernier étage par l'ascenseur. Le hall d'accueil de Cross Industries était aussi époustouflant que Gideon lui-même. Bien plus spacieux que tous ceux du bâtiment et décoré de paniers suspendus garnis de lys et de fougères. Sur les portes de verre fumé, les mots CROSS INDUSTRIES s'étalaient en caractères masculins mais néanmoins élégants.

— Impressionnant, murmura Megumi tandis que nous attendions que le réceptionniste déclenche l'ouverture de la porte.

La rousse qui était d'ordinaire à l'accueil avait dû aller déjeuner, car ce fut un brun que je n'avais encore jamais vu qui nous ouvrit. Il se leva à notre approche.

— Bonjour, mademoiselle Tramell. Scott m'a dit de vous faire entrer directement.

— M. Cross est déjà parti ?

— Je ne saurais dire. Je viens juste d'arriver.

— Très bien. Merci.

Je précédai Megumi dans le couloir qui menait au bureau de Gideon. Nous venions de tourner à l'angle lorsqu'il en franchit le seuil.

Un élan de fierté possessive me saisit. De plaisir, aussi, quand il ralentit le pas en m'apercevant. Nous nous rejoignîmes au milieu du couloir.

— Salut, lui dis-je.

Il hocha la tête et tendit la main à Megumi.

— Je ne crois pas que nous ayons été officiellement présentés. Gideon Cross.

— Megumi Kaba, répondit-elle en échangeant avec lui une poignée de main ferme. Toutes mes félicitations à vous deux.

L'ombre d'un sourire flotta sur sa bouche sensuelle.

— Je suis un homme heureux. Mettez-vous à l'aise. Si vous avez besoin de quoi que ce soit, appelez la réception. Ron veillera à vous satisfaire.

— Ne t'inquiète pas, dis-je. Tu ne te rendras même pas compte qu'on a organisé une fête délirante en ton absence.

— Parfait, répondit-il avec un grand sourire. J'ai une réunion un peu plus tard. Les verres de tequila et les serpentins pourraient susciter des questions embarrassantes.

Je m'attendais qu'il s'éloigne, mais il me surprit en prenant mon visage entre ses mains pour presser doucement ses lèvres sur les miennes. Ce chaste baiser me laissa des étoiles plein les yeux.

— J'ai hâte de me faire pardonner, me chuchota-t-il à l'oreille.

Mes orteils se recroquevillèrent.

Quant à lui, il lui suffit de s'écarter de moi pour se glisser de nouveau dans la peau du personnage réservé qu'il offrait au reste du monde.

— Bon appétit, mesdemoiselles.

Il s'éloigna de cette démarche assurée et naturellement sexy qui faisait tourner toutes les têtes sur son passage.

— Et tu tiens encore debout, murmura Megumi en secouant la tête. Ça me dépasse.

L'état de vulnérabilité dans lequel me plongeait Gideon était aussi inexplicable que sa facilité à me bouleverser ou à me rendre folle de désir.

— Viens, dis-je d'une voix un peu haletante. Allons déjeuner.

Elle me suivit dans le bureau de Gideon.

— Je ne sais pas si je pourrai manger.

Tandis qu'elle balayait du regard le vaste espace au décor monochrome ainsi que la vue panoramique, je me dirigeai vers le bar sur lequel notre repas nous attendait. Je me souvenais de ce que j'avais ressenti la première fois que j'étais entrée dans ce bureau. Malgré les nombreux fauteuils et canapés qui incitaient à s'attarder un moment, le design épuré et contemporain empêchait les visiteurs de se sentir vraiment à l'aise.

L'homme que j'avais épousé avait tellement de facettes. Son bureau en reflétait une. Et le classicisme européen de son penthouse en reflétait une autre.

— Est-ce que tu as déjà essayé le BDSM ? demanda Megumi à brûle-pourpoint.

De surprise, j'en lâchai les couverts enroulés dans une serviette en papier que je tenais à la main. Je me retournai. Plantée devant la baie vitrée, mon amie contemplait la ville à ses pieds.

— C'est un acronyme qui recouvre toutes sortes de pratiques, poursuivit-elle en se frottant le poignet. Comme se faire attacher et bâillonner. Se retrouver impuissante.

— Je me suis déjà retrouvée impuissante.

Elle tourna la tête vers moi. Ses yeux se détachaient tels deux puits sombres dans son visage très pâle.

— Cela t'a plu ? Cela t'a excitée ?

— Non, dis-je en allant m'asseoir sur le canapé le plus proche. Mais je n'étais pas avec une personne susceptible de me faire apprécier la chose.

— Est-ce que tu as eu peur ?

— J'étais terrifiée.

— Est-ce que cette personne le savait ?

L'odeur du déjeuner, que j'avais d'abord trouvée appétissante, me souleva l'estomac.

— Pourquoi toutes ces questions, Megumi ?

Elle se contenta de retrousser sa manche, révélant un poignet si contusionné qu'il était presque noir.

7

Il était 20 heures passées quand j'entrai dans l'appartement d'Eva. Elle était assise avec Cary sur le canapé blanc du salon, tous deux avaient un verre de vin rouge à la main.

Ma femme avait un penchant pour un style mêlant modernisme et tradition, mais j'étais en mesure de déceler la patte de sa mère ou celle de son colocataire dans certains éléments du décor. Non que leur apport me déplût, mais il me tardait de partager avec Eva un foyer qui ne refléterait que nous, indissolublement.

Quoi qu'il en soit, cet appartement demeurerait pour moi un lieu chargé de souvenirs. Je n'oublierais jamais Eva m'ouvrant la porte, la première fois que j'y étais venu. Nue sous un court peignoir de soie, maquillé pour la soirée à venir, un bracelet de diamants étincelant à l'une de ses chevilles, me provoquant de ses feux.

Toute pensée rationnelle m'avait déserté. J'avais posé la bouche sur elle, les mains partout sur son corps ; je l'avais pénétrée de la langue et des doigts. Je n'avais pas même songé à l'emmener dans ma « garçonnière ». Et quand bien même, je n'aurais pas pu attendre. Eva n'avait rien de commun avec les femmes qui l'avaient précédée. Pas seulement à cause de ce qu'elle était, mais aussi à cause de qui je devenais quand j'étais avec elle.

Il était peu probable que j'autorise le cabinet de gestion immobilière à relouer cet appartement une fois qu'elle l'aurait quitté. Il recélait trop de souvenirs qui me tenaient à cœur – les bons comme les mauvais.

Je saluai Cary d'un hochement de tête et m'assis près d'Eva. Le meilleur ami de ma femme était habillé pour sortir alors qu'Eva, les cheveux attachés par une simple pince, avait juste enfilé un grand tee-shirt Cross Industries. Je compris au coup d'œil qu'ils me lancèrent que quelque chose clochait.

Nous avions à discuter d'un certain nombre de choses, mais ce qui troublait Eva relevait toujours de la priorité absolue.

— J'y vais, annonça Cary en se levant. Appelle, si tu as besoin de moi.

— Amuse-toi bien.

— Je ne fais que ça, baby girl.

La porte d'entrée se referma derrière lui et Eva se laissa aller contre mon épaule. Je passai le bras autour d'elle, m'enfonçai confortablement dans le canapé et l'attirai contre moi.

— Dis-moi ce qui ne va pas, mon ange.

— C'est Megumi, soupira-t-elle. Elle sortait avec un type, mais cela ne marchait pas. Il n'arrêtait pas de souffler le chaud et le froid et se montrait rétif à tout engagement. Alors, elle a rompu. Il a insisté pour la revoir et elle a cédé. Ils ont commencé à se livrer à des pratiques de bondage gentillettes, mais les choses ont méchamment dérapé.

Le mot bondage me mit immédiatement la puce à l'oreille. Je lui caressai le dos et resserrai mon étreinte. Je me montrais toujours d'une patience infinie quand il s'agissait d'aligner mes désirs sur ses craintes. Les contretemps étaient inévitables et j'étais disposé à les accepter, mais je ne voulais pas que les mésaventures d'une tierce personne s'interposent entre nous.

— J'ai l'impression qu'ils n'ont pas beaucoup réfléchi, dis-je. L'un des deux aurait dû savoir qu'il y a des risques à s'aventurer sur ce terrain.

— C'est justement le problème, dit-elle en s'écartant pour croiser mon regard. J'en ai longuement discuté avec Megumi. Elle a dit non – à de nombreuses reprises –, mais il l'a quand même bâillonnée. Il a joui de sa souffrance, Gideon. Et maintenant, il la terrorise avec des textos et des photos qu'il a prises d'elle cette nuit-là. Elle lui a demandé d'arrêter, mais il refuse. C'est un malade. Ce type ne tourne pas rond.

Je réfléchis au meilleur moyen de lui répondre et optai pour la franchise.

— Eva, elle a rompu avec lui, et puis elle a accepté de renouer. Il est possible qu'il ne comprenne pas que, cette fois-ci, elle est sérieuse.

Elle eut un mouvement de recul, puis se leva d'un bond, révélant fugitivement le galbe de ses jambes bronzées.

— Ne lui cherche pas d'excuses ! Elle a des marques partout. Cela date de la semaine dernière et ses hématomes sont encore noirs. Elle n'a pas pu s'asseoir pendant plusieurs jours !

— Je ne lui cherche pas d'excuses, répondis-je en me levant à mon tour. Tu sais très bien que je ne défendrai jamais un auteur de sévices sexuels. Je ne connais pas toute l'histoire de Megumi, mais je connais la tienne. Sa situation n'a rien à voir. Nathan était un monstre.

— Je ne fais aucune projection, Gideon. Elle m'a montré les photos. J'ai vu ses poignets, son cou. J'ai lu ses textos. Ce type a clairement dépassé les limites. Il est dangereux.

— Raison de plus pour que tu gardes tes distances.

Elle cala les mains sur ses hanches.

— Ô mon Dieu ! Dis-moi que tu n'es pas sincère ! Megumi est mon amie.

— Et toi, tu es ma femme. Je connais cette expression que tu as en cet instant. Ce n'est pas à toi de livrer certaines batailles, Eva. Il n'est pas question que tu ailles trouver cet homme et que tu l'agresses verbalement comme tu as pu le faire avec ma mère ou avec Corinne. Ne te mêle pas de cette histoire.

— Est-ce que j'ai dit que c'était ce que j'allais faire ? Non. Je ne suis pas stupide. J'ai demandé à Clancy d'aller le trouver et de lui parler.

Je me figeai. Benjamin Clancy était l'employé de son beau-père, pas le mien. Il échappait complètement à mon contrôle.

— Tu n'aurais pas dû faire cela.

— Qu'est-ce que j'étais censée faire, alors ? Rien ?

— Cela aurait sans doute mieux valu. Au pire, tu aurais pu demander à Raúl.

— Pourquoi est-ce que j'aurais fait cela ? s'exclama-t-elle en levant les bras au ciel. Je ne le connais pas assez pour lui demander un service personnel.

Je m'efforçai de contenir mon exaspération.

— Nous avons déjà parlé de cela. Raúl travaille pour toi. Il ne s'agit pas de lui demander un service, mais de lui dire ce qui doit être fait.

— Raúl travaille pour toi. Et je ne suis pas un parrain de la Mafia qui envoie ses gorilles donner des leçons aux gens. J'ai demandé à quelqu'un en qui j'ai confiance, et que je considère comme un ami, d'aider une de mes amies.

— Tu peux donner toutes les explications que tu veux, le résultat est le même. Et tu oublies que Clancy est payé pour protéger les intérêts de ton beau-père. S'il veille sur toi, c'est uniquement parce que cela lui permet de mieux assurer la sécurité et la réputation de Stanton.

— Que sais-tu des motivations de Clancy ? répliqua-t-elle, frémissante de colère.

— Pour faire simple, mon ange, ta mère et Stanton ont empiété sur ton intimité pendant un certain temps. En utilisant leurs ressources, c'est cette porte-là que tu laisses ouverte.

— Oh ! souffla Eva avant de se mordre la lèvre. Je n'avais pas vu les choses sous cet angle.

— Tu as envoyé un garde du corps professionnel « parler » à ce type. Mais tu n'as pas évalué les risques d'un retour de bâton. Si tu t'étais adressée à Raúl, il aurait su qu'il devrait se montrer extrêmement vigilant. Bon sang, Eva ! ajoutai-je en serrant les dents. Ne me complique pas la vie quand je m'efforce d'assurer ta sécurité !

— Hé ! fit-elle en s'approchant de moi. Ne t'inquiète pas, d'accord ? Je t'ai expliqué ce qu'il en était dès que tu as franchi le seuil de cette pièce. Et Clancy m'a raccompagnée de mon cours de krav maga il y a à peine une heure. Il ne m'est encore rien arrivé de fâcheux.

Je l'enlaçai et la serrai très fort. Si seulement je pouvais être certain qu'elle avait raison.

— Je veux que Raúl t'accompagne où que tu ailles, déclarai-je d'un ton bourru. À tes cours, au gymnase, en courses... Il faut que tu me laisses veiller sur toi.

— Tu le fais déjà, murmura-t-elle d'une voix apaisante. Mais ton souci de la sécurité vire un peu à l'obsession, parfois.

Dès qu'il s'agissait d'elle, tout virait à l'obsession. J'avais fini par l'accepter. Elle finirait par s'y faire, elle aussi.

— Il y a des choses que je ne peux pas te donner. Ne m'empêche pas de t'en donner certaines lorsque c'est en mon pouvoir.

— Gideon, souffla-t-elle, sa colère retombée, tu me donnes tout ce dont j'ai besoin.

Je lui frôlai la joue du bout des doigts. Elle était si douce. Si fragile. Jamais je n'aurais imaginé que ma santé mentale puisse dépendre d'un être aussi vulnérable.

— Quand tu rentres chez toi, Eva, c'est un autre que moi que tu retrouves. Tu gagnes ta vie en travaillant pour un autre que moi. Je ne te suis pas aussi nécessaire que j'aimerais l'être.

— Alors que moi, répondit-elle, les yeux brillants de malice, je suis aussi dépendante de toi que je peux supporter de l'être.

— Un sentiment que je partage.

Je fis courir mes mains le long de ses bras, lui saisis les poignets et les serrai juste assez pour capter son attention. Ses pupilles se dilatèrent, ses lèvres s'entrouvrirent, son corps répondant instinctivement à la sensation d'entrave.

— À partir de maintenant, promets-moi de toujours venir me trouver en premier.

— Promis, chuchota-t-elle.

Et il y avait dans sa voix une soumission teintée d'excitation qui fit chanter mon sang dans mes veines. Elle se laissa aller contre moi, parfaitement détendue.

— J'aimerais bien venir te trouver tout de suite, à dire vrai.

— Je suis à ton entière disposition, comme toujours.

— *Gideon !*

La note de panique dans la voix d'Eva fut comme un choc qui se répercuta à travers mon corps. Je tressaillis violemment et j'émergeai d'un seul coup d'un profond sommeil. Je roulai sur le côté avec un gémissement sourd, luttai pour me réveiller, écartai les cheveux de mon visage et la découvris agenouillée au bord du lit.

Mon cœur s'emballa et un voile de sueur froide recouvrit mon corps tandis qu'un sentiment d'effroi pesant, inéluctable, m'envahissait.

— Que se passe-t-il ? demandai-je en me hissant sur le coude.

Le clair de lune formait un halo autour d'elle. Elle était venue me retrouver dans la chambre que j'occupais dans l'appartement voisin du sien. Quelque chose l'avait réveillée, et j'avais peur. Une peur qui me glaçait jusqu'aux os.

— Gideon.

Elle se blottit contre moi dans un froissement de soie et me toucha le visage.

— De quoi rêvais-tu ? souffla-t-elle.

La caresse de ses doigts laissa une trace humide sur ma peau. Surpris, horrifié, je me frottai les yeux et étalai d'autres larmes sur ma joue. Dans un coin de mon cerveau, je sentis s'attarder les vestiges d'un rêve.

Ce lambeau de mémoire m'arracha un frisson quand je le sentis s'enfoncer dans les profondeurs de mon esprit.

Je roulai sur Eva et l'étreignis si fort qu'elle étouffa un cri. Sa peau était fraîche au toucher, mais sa chair était tiède. J'absorbai sa chaleur, j'inhalai son parfum, et je sentis se dissiper le terrible et lancinant chagrin qui m'habitait.

Je n'arrivais pas à me souvenir du rêve que je venais de faire, mais il refusait de lâcher prise.

— Chut, souffla-t-elle. Tout va bien, je suis là.

Elle écarta de mon front mes cheveux imprégnés de sueur et me caressa le dos.

Je n'arrivais plus à respirer. Je luttai pour trouver de l'air et un bruit affreux remonta de mes poumons en feu.

Un sanglot. *Mon Dieu !* Puis un autre. Impossible d'arrêter les contractions violentes qui me secouaient.

— Mon cœur, dit-elle en m'enlaçant avec force, entre-mêlant ses jambes aux miennes.

Elle nous berça doucement en murmurant des mots que les battements de mon cœur et le tollé que faisait en moi ma douleur fantôme m'empêchaient d'entendre.

Je la serrai dans mes bras et me cramponnai à cet amour qui seul pouvait me sauver.

— Gideon !

Eva se cambra sous la puissance de mon coup de reins. Mes genoux lui maintenaient les cuisses largement ouvertes, mes mains lui immobilisaient les poignets et mon sexe s'enfonçait si profondément en elle que sa tête roulait fiévreusement sur l'oreiller.

Il y avait des jours où je la réveillais tendrement. Mais ce matin-là n'était pas un matin tendre.

Je m'étais réveillé avec une énorme érection, le gland humide, la queue pressée contre les fesses d'Eva. Affamé, impatient, je l'avais fait pivoter entre mes bras et excitée en lui suçant les seins tandis que mes doigts exigeants s'appliquaient à préparer sa fente. Elle s'était enflammée, livrée, abandonnée.

Je l'aimais tant. Je l'aimais éperdument.

Le besoin de jouir m'enserrait comme dans un étau. Eva était si étroite, idéalement moite. M'enfouir en elle ne faisait qu'attiser mon désir. Je n'en avais jamais assez, je ne la possédais jamais assez profondément, pas même quand je la sentais se contracter autour de moi au plus profond de sa chair.

Ses talons glissaient sur le lit, son corps se tordait, ses seins tressautaient sous la puissance de mes assauts. Elle était si petite, si douce, et je baisais son corps adorable sans retenue.

Prends-moi. Prends-moi toute. Le bon et le mauvais. Tout. Prends tout.

La tête du lit cognait contre le mur mitoyen de nos appartements à ce rythme endiablé dont la signification est universelle. Les bruits de plaisir animal, les grognements qui s'échappaient de ma gorge étaient tout aussi explicites. Je n'essayais même pas de les retenir. J'aimais baiser ma femme. J'en avais besoin. Je ne pouvais pas m'en passer. Et peu m'importait que le monde entier sache l'effet qu'elle avait sur moi.

Eva arqua le dos, planta les dents dans mes biceps. Cette marque de possession me rendit fou et m'incita à la pilonner si fort que son corps remonta sur le lit.

Elle poussa un cri. J'aspirai l'air entre mes dents quand elle se contracta comme un poing autour de ma queue.

— Jouis, exigeai-je, la mâchoire crispée pour éviter d'en faire autant, de lâcher prise et de me déverser en elle jusqu'à la dernière goutte.

J'ondulai des hanches, me frottai contre son clitoris, et un frisson de plaisir remonta le long de mon échine quand elle gémit mon nom, sa chair intime étreignant convulsivement mon sexe.

Je l'embrassai sauvagement, m'immergeai dans la saveur de sa bouche et me répandis en elle en tremblant.

Eva chancela légèrement quand je l'aidai à sortir de la Bentley devant le Crossfire.

Elle rougit et me jeta un regard noir.

— Tu m'énerves.

J'arquai un sourcil interrogateur.

— Je suis encore toute tremblante et pas toi, espèce de sex-machine.

— Navré, répondis-je avec un sourire angélique.

— Menteur.

Son sourire, on ne peut plus narquois, disparut comme elle jetait un coup d'œil vers le bas de la rue.

— Paparazzi en vue, annonça-t-elle d'un ton lugubre.

Je suivis son regard et repérai le photographe qui braquait un téléobjectif depuis la fenêtre ouverte d'une voiture. J'attrapai Eva par le coude et l'entraînai dans le hall de l'immeuble.

— Si je dois me coiffer tous les jours en prévision d'une séance photo, tu peux dire adieu à nos étreintes matinales, murmura-t-elle.

— Mon ange, dis-je en l'attirant vers moi pour lui parler à l'oreille, je préfère engager un coiffeur à plein temps plutôt que de renoncer aux étreintes matinales de ta petite chatte.

Elle me donna un coup de coude dans les côtes.

— Dieu que tu es grossier ! Tu sais qu'il y a des femmes qui trouvent ce mot insultant ?

Je la laissai franchir les portillons de sécurité avant moi et elle rejoignit la foule qui attendait l'ascenseur. Je me plantai juste derrière elle.

— Tu n'es pas de ces femmes-là. Je suis cependant prêt à rectifier. Je crois me souvenir que le terme *orifice* a ta préférence.

— Ô mon Dieu ! Tais-toi, s'esclaffa-t-elle.

Nous nous séparâmes au vingtième étage et je gagnai le dernier. Cette situation ne durerait pas éternellement. Un jour, Eva travaillerait avec moi et m'aiderait à construire notre avenir.

Je réfléchissais aux multiples façons d'atteindre cet objectif quand je franchis le coude du couloir qui menait à mon bureau. Je ralentis le pas lorsque j'avisai l'élégante femme brune qui attendait près du bureau de Scott.

Je m'armai de courage en prévision d'un nouvel affrontement avec ma mère.

La brune tourna la tête, et je découvris qu'il s'agissait en fait de Corinne.

— Gideon !

Elle se leva avec grâce, le regard animé d'une lueur que j'avais appris à reconnaître pour l'avoir souvent vue chez Eva.

La chaleur de son regard ne me procura cependant aucun plaisir. Une sensation de malaise m'envahit et je me raidis. La dernière fois que je l'avais vue, Corinne venait de tenter de se suicider.

— Bonjour, Corinne. Comment vas-tu ?

— Mieux.

Elle s'avança vers moi et je reculai d'un pas. Je la vis hésiter et son sourire vacilla.

— Aurais-tu un moment à me consacrer ?

Je désignai la porte de mon bureau.

Elle prit une longue inspiration, pivota sur ses talons et me précéda dans la pièce. Je jetai un coup d'œil à Scott.

— Dix minutes, l'informai-je.

Il hocha la tête, l'air compatissant.

Corinne s'approcha de mon bureau et je la rejoignis pour presser le bouton qui verrouillait la porte. Je m'abstins en revanche d'occulter la paroi vitrée et gardai ma veste. Un signal destiné à lui faire comprendre qu'il n'était pas question qu'elle s'éternise.

— Je suis désolé de l'épreuve que tu traverses, Corinne.

Cette formule un peu creuse ne suffisait pas, mais c'était tout ce que j'avais à lui offrir. Le souvenir de cette nuit à l'hôpital allait me hanter encore longtemps.

Ses lèvres blanchirent.

— Je n'arrive toujours pas à y croire. Toutes ces années de vaines tentatives… Je pensais que je ne pouvais pas avoir d'enfant.

Elle s'empara de la photo d'Eva qui trônait sur mon bureau.

— Jean-François m'a dit que tu avais appelé pour prendre de mes nouvelles. J'aurais préféré que tu me téléphones. Ou que tu répondes à mes appels.

— Ç'aurait été malvenu étant donné les circonstances.

Elle me dévisagea. Ses yeux n'étaient pas du même bleu que ceux de ma mère, mais assez proche tout de même, et elles avaient toutes deux les mêmes goûts vestimentaires. L'élégant chemisier et le pantalon que portait Corinne auraient très bien pu faire partie de la garde-robe de ma mère.

— Tu vas te marier, dit-elle.

Ce n'était pas une question, mais je répondis néanmoins :

— Oui.

Elle ferma les yeux.

— J'avais l'espoir qu'Eva mentait.

— Je suis très protecteur quand il s'agit d'elle. Méfie-toi.

Elle rouvrit les yeux et reposa d'un geste brusque la photo d'Eva.

— Tu l'aimes ?

— Cela ne te regarde pas.

— Ce n'est pas une réponse.

— Rien ne m'oblige à t'en donner une mais, si tu as besoin de l'entendre, Eva est tout pour moi.

Un tremblement adoucit le pli dur de sa bouche.

— Cela ferait-il une différence si je te disais que je suis en train de divorcer ?

— Non, soupirai-je. Nous ne serons plus jamais ensemble, toi et moi, Corinne. Je ne sais pas combien de fois ni de quelle façon il faudra que je te le dise. Je n'aurais jamais pu être celui que tu voulais que je sois.

Tu as évité de commettre une erreur fatale en rompant nos fiançailles.

Elle tressaillit.

— Est-ce cela qui nous sépare ? Tu m'en veux toujours ?

— T'en vouloir ? Je t'en suis reconnaissant.

Ses yeux s'embuèrent et je repris plus doucement :

— Je ne veux pas être cruel. Je devine à quel point ce doit être douloureux pour toi. Je ne veux pas que tu entretiennes le moindre espoir quand il n'y en a plus.

— Que ferais-tu si Eva te disait ces choses-là ? demanda-t-elle d'un ton empreint de défi. Tu laisserais tomber et tu passerais à autre chose ?

— Ce n'est pas pareil.

Je me passai la main dans les cheveux, m'efforçant de trouver les mots justes.

— Tu ne comprends pas ce que je partage avec Eva. Elle a autant besoin de moi que j'ai besoin d'elle. Je ne cesserais jamais d'essayer, parce que c'est dans notre intérêt à tous les deux.

— Moi aussi, j'ai besoin de toi, Gideon.

J'étais trop irrité pour me montrer courtois.

— Tu ne me connais pas. Je jouais un rôle avec toi. Je ne t'ai laissé voir que ce que tu avais envie de voir, ce que tu étais, selon moi, disposée à accepter.

Et en retour, je n'avais vu en elle que ce que je voulais voir, la fille qu'elle avait été autrefois. J'avais cessé de m'intéresser vraiment à elle depuis si longtemps que je n'avais pas remarqué combien elle avait changé. Je l'avais reléguée dans un angle mort, mais c'était fini désormais.

Elle me considéra un moment, observant un silence choqué.

— Elizabeth m'avait prévenue qu'Eva s'appliquait à réécrire ton passé. Je ne l'ai pas crue. Je ne te savais pas capable de te laisser influencer par qui que ce soit. Il y a un début à tout, je suppose.

— Ma mère peut penser ce qu'elle veut et je t'autorise volontiers à en faire autant.

Un autre de leurs points communs. Aussi douées l'une que l'autre pour croire ce qui les arrangeait, quelles que soient les preuves du contraire.

Je réalisai subitement que si je m'étais senti à l'aise avec Corinne, c'était parce que j'avais su qu'elle ne se montrerait jamais indiscrète. J'avais feint d'être normal et elle n'avait pas été chercher plus loin. Eva avait changé la donne. Je n'étais pas normal et je n'avais pas besoin de l'être. Eva m'acceptait tel que j'étais.

Je n'avais pas l'intention de faire étalage de mon passé, mais je n'avais plus besoin de mentir.

Corinne tendit la main vers moi.

— Je t'aime, Gideon. Tu m'aimais, toi aussi.

— Je t'étais reconnaissant, rectifiai-je. Et je le serai toujours. Tu me plaisais, nous avons partagé de bons moments, il fut un temps où j'ai même eu besoin de toi, mais cela n'aurait jamais pu marcher entre nous.

Elle laissa retomber sa main.

— Un jour ou l'autre, j'aurais rencontré Eva. Et j'aurais tout abandonné pour elle. Je t'aurais quittée pour vivre avec elle. La fin était inéluctable.

Corinne baissa les yeux.

— Eh bien… au moins, nous resterons amis.

Je dus faire un effort pour lui répondre d'un ton dénué de regrets. Je ne voulais surtout pas l'encourager.

— Ce ne sera pas possible. C'est la dernière fois que nous nous parlons.

Elle encaissa le choc d'une longue inspiration qui lui secoua les épaules. Je détournai la tête, partagé entre l'embarras et les regrets. Elle avait compté pour moi autrefois. Elle me manquerait, mais pas comme elle le souhaitait.

— Pour qui dois-je continuer à vivre si je ne t'ai pas ?

Sa question me fit tourner la tête. Je l'arrêtai juste à temps alors qu'elle se ruait sur moi et la maintins à distance, les mains serrées sur le haut de ses bras.

Son beau visage dévasté par le chagrin retint mon attention avant que j'aie eu le temps d'évaluer la portée de ses paroles. Quand la lumière se fit dans mon esprit, je la repoussai, horrifié. Un de ses talons ripa sur la moquette et elle chancela.

— Ne me tiens pas pour responsable de cela, articulai-je d'un ton d'avertissement. Je ne suis pas responsable de ton bonheur. Je ne suis absolument pas responsable de toi.

— Mais qu'est-ce qui t'arrive, Gideon ? s'écria-t-elle. Tu n'es plus toi-même !

— Tu ne sais pas qui je suis, rétorquai-je en allant ouvrir la porte. Va retrouver ton mari, Corinne. Prends soin de toi.

— Salaud, siffla-t-elle. Tu vas le regretter, et cette fois il y a peu de chances que je te pardonne.

— Adieu, Corinne.

Elle me dévisagea une bonne minute avant de se décider à quitter mon bureau au pas de charge.

Je refermai la porte et me retournai, ne sachant ni où aller ni quoi faire. Je devais pourtant faire quelque chose, n'importe quoi. Je me mis à marcher de long en large.

J'attrapai mon téléphone et appelai Eva avant d'avoir consciemment pris la décision de le faire.

— Bureau de Mark Garrity...

— Mon ange, l'interrompis-je, soulagé d'entendre sa voix.

C'était d'elle que j'avais besoin. Quelque chose en moi l'avait su d'instinct.

— Gideon, tout va bien ? s'enquit-elle, aussi fine qu'à l'accoutumée quand il s'agissait de lire en moi.

Je jetai un coup d'œil aux employés qui se mettaient au travail et occultai la paroi vitrée de mon bureau. J'avais besoin d'être seul avec ma femme.

— Tu me manques déjà, répondis-je d'un ton que je m'appliquai à rendre léger pour éviter de l'inquiéter.

Elle laissa passer une seconde, le temps de s'adapter à mon humeur.

— Menteur, répliqua-t-elle. Tu es bien trop occupé pour cela.

— Jamais. À ton tour de me dire à quel point je te manque.

— Tu es impossible, s'esclaffa-t-elle. Qu'est-ce que je vais faire de toi ?

— Tout ce que tu voudras.

— Exactement. Alors, dis-moi vite ce qui se passe. Je vais avoir une journée très chargée aujourd'hui.

Je m'approchai de mon bureau pour étudier sa photo. Mes épaules se détendirent.

— Je voulais juste que tu saches que je pense à toi.

— Très bien. Continue comme cela. Et au cas où cela t'intéresse, sache que c'est très agréable de t'entendre me parler sans ronchonner alors que tu es au travail.

C'était très agréable de l'entendre me parler. Point. J'avais abandonné tout espoir de comprendre pourquoi Eva me touchait à ce point. Je me contentai donc d'apprécier qu'elle ait le pouvoir de me permettre de redémarrer la journée sur de bonnes bases.

— Dis-moi que tu m'aimes.

— Follement. Vous bouleversez mon univers, monsieur Cross.

Je plongeai les yeux dans son regard rieur et frôlai la vitre du bout du doigt.

— Tu es au centre du mien.

Le reste de la matinée se déroula sans incident. Mais alors que je préparais la conclusion d'une réunion au sujet d'un éventuel investissement dans une chaîne d'hôtels, j'eus droit à une nouvelle intervention d'ordre personnel.

— Il faut vraiment que tu gâches toujours tout, hein ? lança mon frère d'un ton accusateur en faisant irruption dans mon bureau, Scott sur ses talons.

Je signifiai du regard à Scott qu'il pouvait nous laisser. Il referma la porte derrière lui.

— Bonjour à toi aussi, Christopher, dis-je.

Nous avions beau être du même sang, nous n'aurions pu être plus dissemblables. Il tenait de son père ses cheveux auburn et ses yeux gris-vert, alors que j'étais indéniablement le fils de ma mère.

— Aurais-tu oublié que Vidal Records fait aussi partie de l'héritage d'Ireland ? cracha-t-il, le regard dur.

— Je ne l'oublie jamais.

— Alors c'est que tu n'en as rien à foutre. Ta petite vengeance contre Brett Kline nous coûte cher. C'est à nous tous que tu nuis, pas uniquement à lui.

Je m'approchai de mon bureau, contre lequel je m'appuyai, et croisai les bras. J'aurais dû prévoir le coup, vu la façon dont Christopher avait réagi pour le lancement de la vidéo de *Golden* à Times Square. Il voulait Kline et Eva ensemble. Plus que cela, même, il voulait qu'Eva et moi ne soyons plus ensemble.

La triste vérité, c'était que je faisais ressortir les pires côtés de mon frère. Il ne se montrait jamais aussi cruel et irréfléchi que lorsqu'il tentait de me blesser. Je l'avais vu tenir de brillants discours, charmer le monde par son charisme et impressionner des conseils d'administration par son sens des affaires. Malheureusement, ces traits de caractère ne se manifestaient jamais quand il s'agissait de moi.

148

Agacé par cette animosité dont je ne me sentais pas responsable, je répliquai :

— Je suppose que tu as l'intention de m'informer bientôt de quoi il retourne.

— Ne joue pas l'innocent, Gideon. Tu savais très bien ce que tu faisais en détruisant systématiquement toutes les opportunités médiatiques que Vidal avait arrangées pour la promotion des Six-Ninth.

— Si lesdites opportunités étaient centrées sur Eva, elles n'avaient aucune raison d'être.

— Ce n'est pas à toi d'en décider, répliqua-t-il avec un sourire méprisant. Tu mesures l'ampleur du préjudice que tu as causé ? *Behind the Music* a reporté son émission spéciale parce que Sam Yimara ne possède plus les droits des enregistrements qu'il a compilés lors des débuts du groupe. *Diners, Drive-Ins and Dives* ne peut plus inclure le *Pete's 69th Street Bar* dans l'épisode situé à San Diego parce qu'il a été démoli avant qu'ils aient pu filmer la scène. Et *Rolling Stone* a renoncé à son article sur *Golden* depuis l'annonce de tes fiançailles. La chanson perd tout intérêt sans happy end.

— Je peux t'obtenir l'enregistrement qui intéresse VH1. Mets-les en contact avec Arash, il s'en occupera.

— Une fois que tu auras fait disparaître toute trace d'Eva ? Quel intérêt ?

Je haussai les sourcils.

— Il s'agit d'une émission sur les Six-Ninth, pas sur ma femme.

— Tu n'es pas encore marié avec elle. C'est cela, ton problème. Tu as peur qu'elle retourne avec Brett. Tu n'es pas vraiment son genre, tout le monde le sait. Tu peux lui brouter le minou à des soirées tant que tu veux, elle, son kif, c'est de tailler en public des pipes à des rock stars...

Je fus sur lui avant qu'il ait le temps de ciller. Mon poing entra en contact avec sa mâchoire et sa tête partit en arrière. J'enchaînai d'un crochet du gauche qui le projeta contre la paroi vitrée.

De l'autre côté, j'aperçus Scott qui bondissait de son siège, puis je me blindai contre l'impact du corps de Christopher qui s'élançait sur moi. Nous nous retrouvâmes au sol. Je lui martelai les côtes jusqu'à ce qu'il gémisse. Il projeta la tête en avant et son front me heurta la tempe.

La pièce se mit à tourner.

Groggy, je roulai sur le côté et me redressai péniblement.

Christopher se releva à demi en s'aidant de la table basse. Le sang qui coulait du coin de ses lèvres goutta sur la moquette. Sa mâchoire enflait déjà et il n'arrivait pas à reprendre son souffle, luttant désespérément pour aspirer l'air dans ses poumons. Les poings douloureux, j'ouvris et repliai les doigts, impatient d'en découdre de nouveau. Ç'aurait été un autre que lui, je n'aurais pas hésité.

— Vas-y, me défia-t-il avant de s'essuyer la bouche avec sa manche. Tu rêves de me tuer depuis ma naissance. Qu'est-ce que tu attends ?

— Tu es cinglé.

Deux employés de la sécurité déboulèrent en courant dans le couloir, mais je levai la main pour les arrêter.

— Je vais te faire chier, lança mon frère en se redressant péniblement. J'ai parlé aux membres du conseil. Je leur ai expliqué ce que tu fais. Tu as décidé de me couler ? Je me battrai jusqu'au bout !

— Tu as déjà perdu, pauvre idiot. Déchaîne ta folie sur quelqu'un d'autre. Et laisse Eva tranquille. Tu veux faire de moi ton ennemi ? Continue à l'emmerder, et tu vas y arriver.

Il me dévisagea un moment, puis lâcha un rire rauque.

— Est-ce qu'elle sait ce que tu fais à Brett ?

Une grimace de douleur m'échappa quand je voulus prendre une inspiration. J'allais avoir une belle ecchymose au niveau des côtes.

— Je ne fais rien à Kline. Je protège Eva.

— Et le groupe, c'est un simple dommage collatéral, c'est ça ?

— Mieux vaut que cela retombe sur lui plutôt que sur elle.

— Va te faire mettre, grinça-t-il.

— Je t'emmerde.

Christopher se dirigea vers la porte d'un pas raide. J'aurais dû le laisser partir sans rien dire, mais...

— Putain, Christopher, ces mecs ont du talent. Ils n'ont pas besoin d'un gadget publicitaire pour avoir du succès. Si tu n'étais pas aussi acharné à me faire payer pour un truc que tu t'imagines que j'ai fait, tu t'appliquerais à faire d'eux autre chose que les vedettes d'un seul et unique tube.

Il se retourna vers moi d'un bloc, les poings serrés.

— Ne me dis pas comment je dois faire mon boulot. Si je te trouve encore en travers de mon chemin, je t'écraserai.

Je le regardai s'éloigner, escorté par les agents de la sécurité. Puis j'allai m'asseoir à mon bureau et vérifiai le registre des messages. Scott avait noté que deux membres du conseil d'administration de Vidal Records avaient appelé dans le courant de la journée.

— Trouve-moi Arash Madani, ordonnai-je à Scott par l'interphone.

Si Christopher voulait la guerre, il allait l'avoir.

J'arrivais au cabinet du Dr Petersen à 18 heures pile. Il m'accueillit avec un sourire de bienvenue, le regard chaleureux et bienveillant.

151

Après une pareille journée, consacrer une heure à un psy était bien la dernière chose dont j'avais envie. Passer une heure avec Eva, voilà ce qu'il m'aurait fallu.

Notre séance commença comme d'habitude. Le Dr Petersen me demanda comment s'était passée ma semaine et je répondis aussi succinctement que possible.

— Parlons de vos cauchemars, dit-il alors.

Je m'adossai au canapé, posai le bras sur l'accoudoir. J'avais été franc avec lui dès le début au sujet de mes troubles du sommeil parce que j'avais besoin qu'il me prescrive des médicaments qui garantiraient une relative sécurité à Eva quand elle dormait près de moi. Mais la dissection de mes rêves ne faisait pas partie des sujets que nous abordions.

Ce qui signifiait que quelqu'un d'autre avait soulevé la question.

— Vous avez parlé à Eva.

La réponse allant de soi, il ne s'agissait pas d'une question.

— Elle m'a envoyé un mail dans la journée, confirma-t-il.

Je pianotai sur l'accoudoir.

Son regard s'attarda sur mes doigts.

— Cela vous dérange-t-il qu'elle m'ait contacté ?

Je soupesai ma réponse avant de la lui donner.

— Elle s'inquiète. Si le fait de vous parler la rassure, je ne m'en plaindrai pas. Vous êtes aussi son thérapeute, elle a donc le droit d'en discuter avec vous.

— Mais vous n'aimez pas cela. Vous préféreriez choisir les sujets que nous abordons ensemble.

— Ce que je préférerais, c'est qu'Eva se sente en sécurité.

Le Dr Petersen acquiesça.

— C'est pour cela que vous êtes ici. Pour elle.

— Évidemment.

— Quelle issue attend-elle de nos séances ?

— D'après vous ?

Il sourit.

— J'aimerais entendre votre réponse à cette question.

Je pris le temps de la réflexion, puis :

— Eva a pris de mauvaises décisions par le passé. Elle a appris à se fier à l'avis de thérapeutes. Cela lui a été bénéfique et c'est ce qu'elle connaît.

— Que ressentez-vous vis-à-vis de cela ?

— Dois-je forcément ressentir quelque chose ? répliquai-je. Elle m'a demandé d'essayer et j'ai accepté. Les relations sont faites de compromis, n'est-ce pas ?

— En effet.

Il prit son stylet et tapota sur l'écran de sa tablette.

— Parlez-moi de votre précédente expérience d'une thérapie.

Je pris une inspiration.

— J'étais petit. Je ne m'en souviens pas.

Il me jeta un coup d'œil par-dessus le bord de ses lunettes.

— Qu'éprouviez-vous à l'idée de voir quelqu'un ? De la colère, de la peur, de la tristesse ?

Baissant les yeux sur mon alliance, je répondis :

— Un peu de tout cela.

— J'imagine que vous avez ressenti la même chose après le suicide de votre père.

Je me figeai. Puis je l'étudiai, les yeux étrécis.

— Où voulez-vous en venir ?

— Nous nous contentons de parler, Gideon.

Il s'adossa contre le dossier de son fauteuil.

— J'ai souvent l'impression que vous vous demandez dans quelle direction s'orientent mes questions, reprit-il. Je n'ai pas d'orientation précise, Gideon. Je cherche simplement à vous aider.

Je me forçai à adopter une attitude plus détendue.

Je voulais que mes cauchemars s'arrêtent. Je voulais partager le lit de ma femme. J'avais besoin de l'aide du Dr Petersen pour atteindre cet objectif.

Mais il n'était pas question que je parle de choses auxquelles on ne pouvait rien changer pour y parvenir.

8

— Si je te dis karaoké, qu'est-ce que tu me réponds ? me demanda Shawna Ellison dès que je décrochai le téléphone.

J'interrompis mon griffonnage, m'adossai au canapé et repliai les jambes sous moi. Il était 21 heures passées et Gideon ne m'avait toujours pas donné signe de vie. Comme il avait eu rendez-vous avec le Dr Petersen un peu plus tôt, je ne savais trop s'il fallait y voir un bon ou un mauvais signe.

Cela faisait près d'une heure que le soleil s'était couché et que je m'efforçais de ne pas penser à mon mari toutes les cinq secondes. Le coup de fil de Shawna n'aurait pu mieux tomber.

— Dans la mesure où je n'ai absolument aucune oreille, je ne te réponds rien, me défilai-je. Pourquoi ?

Dans ma tête, je visualisai la jolie rousse qui était en passe de devenir une amie. Elle ressemblait par bien des côtés à son frère Steven, qui se trouvait être le fiancé de mon boss. Aussi drôles et sans chichis l'un que l'autre, ils étaient également prompts à taquiner, mais d'une fiabilité à toute épreuve. Je les appréciais tous les deux énormément.

— Parce que je me disais qu'on pourrait aller faire un tour dans ce bar à karaoké dont on m'a parlé au boulot, expliqua-t-elle. Au lieu de chanter sur une bande-son pourrie, tu es accompagnée par de vrais musiciens. Et quand je dis *tu*, c'est une façon de parler – personne ne t'obligera à chanter. Des tas de gens n'y vont que pour regarder.

J'attrapai ma tablette sur la table basse.

— Comment s'appelle ce bar ?

— Le *Starlight Lounge*. J'ai pensé que ça pourrait être sympa pour vendredi.

Je haussai les sourcils. Gideon et moi avions décidé d'organiser une rencontre entre nos amis respectifs le vendredi suivant. Je tâchai d'imaginer Arnoldo ou Arash s'évertuant à rester dans le ton, le micro à la main, et ne pus m'empêcher de sourire. Après tout, pourquoi pas ? Ce serait un bon moyen de briser la glace.

— J'en parlerai à Gideon, répondis-je en cherchant le site Web du *Starlight Lounge*. La déco est sympa, en tout cas.

Le nom du lieu m'évoquait ces vastes salles avec boules à facettes de mon adolescence, mais sur les photos du site, l'endroit, qui alliait le bleu au chrome, apparaissait très contemporain.

— Moi aussi, j'ai tout de suite accroché. Ce serait sympa, non ?

— Très. Et tu n'as encore jamais vu Cary avec un micro ! Je te préviens, il est totalement désinhibé.

Le rire qu'elle laissa échapper, aussi léger que des bulles de champagne, m'arracha un sourire.

— Steven est exactement pareil ! Fais-moi signe quand tu te seras décidée. J'ai hâte de te revoir !

Nous raccrochâmes et je reposai le téléphone sur le coussin près de moi. Je tendais la main vers mon carnet quand une sonnerie m'annonça l'arrivée d'un texto. C'était Brett.

156

Il faut qu'on parle. Appelle-moi.

Je considérai sa photo à l'écran pendant une longue minute. Il n'avait pas arrêté d'appeler de la journée. Je n'avais pas répondu et il n'avait pas laissé de message sur la boîte vocale. Son insistance éveillait en moi des émotions contradictoires – je mentirais si je prétendais le contraire –, mais je n'avais pas envie de lui parler. Il était trop tôt pour que j'envisage une relation amicale avec lui. Je n'étais pas prête – et Gideon encore moins.

J'avais cru jusqu'alors qu'affronter les problèmes qui me dérangeaient prouvait que j'étais quelqu'un de fort et de responsable. Alors qu'en fait l'objectif ne réside pas forcément dans la résolution des problèmes. Parfois, il vaut mieux profiter de l'occasion pour s'étudier soi-même.

Je te rappellerai quand j'aurai un moment, répondis-je avant de reposer le téléphone.

Je l'appellerais en présence de Gideon. Pas de secrets, pas de mensonges.

— Salut, lança Cary en entrant dans le salon.

Il venait visiblement de prendre une douche et portait un vieux tee-shirt sur un pantalon de pyjama. Tatiana était venue le voir et repartie une heure plus tôt.

J'avais été soulagée qu'elle ne passe pas la nuit à la maison. J'avais beau faire des efforts pour l'apprécier, la femme qui portait l'enfant de mon meilleur ami ne me facilitait pas la tâche. Il me semblait qu'elle me narguait délibérément chaque fois que l'occasion se présentait. J'avais aussi l'impression qu'elle ne voulait rien tant qu'avoir Cary pour elle toute seule et qu'elle me percevait comme un obstacle.

Il s'allongea à plat ventre sur le retour du canapé d'angle, la tête près de ma cuisse.

— Qu'est-ce que tu fais de beau ?

— Des listes. J'aimerais démarrer un projet d'aide aux victimes d'abus sexuels.

— Ah ouais ? Quel genre de projet ?

— Je ne sais pas trop... Je n'arrête pas de penser à Megumi, au fait qu'elle ait gardé le silence. Je n'avais rien dit à personne, moi non plus. À toi aussi, il t'a fallu du temps pour te décider à parler.

— Parce que tout le monde s'en fout, répondit-il d'un ton bourru, le menton en appui sur les mains.

— Et parce qu'on a peur, aussi. Il existe déjà des numéros d'urgence et des refuges pour les victimes. J'aimerais faire quelque chose qui se démarque de ça, mais j'avoue que je manque d'idées originales.

— Tu n'as qu'à t'adresser à ceux qui en ont.

— À t'entendre, il n'y a rien de plus facile.

— À quoi bon réinventer le monde ? Trouve des gens qui font déjà ça très bien et propose-leur ton aide, dit-il en roulant sur le dos avant de se frotter le visage des deux mains.

Je connaissais ce geste et sa signification. Quelque chose le tracassait.

— Raconte-moi un peu ta journée, suggérai-je.

En définitive, j'avais passé plus de temps en tête à tête avec Gideon qu'avec Cary à San Diego, et je me sentais un peu coupable. Il m'avait certes assuré qu'il s'était éclaté avec ses anciens copains, mais nous étions quand même passés à côté de l'objectif de ce week-end. Et même s'il ne m'adressait aucun reproche, j'avais l'impression de l'avoir lâché.

Il écarta les mains de son visage.

— J'avais un shooting ce matin, et après j'ai déjeuné avec Trey.

— Tu lui as annoncé, pour le bébé ?

— C'était prévu, admit-il, mais je n'ai pas pu. Je suis vraiment trop nul.

— Ne t'accable pas. Ce n'est pas du tout évident.

Cary ferma les yeux.

— L'autre jour, je me disais que ce serait tellement plus simple si Trey était bi. Comme ça, on se taperait tous les deux Tatiana, en plus de coucher ensemble. Et puis d'un seul coup, j'ai pris conscience que je n'avais pas envie de partager Trey avec elle. Partager Tatiana, ça ne me ferait ni chaud ni froid. Mais pas lui. S'il te plaît, Eva, dis-moi que ça ne fait pas de moi une ordure finie.

Je tendis la main et lui ébouriffai les cheveux.

— Ça fait de toi un être humain.

Ne m'étais-je pas retrouvée dans une situation similaire lorsque j'avais cru pouvoir être amie avec Brett alors que je ne supportais pas l'idée que Gideon soit ami avec Corinne ?

— Dans un monde parfait, personne ne serait égoïste. Mais ce n'est pas ainsi que ça marche. On se contente de faire du mieux qu'on peut.

— Tu t'arranges toujours pour me trouver des excuses, marmonna-t-il.

Je réfléchis une minute à cela.

— Non, rectifiai-je en me penchant pour déposer un baiser sur son front. Je me contente de te pardonner. Il faut bien que quelqu'un le fasse, puisque tu ne te pardonnes jamais rien.

La matinée du mercredi fila si vite que l'heure du déjeuner me prit par surprise.

— Il y a quinze jours, nous fêtions nos fiançailles, rappela Steven Ellison alors que je m'asseyais sur la chaise qu'il venait de tirer pour moi. Et aujourd'hui, nous fêtons les tiennes.

Je ne pus m'empêcher de sourire. La bonne humeur du fiancé de mon patron était décidément contagieuse.

— À croire qu'il s'agit d'une épidémie !

159

— Possible, dit-il en jetant un coup d'œil à son compagnon avant de revenir sur moi. Mark ne va pas te perdre, j'espère ?

— Steven, intervint ce dernier, ne commence pas.

— Je me trouve très bien où je suis, dis-je.

Mark m'adressa un regard étonné, puis un sourire ravi aussi communicatif que celui de Steven. Somme toute, l'ambiance de nos déjeuners du mercredi était toujours très détendue.

— Je suis heureux de l'entendre, déclara Mark.

— Moi aussi, renchérit Steven en ouvrant son menu d'un geste résolu, comme si nous venions de prendre une décision importante. On tient à toi, Eva.

— J'y suis, j'y reste, assurai-je.

Le serveur déposa une corbeille de pain à l'ail sur la table, puis débita la liste des plats du jour. Le restaurant choisi par les garçons proposait deux menus : un grec et un italien.

Comme la plupart des gargotes de Manhattan, l'endroit était minuscule et les tables si serrées les unes contre les autres qu'il valait mieux garer ses coudes. Aux effluves qui émanaient des cuisines et des plateaux des serveurs, mon estomac répondit d'un grondement, que le brouhaha couvrit heureusement.

— Je vais prendre la moussaka, annonça Steven en passant une main nonchalante dans la flamboyante crinière rousse qui faisait l'envie de bien des femmes.

— Moi aussi, lançai-je en refermant le menu.

— Pizza aux poivrons, pour moi, déclara Mark.

Taquins, Steven et moi raillâmes sa tendance à se montrer peu aventureux.

— Pour ce qui est de l'aventure, rétorqua-t-il, épouser Steven me suffit amplement !

Tout sourire, ce dernier cala les coudes sur la table et le menton sur les mains.

160

— Alors, Eva... comment Cross t'a-t-il fait sa demande ? J'imagine qu'il ne l'a pas faite en pleine rue.

Mark gratifia Steven d'un regard exaspéré.

— Non, acquiesçai-je. Il a attendu d'être sur une merveilleuse plage privée. Mais je ne peux pas parler de « demande » parce qu'il s'est plus ou moins contenté de m'annoncer que nous allions nous marier.

Un sourire incurva les lèvres de Mark, mais Steven y alla de son commentaire à l'emporte-pièce.

— La romance, façon Gideon Cross !

— Absolument, m'esclaffai-je. Il serait le premier à assurer qu'il n'y a pas une once de romantisme en lui, mais il a tout faux.

— Montre-moi la bague...

Je tendis ma main et le diamant taille Asscher étincela de tous ses feux. La bague était aussi splendide que les souvenirs qui y étaient rattachés dans la mémoire de Gideon – et Elizabeth Vidal ne pouvait rien à cela.

— Mark, trésor, je veux la même !

La vision du robuste entrepreneur arborant une bague identique à la mienne me tira un éclat de rire.

— Pour que tu la bousilles sur un chantier ? rétorqua Mark en lui jetant un regard noir. Pas question.

— Les diamants sont très solides, mais je te promets d'en prendre grand soin.

— On en reparlera quand je dirigerai ma propre agence, répliqua mon patron en ricanant.

— Je te prends au mot, riposta Steven en me décochant un clin d'œil. Vous avez réservé une salle ?

— Pas encore, non. Et vous ?

— Oh que si ! dit-il en attrapant sa sacoche dont il sortit son classeur de mariage. J'aimerais que tu me dises ce que tu penses de ces motifs...

Mark leva les yeux au ciel et poussa un long soupir accablé. Je chipai un morceau de pain à l'ail dans la

corbeille et me penchai sur le classeur avec un ronronnement satisfait.

Je consacrai la fin de l'après-midi au projet LanCorp.
Une fois ma journée finie, Raúl me conduisit à mon
cours de krav maga. Pendant le trajet, je relus la réponse
de Clancy à mon texto lui annonçant qu'il n'aurait pas
à m'accompagner : *Pas de problème.* Je ressentis néanmoins le besoin de lui fournir une explication.

*Gideon tient à ce que Raúl assure tous mes déplace-
ments. Vous voilà donc libéré.* ☺ *Merci pour votre aide.*

Sa réponse ne tarda guère.

*À votre service. N'hésitez pas à m'appeler au cas où.
Au fait, votre amie ne devrait plus avoir de problèmes.*

Le merci que je lui retournai me parut bien mesquin
en regard du service rendu et je me promis d'envoyer
quelque chose pour lui exprimer ma gratitude.

Raúl se gara en face de l'entrepôt réhabilité où Parker
Smith donnait ses cours, puis m'escorta à l'intérieur et
prit place sur les gradins. Sa présence me déstabilisa
un peu – Clancy m'avait toujours attendue dehors.

Les clients étaient si nombreux sur les tapis que l'immense espace ouvert paraissait surpeuplé. Il régnait un
vacarme assourdissant – cacophonie où se mêlaient les
chutes des corps sur les tatamis, les claquements de la
chair contre la chair et les cris variés autant destinés
à se donner du courage qu'à effrayer l'adversaire. Les
gigantesques portes métalliques ajoutaient à l'atmo-
sphère industrielle et emmagasinaient la chaleur à
l'intérieur du local. La climatisation et les ventilateurs
sur pied répartis çà et là ne parvenaient pas à dissiper
la moiteur ambiante.

Je faisais consciencieusement mes exercices d'échauf-
fement quand une paire de longues jambes maigres
pénétra dans mon champ de vision. Je me figeai, levai

les yeux et découvris qu'elles appartenaient à l'inspecteur Shelley Graves, de la police de New York.

Ses cheveux bruns bouclés étaient attachés en un chignon aussi sévère que l'expression qu'elle affichait. Elle fixait sur moi son regard bleu impassible. J'avais peur d'elle et de ce qu'elle pouvait faire à Gideon, mais elle m'inspirait également une certaine admiration. J'aurais aimé posséder sa détermination implacable et son assurance.

— Eva, me salua-t-elle.

— Inspecteur Graves.

Elle était en tenue de travail – pantalon noir et pull rouge, sa veste noire ne dissimulant ni son badge ni son arme de service. Ses bottes étaient éraflées et ordinaires, à son image, au fond.

— Je vous ai aperçue alors que je m'apprêtais à quitter la salle. J'ai appris vos fiançailles. Félicitations.

Mon estomac se serra. L'« alibi » de Gideon reposait en partie sur le fait que nous avions rompu quand Nathan avait été tué. Pourquoi une personnalité aussi puissante et respectable que Gideon Cross s'aviserait-elle d'éliminer un homme pour les beaux yeux de l'ex-petite amie qu'il venait de plaquer ?

Nos fiançailles devaient lui paraître suspectes. Graves m'avait dit que son collègue et elle étaient passés à d'autres affaires, mais je savais que c'était le genre de flic qui croit en la justice. Elle estimait que Nathan avait eu ce qu'il méritait, pourtant elle ne pouvait s'empêcher de se demander si Gideon n'avait pas, lui aussi, quelque chose à payer.

— Merci, répondis-je. J'ai beaucoup de chance.

Elle jeta un coup d'œil du côté des gradins, où se trouvait Raúl.

— Où est Ben Clancy ?

— Je ne sais pas. Pourquoi ?

— Simple curiosité. Figurez-vous que l'un des agents fédéraux à qui j'avais parlé de Yedemsky s'appelle Clancy, lui aussi. Vous pensez qu'il y a un lien entre eux ? demanda-t-elle en me soumettant à l'étude de son regard acéré.

J'avais senti le sang quitter mon visage à l'instant où elle avait mentionné le nom du mafieux russe qui avait été retrouvé mort, le bracelet de Nathan au poignet. En proie à un soudain vertige, je chancelai légèrement.

— Quoi ?

Elle hocha la tête, comme si elle avait anticipé cette réaction de ma part.

— Sans doute pas. Quoi qu'il en soit, je vous dis à bientôt.

Je la regardai s'éloigner, son attention fixée sur Raúl. Elle s'immobilisa tout à coup et se tourna vers moi.

— Vous m'inviterez au mariage ?

Je dus lutter contre le bourdonnement qui avait envahi ma tête pour répondre :

— À la réception, oui. La cérémonie sera en petit comité – uniquement la famille.

— Vraiment ? Étonnant. C'est un homme surprenant, n'est-ce pas ? ajouta-t-elle avec une espèce de sourire qui métamorphosa son visage.

J'étais tellement occupée à tenter de comprendre le pourquoi de ce qu'elle avait dit juste avant que je fus incapable de déchiffrer ce nouveau sous-entendu. Et ce ne fut que lorsque je l'attrapai par le bras que je me rendis compte que je m'étais précipitée vers elle.

Elle se raidit aussitôt, son corps m'intimant l'ordre de la lâcher. Ce que je fis. Immédiatement.

Je la dévisageai un instant, tâchant de rassembler mes pensées. Clancy. Gideon. Nathan. Qu'est-ce que cela signifiait ? Qu'avait-elle en tête, exactement ?

Et pourquoi avais-je l'impression qu'elle cherchait à m'aider ? À me protéger ? À protéger Gideon ?

Les mots qui franchirent mes lèvres me surprirent moi-même.

— J'aimerais soutenir une association qui mène une action vraiment efficace en faveur des victimes d'abus sexuels.

Elle arqua les sourcils.

— Pourquoi me dites-vous cela ?

— Parce que je ne sais pas par où commencer.

— Essayez Crossroads, suggéra-t-elle, pince-sans-rire. J'ai entendu de bonnes choses sur eux.

J'étais assise en tailleur sur le tapis du salon attenant à ma chambre quand Gideon rentra. En jean et tee-shirt blanc à col en V, il pénétra dans la pièce en faisant tourner le trousseau de clefs de mon appartement autour de son index.

Je le dévorai du regard. Impossible de faire autrement. Mon cœur cesserait-il éternellement de battre chaque fois que je le retrouvais ? C'était là mon souhait le plus cher.

Le salon était petit et très féminin. Ma mère, qui s'était occupée de la décoration, avait déniché des meubles chez des antiquaires, telle cette absurde écritoire censée me tenir lieu de bureau. Gideon répandait un tel flux de testostérone dans cette bonbonnière que je me sentis soudain très douce et très femme, et n'aspirai plus qu'à me laisser séduire...

— Bonsoir, champion, murmurai-je, insufflant à ces mots tout l'amour et le désir qu'il m'inspirait.

La main de Gideon se referma abruptement sur les clefs qui tournoyaient, et le regard qu'il posa sur moi me rappela cette première fois dans le hall du Crossfire Building. Ses yeux s'étaient chargés de cette troublante intensité qui m'excitait.

Pour une raison que je ne comprendrais sans doute jamais, il ressentait la même chose à mon égard.

— Mon ange, souffla-t-il en s'accroupissant devant moi, une mèche brune lui effleurant la joue d'une caresse. Qu'est-ce que tu fais de beau ?

Il feuilleta les papiers répandus autour de moi. Je lui saisis la main avant que mes recherches sur la fondation Crossroads le distraient et lui débitai ce que j'avais appris aussi brutalement que l'information m'était parvenue.

— C'était Clancy, Gideon ! Clancy et son frère du FBI, qui ont glissé le bracelet de Nathan au bras du mafieux russe.

— Je m'en doutais, acquiesça-t-il.

— Quoi ? m'écriai-je. Et pourquoi ne m'as-tu rien dit ? J'étais malade d'inquiétude !

Il s'assit en face de moi, adoptant la même posture que la mienne.

— Je n'ai pas encore toutes les réponses. Angus et moi avons jusqu'ici procédé par élimination. L'auteur de cet acte surveillait soit Nathan, soit nous.

— Il pouvait aussi surveiller à la fois Nathan et nous.

— C'est le fond du problème. Qui aurait intérêt à agir ainsi ?

Je soutins son regard.

— L'inspecteur Graves est au courant. Le FBI. Clancy...

— Graves ? releva-t-il.

— Oui, elle m'en a parlé dans la salle de Parker, tout à l'heure. Elle a glissé ça en passant, histoire de voir comment j'encaissais la nouvelle.

— Elle cherchait à te secouer... ou à apaiser tes craintes, déclara Gideon en plissant les yeux. Je parierais plutôt pour la seconde hypothèse.

Je faillis lui demander pourquoi avant de me rappeler que j'étais arrivée à la même conclusion que lui. Graves était du genre incorruptible, mais elle avait du cœur. Je l'avais senti au cours de nos échanges.

— Alors, tu crois qu'on peut lui faire confiance ? demandai-je en avançant à quatre pattes sur les brochures éparpillées autour de moi pour aller me nicher au creux de ses genoux.

Il m'enveloppa de ses bras et me serra contre lui comme si j'étais censée rester là pour toujours. Et comme chaque fois, je me sentis en sécurité. Chérie. Adorée.

Il pressa les lèvres contre mon front.

— Je parlerai à Clancy. Mais il n'est pas idiot. Il n'aura rien laissé au hasard.

Je refermai très fort le poing sur son tee-shirt.

— Ne me cache pas ce genre de choses, Gideon. Cesse d'essayer de me protéger.

— Je ne peux pas, avoua-t-il en resserrant son étreinte. J'aurais peut-être dû t'en parler, mais nous passons peu d'heures ensemble chaque jour et je veux que chacune d'elles soit parfaite.

— Gideon, tu dois accepter de tout partager avec moi.

Je sentis sa poitrine se soulever sous ma joue.

— Je m'y efforce, Eva.

Je ne pouvais rien exiger de plus.

Quand j'entrai dans la cuisine le lendemain matin, j'y trouvai Gideon occupé à servir le café. Je pourrais prétendre que ce fut l'arôme du café qui rendit mon pas plus élastique, mais en réalité ce fut la vision de mon mari. Il était rasé de près et son gilet n'était pas boutonné. J'adorais le voir un peu débraillé.

Mes pieds nus claquèrent sur le marbre et il leva les yeux – visage impassible et regard de braise. Ressentait-il le même choc que moi quand il me découvrait prête à attaquer ma journée ? J'en doutais. J'étais convaincue que les hommes ne se posent qu'une question quand ils regardent une femme : baisable... ou pas.

Je lui agrippai le poignet et guidai sa main sous ma jupe, jusqu'à mes fesses. Un sourire lui taquina le coin des lèvres.

— Bonjour à vous aussi, madame Cross.

Il fit claquer mon porte-jarretelles sur ma cuisse. Je sursautai, puis retins mon souffle quand une délicieuse sensation de chaleur se répandit en moi.

— Hmm... on dirait que ça te plaît, commenta-t-il avec un sourire satisfait.

Je fis la moue.

— Ça fait mal.

Pivotant légèrement pour s'adosser au comptoir, Gideon glissa les mains sur l'arrière de mes cuisses et m'attira entre ses jambes, puis il m'effleura la tempe du bout du nez tout en massant l'endroit douloureux.

— Pardon, mon ange, murmura-t-il, avant de faire claquer mon porte-jarretelles sur l'autre cuisse.

Je fus si surprise que je me cambrai contre lui. Son sexe était dur. Un gémissement m'échappa.

— Arrête.

— Ça t'excite, me chuchota-t-il à l'oreille.

— Ça fait mal ! me plaignis-je alors même que je me frottais contre lui.

Il m'avait réveillée par de tendres baisers et des caresses provocantes, et je l'en avais remercié avec ma bouche. Pourtant il était déjà prêt à recommencer. Et moi aussi. Nous étions aussi insatiables l'un que l'autre.

— Tu veux que je t'embrasse pour me faire pardonner ? s'enquit-il, ses doigts s'immisçant entre mes cuisses. Tu me rends fou, Eva, souffla-t-il en me découvrant chaude et moite. Bon sang, j'ai des tonnes de trucs à faire...

J'adorais ses caresses. Et j'adorais son odeur du matin. J'enroulai les bras autour de son cou.

— Il faut qu'on aille travailler.

— On jouera avec ce porte-jarretelles plus tard, dit-il en me pressant contre lui.

Je l'embrassai, plaquai ma bouche ouverte sur la sienne et le dévorai. Ma langue lécha sa langue, la caressa, la suça.

Gideon empoigna ma queue-de-cheval pour m'immobiliser. Il voulait avoir le dessus pour mieux baiser ma bouche, m'embrasser comme s'il cherchait à m'absorber tout entière. En un instant, une onde brûlante me submergea et un voile de sueur emperla ma peau.

Ses lèvres étaient à la fois fermes et douces contre les miennes, sa main inclinait mon visage selon l'angle qui lui convenait, ses dents me frôlaient la lèvre inférieure. La saveur de sa bouche, délicatement relevée d'une pointe de café noir, m'enivrait. Je m'agrippai à ses cheveux et me hissai sur la pointe des pieds pour être encore plus près de lui. Toujours plus. Mais jamais assez.

— Je vous rappelle que vous êtes dans la cuisine, les enfants.

La voix de Cary rompit le sortilège sensuel que Gideon avait tissé autour de moi. Je commençai à m'écarter, mais mon mari m'étreignit fermement, m'autorisant juste à rompre notre baiser. Son regard était vif sous ses paupières à demi closes, ses lèvres suaves et humides.

— Bonjour, Cary, dit-il en tournant la tête vers mon meilleur ami quand celui-ci nous rejoignit près de la machine à café.

— Je vois que ça démarre fort pour vous deux, répondit Cary en sortant une tasse du placard. Malheureusement, je suis trop fatigué pour être excité par le spectacle. Ce qui n'augure rien de bon pour le reste de la journée.

Il arborait une banane de rocker impeccable et, avec son jean moulant et son tee-shirt bleu marine, il était à tomber. Je plaignais d'avance les pauvres cœurs solitaires qui croiseraient sa route tout au long de la journée.

— Tu as un shooting ? demandai-je.

— Non. C'est Tatiana qui bosse aujourd'hui. Mais elle veut que je l'accompagne. Elle est en pleine phase de nausées matinales, alors il vaut mieux que je sois près d'elle en cas de malaise.

Compatissante, je tendis la main et lui caressai le bras.

— Tu gères, Cary. C'est super.

Il eut un sourire ironique et porta sa tasse à ses lèvres.

— Que veux-tu que je fasse d'autre ? Je ne peux pas être malade à sa place, et il faut bien qu'elle bosse tant qu'elle en est encore capable.

— Tu me diras si je peux faire quoi que ce soit ?

— Évidemment, répondit-il en haussant les épaules.

Gideon me caressa le dos, m'apportant son soutien silencieux.

— Si tu as le temps, Cary, intervint-il, j'aimerais que tu sois présent pour le rendez-vous avec l'architecte d'intérieur qui va se charger de rénover l'appartement de la Cinquième Avenue.

— Ouais, j'ai réfléchi à tout ça, répondit Cary en s'appuyant au comptoir. On n'a pas encore pris de décision définitive, Tatiana et moi, mais bon, il faudra bien qu'on vive ensemble à un moment ou à un autre. Vous n'avez pas envie d'entendre un nouveau-né brailler non-stop à côté de chez vous, j'imagine. Quand vous serez prêts, vous en ferez un, mais rien ne vous oblige à supporter le mien.

— Cary… soufflai-je.

Mon meilleur ami envisageait rarement sa vie au-delà des quinze prochaines minutes. L'entendre anticiper de façon aussi pragmatique ce que l'avenir lui réservait m'émut profondément.

— L'appartement est entièrement insonorisé, rappela Gideon de ce ton ferme si rassurant. Au stade où nous en sommes, tout est encore envisageable. Il suffit que tu me fasses part de tes soucis pour qu'on trouve une solution.

Cary baissa les yeux sur son café et son beau visage parut soudain empreint d'une immense lassitude.

— Merci. J'en parlerai à Tatiana. Ce n'est pas évident... Elle refuse d'envisager l'avenir, alors que moi, ça m'obsède complètement. Il va bientôt y avoir ce petit être qui dépendra entièrement de nous, et on doit se préparer à sa venue. Autant que possible, en tout cas.

Je me dégageai de l'étreinte de Gideon, qui ne chercha pas à me retenir. Voir Cary se torturer ainsi me peinait. Et me faisait aussi très peur. Il n'était pas taillé pour relever un défi de cette envergure et je redoutais que ses mécanismes autodestructeurs ne reprennent le dessus. Lui et moi étions perpétuellement soumis à ce risque. Mais moi, j'avais un cercle de relations qui m'aidait à garder le cap. Alors que lui n'avait que moi.

— C'est à cela que sert la famille, Cary, lui dis-je en souriant. On se rend dingues les uns les autres, et on fonce chez le psy.

Il rit, puis cacha son visage derrière sa tasse. L'absence de réplique piquante de sa part ne fit qu'accroître mon inquiétude. Un étrange silence s'abattit sur nous.

Gideon et moi nous concentrâmes sur notre café, veillant par un accord tacite à éviter que Cary ne se sente laissé pour compte. Cette complicité me fit immensément plaisir. C'était la première fois de ma vie que j'avais un véritable partenaire, un amant qui n'était pas là que pour partager les bons moments.

L'apparition de Gideon dans ma vie se révélait un miracle de mille et une façons.

Je me rendis soudain compte que j'allais devoir me montrer plus conciliante, plus ouverte aux compromis au sujet de ma collaboration professionnelle avec Gideon. Je devais arrêter de penser à l'équipe Cross comme étant seulement la sienne. Trouver le moyen de me l'approprier pour y prendre part avec lui.

— J'aurai un peu plus de temps, la semaine prochaine, déclara finalement Cary en me regardant, avant de tourner les yeux vers Gideon.

— Alors disons mercredi, décréta celui-ci. Ça nous permettra de récupérer du week-end.

— Je dois donc envisager ce rendez-vous comme une fête ? lâcha Cary un sourire aux lèvres.

— C'est la seule façon de l'envisager, assurai-je en lui souriant à mon tour.

— Comment vas-tu ? demandai-je à Megumi quand nous nous retrouvâmes pour déjeuner le jeudi midi.

Elle avait meilleure mine que le lundi, mais portait toujours des vêtements trop couvrants pour la saison. Je l'avais remarqué en arrivant et, pour lui éviter d'affronter la chaleur extérieure, j'avais décidé de commander des salades que nous nous apprêtions à déguster dans la salle de repos,

— Mieux, répondit-elle avec un pâle sourire.

— Lacey est au courant de ce qui s'est passé ?

J'ignorais si Megumi était très proche de sa colocataire, mais je n'avais pas oublié que Lacey était sortie avec Michael avant de le présenter à Megumi.

— Je ne lui ai pas tout dit, répondit-elle en repoussant sa salade du bout de sa fourchette. Je me sens tellement nulle.

— On a vite fait de s'accabler après coup mais, quand on dit non, ça veut dire non, Megumi. Tu n'as rien à te reprocher.

— C'est vrai, cependant...

Je savais ce qu'elle éprouvait.

— As-tu envisagé de parler à quelqu'un ?

— Tu veux dire à un psy ?

— Oui.

— Pas vraiment, non. Je ne saurais même pas à qui m'adresser.

— La mutuelle de la boîte couvre les dépenses de psy. Il te suffit d'appeler le numéro qui figure au dos de ta carte d'assurée. On te donnera la liste des praticiens qui exercent près de ton domicile ou de ton travail.

— Et je n'aurai qu'à... en choisir un au hasard ?

— Je t'aiderai, si tu veux.

Je me promis de trouver le moyen d'aider d'autres femmes dans son cas. Quelque chose de positif devait sortir de nos expériences malheureuses. J'étais motivée, et j'en avais les moyens. Il ne me restait plus qu'à trouver comment faire.

— C'est très gentil de ta part, Eva, souffla-t-elle, les yeux embués. Merci d'être là pour moi.

Je me penchai vers elle et la serrai dans mes bras.

— Pour l'instant, il ne m'envoie plus aucun texto, dit-elle quand je m'écartai. Je redoute ses messages, mais à chaque heure qui passe sans qu'il se manifeste, je me sens mieux.

— Parfait, répondis-je en adressant un remerciement silencieux à Clancy.

À 17 heures, je quittai le bureau et gagnai le dernier étage dans l'espoir de passer un moment avec Gideon avant notre rendez-vous avec le Dr Petersen.

173

J'avais pensé à lui toute la journée, à l'avenir dont je rêvais pour nous. Je voulais qu'il respecte ma personnalité et mes limites, et je voulais également m'ouvrir à ses désirs. Je voulais partager avec lui d'autres instants de complicité comme celui de ce matin avec Cary. Nous avions affronté la situation comme si nous ne faisions qu'un. Je ne pouvais exiger cela si je m'obstinais à lui tenir tête.

La réceptionniste rousse m'ouvrit la porte avant de m'adresser un sourire qui n'atteignit pas ses yeux.

— Puis-je vous être utile ?

— Non, je vous remercie, répliquai-je en passant devant elle.

J'aurais apprécié que tous les employés de Gideon soient aussi sympathiques que Scott, mais cette fille avait visiblement un problème avec moi et j'avais décidé d'en prendre mon parti.

Je filai jusqu'au bureau de Gideon et découvris avec surprise que Scott n'était pas à son poste. De l'autre côté de la paroi vitrée, j'aperçus mon mari qui présidait une réunion avec son aisance habituelle. Nonchalamment appuyé contre son bureau, il faisait face à deux messieurs en costumes et à une femme chaussée de sublimes Louboutin. Assis en retrait, Scott prenait des notes sur sa tablette.

Je m'assis dans l'un des fauteuils du bureau de Scott et observai Gideon, aussi fascinée que son auditoire. Il n'avait que vingt-huit ans et faisait montre d'une assurance qui ne cessait de me sidérer. Ses interlocuteurs devaient avoir deux fois son âge, mais leur posture et l'attention qu'ils prêtaient à mon mari témoignaient d'un respect pour l'homme comme pour ses propos.

Certes, l'argent régnait en maître et Gideon était à la tête d'une fortune colossale. Il exerçait cependant le pouvoir de manière fort subtile. J'en étais d'autant plus consciente que j'avais vécu avec le père de

Nathan, le premier mari de ma mère, un homme qui manipulait le pouvoir comme une arme.

Gideon, lui, savait captiver son auditoire sans avoir besoin de bomber le torse. Et je doutais que le décor fasse la moindre différence ; il aurait eu autant de présence dans le bureau de n'importe qui.

Il tourna la tête et nos regards se croisèrent. Il ne manifesta aucune surprise. De la même façon que je sentais sa présence sans avoir besoin de le voir, il avait senti la mienne. Nous étions reliés l'un à l'autre à un niveau que je ne saurais expliquer. Il arrivait que je regrette qu'il ne soit pas près de moi, mais même dans ce cas, sa présence m'accompagnait.

Je lui souris, puis sortis mon téléphone de mon sac, histoire qu'il ne se sente pas obligé d'en terminer au plus vite.

Je trouvai des dizaines de messages de ma mère avec en pièces jointes des robes, des bouquets et des salles de réception qui me rappelèrent que je devais la prévenir que ce serait mon père qui paierait pour la cérémonie. J'avais repoussé cette conversation toute la semaine, le temps de me préparer à sa réaction. Parmi ces messages, j'en découvris un de Brett, qui voulait me parler de toute urgence.

Je me levai et cherchai du regard un coin tranquille pour répondre à ce message quand la silhouette de Christopher Vidal Senior se profila au détour du couloir.

Le beau-père de Gideon portait comme à son habitude des mocassins et un pantalon de toile avec une chemise bleu ciel, col ouvert et manches retroussées. Ses cheveux ondulés étaient coupés court, et ses sourcils légèrement froncés au-dessus de ses lunettes à monture dorée.

— Eva, fit-il en ralentissant le pas, comment allez-vous ?

175

— Bien. Et vous ?

Il hocha la tête tout en jetant un coup d'œil dans le bureau de Gideon.

— Ma foi, je ne me plains pas. Si vous aviez une minute, j'aimerais vous dire un mot.

— Pas de problème.

La porte du bureau s'ouvrit, et Scott nous rejoignit.

— Monsieur Vidal. Mademoiselle Tramell. M. Cross en a encore pour un petit quart d'heure, nous annonça-t-il. Puis-je vous offrir quelque chose à boire en attendant ?

— Rien pour moi, je vous remercie, déclina Chris. En revanche, si vous pouviez nous trouver un endroit tranquille pour patienter, je vous en serais reconnaissant.

— Bien sûr, assura Scott avant de m'adresser un regard interrogateur.

— Je n'ai besoin de rien, je vous remercie, répondis-je.

Scott posa sa tablette sur son bureau et nous conduisit jusqu'à une salle de conférences qui bénéficiait d'une vue imprenable sur Manhattan. L'éclairage tamisé révéla une longue table d'acajou vernie, des placards assortis qui garnissaient un pan de mur et un grand écran plat fixé sur son vis-à-vis.

— Si vous avez besoin de quoi que ce soit, il vous suffit d'appuyer sur le 1, expliqua Scott en indiquant le téléphone. Vous trouverez de l'eau et du café dans ce placard, ajouta-t-il.

— Merci, Scott, dit Chris. C'est fort aimable à vous.

Après que le secrétaire de Gideon eut quitté la pièce, Chris m'invita d'un geste à m'asseoir. Il prit place à ma droite et fit pivoter sa chaise pour me faire face.

— Pour commencer, permettez-moi de vous adresser mes félicitations pour vos fiançailles, dit-il en souriant. Ireland ne tarit pas d'éloges à votre sujet, et je sais que vous avez œuvré à son rapprochement avec Gideon. Je ne vous en remercierai jamais assez.

— Je n'ai pas fait grand-chose, mais cette pensée me touche.

Il tendit le bras vers ma main gauche, qui reposait sur la table. Un sourire contrit flotta sur ses lèvres comme son pouce effleurait ma bague. Songeait-il que Geoffrey Cross l'avait choisie pour Elizabeth ?

— C'est une très belle bague, constata-t-il finalement. Vous l'offrir était un geste significatif pour Gideon, j'en suis certain.

Je ne sus quoi répondre. Le geste était significatif pour mon mari car cette bague symbolisait l'amour qui avait uni ses parents. Chris écarta la main.

— Elizabeth vit des moments difficiles. Une mère ressent des émotions complexes quand son premier enfant décide de se marier, surtout s'il s'agit d'un fils. Ma propre mère avait coutume de dire qu'un fils demeure un fils jusqu'au jour où il se marie – alors, il devient un époux. Tandis qu'une fille reste toujours une fille.

Ce discours à visée conciliatrice me hérissa le poil. Chris tâchait de se montrer aimable, mais toutes ces excuses commençaient à me fatiguer, surtout s'agissant d'Elizabeth Vidal. Tant que durerait le mensonge, Gideon continuerait de souffrir.

Je voulais que sa souffrance cesse. Chaque fois qu'il se réveillait en larmes, j'étais bouleversée. Je ne pouvais qu'imaginer sa détresse.

Je songeai cependant que je ferais mieux de garder ces pensées pour moi. À quoi bon argumenter quand c'était Gideon qui avait besoin d'exiger des réponses et de les entendre ?

Laisse tomber. Le moment venu, les choses se résoudront d'elles-mêmes.

Je me surpris pourtant à me pencher vers Chris. J'étais incapable de garder le silence, contrairement à Gideon.

— Soyons honnêtes, déclarai-je calmement. Votre femme n'a pas régi ainsi quand Gideon s'est fiancé avec Corinne.

Je n'avais aucune certitude quant à ce que j'avançais mais, ayant vu Elizabeth en compagnie des parents de Corinne à l'hôpital, cela me paraissait probable.

Le sourire piteux de Chris confirma mes soupçons.

— C'était différent, je suppose, parce que Gideon était avec Corinne depuis un certain temps, et que nous la connaissions. Vous deux n'êtes ensemble que depuis peu, certains ajustements sont donc encore nécessaires. N'y voyez rien de personnel, Eva.

Son sourire s'étiola, mais ce furent ses mots que je ne pus tolérer. Mon ressentiment enfla et franchit le rempart derrière lequel j'avais tenté de le contenir.

Christopher Vidal Senior avait lui aussi sa part de responsabilité. Accepter sous son toit un garçon meurtri et perturbé ne devait pas avoir été facile – d'autant qu'il était en train de fonder sa propre famille avec Christopher Junior et Ireland. Pourtant, il avait accepté le rôle de beau-père en épousant Elizabeth. Prendre la défense d'un enfant victime d'abus relevait donc de sa responsabilité. N'importe quelle personne sensée, fût-elle étrangère à la famille, aurait su qu'elle avait l'obligation de dénoncer le crime dont Gideon avait été la victime.

Je me penchai en avant sans chercher à dissimuler ma colère.

— J'y vois au contraire quelque chose de tout à fait personnel, monsieur Vidal. Elizabeth se sent menacée parce qu'elle sait que je ne suis pas disposée à cautionner ses mensonges. Vous devez tous les deux des excuses à Gideon, et il est indispensable qu'elle reconnaisse l'abus dont il a été victime. Je veillerai à ce qu'elle le fasse, comptez sur moi.

— De quoi parlez-vous ? répliqua-t-il en se raidissant visiblement.

Un ricanement dégoûté m'échappa.

— Vous plaisantez ?

— Elizabeth ne maltraiterait jamais aucun de ses enfants, déclara-t-il, voyant que je n'étais pas disposée à en dire plus. C'est une mère extraordinaire et dévouée.

Je le dévisageai. Était-il autant dans la dénégation que sa femme ? Comment pouvaient-ils faire comme s'ils ne savaient rien ?

— Vous avez intérêt à vous expliquer, Eva. Et vite.

Je m'affaissai sur ma chaise, sonnée. S'il jouait la comédie, il méritait un prix d'interprétation.

Frémissant de colère, agressif, il articula :

— Je vous somme de parler. Sur-le-champ !

— Il a été violé, déclarai-je posément. Par le thérapeute qui le suivait.

Chistopher se pétrifia. Pendant une longue minute, il cessa même de respirer.

— Il l'a avoué à Elizabeth, mais elle ne l'a pas cru. Elle sait qu'il disait la vérité, mais préfère se réfugier dans le déni pour je ne sais quelle raison tordue qui l'arrange.

Chris secoua la tête avec véhémence.

— Non.

Le mot me fit bondir.

— Allez-vous nier les faits, vous aussi ? Qui mentirait sur un sujet aussi grave ? Vous vous rendez compte à quel point cela a dû être dur de révéler ce qui se passait ? De la confusion qui devait l'habiter alors qu'un homme en qui il avait confiance lui faisait ces choses ?

179

— Jamais Elizabeth n'ignorerait... une chose pareille. C'est un malentendu. Vous devez vous tromper.

Ses pupilles s'étaient dilatées et ses lèvres avaient blanchi, mais je refusai de le prendre en pitié.

— Elle s'est laissé porter par les événements. C'est tout. Et quand elle s'est sentie menacée, elle a choisi de se ranger du côté du plus grand nombre, au détriment de son fils.

— Vous ne savez pas ce que vous dites !

Je ramassai mon sac, passai la bandoulière sur mon épaule et me penchai vers Christopher afin de le regarder droit dans les yeux.

— Gideon a été violé. Un de ces jours, votre femme et vous, vous le regarderez comme je vous regarde maintenant et vous l'admettrez. Et vous vous excuserez pour toutes ces années où il a vécu avec ça tout seul.

— *Eva !*

La voix de Gideon m'arracha un sursaut. Je me redressai précipitamment et me retournai vers lui, chancelant à demi.

Il se tenait sur le seuil, la main agrippée à la poignée de la porte. Son visage était dur, son corps rigide, et il braquait sur moi un regard brûlant.

De fureur. Je ne l'avais encore jamais vu dans une telle colère.

Chris se leva pesamment.

— Gideon, explique-moi ce qu'il se passe. Qu'est-ce qu'elle raconte ?

Gideon m'attrapa par le bras et me projeta si violemment dans le couloir qu'un glapissement de frayeur m'échappa. La douleur sur mon bras persista même après qu'il m'eut relâchée.

Il avait plaqué la main au creux de mes reins pour me contraindre à avancer et marchait si vite que je dus trottiner pour garder le rythme qu'il m'imposait.

— Gideon, attends, haletai-je, le cœur battant. Nous...

— Pas un mot ! gronda-t-il en me faisant franchir les portes vitrées du hall.

J'entendis Chris l'appeler et j'eus à peine le temps de l'apercevoir, courant vers nous, avant que les portes de l'ascenseur se referment.

9

Angus me jeta un coup d'œil alors que je sortais du Crossfire avec Eva, et son sourire disparut. Il ouvrit la portière de la Bentley, me regarda pousser ma femme sur la banquette.

Nos regards se croisèrent au-dessus d'elle et je lus le message que m'adressèrent ses yeux d'un bleu délavé. *Ne la malmène pas.*

Il ne soupçonnait pas l'effort colossal que je faisais pour me maîtriser. La veine qui pulsait à ma tempe faisait écho à la pulsation de mon sexe.

J'avais failli bloquer l'ascenseur à mi-parcours pour baiser Eva contre la paroi comme un animal. Seuls les caméras de sécurité et le regard attentif des vigiles chargés de surveiller les écrans m'avaient retenu.

Je voulais la tenir en laisse. Planter les dents dans son épaule tandis que je la pilonnais. La dominer. C'était une tigresse, prête à griffer tous ceux qui m'avaient fait du mal. Il fallait que je lui rive son clou, que je la soumette.

— Putain de bordel ! crachai-je en faisant le tour de la voiture pour monter de l'autre côté.

Eva était un électron libre. Je n'arrivais pas à la contrôler.

182

Je me glissai sur la banquette, claquai la portière et gardai les yeux tournés vers la fenêtre, redoutant de m'emporter si j'avais le malheur de la regarder. Elle était l'air que je respirais, mais pour le moment, j'étais à bout de souffle.

— Gideon... murmura-t-elle en posant la main sur ma cuisse.

Je saisis cette main délicate qui portait ma bague, la fis remonter le long de ma cuisse et la plaquai sur ma queue.

— Ouvre encore une fois la bouche et c'est ça que je mets dedans.

Elle étouffa un cri.

Angus prit place au volant et démarra. Je sentais le regard d'Eva scruter mon profil. Elle écarta la main et je retins un gémissement de frustration. Puis elle changea de position pour se blottir contre moi, referma les doigts sur mon sexe et déposa un baiser sur ma joue.

Je lui entourai les épaules du bras, inspirai profondément pour inhaler son odeur.

La Bentley s'écarta du trottoir et s'engagea dans le flot dense de la circulation.

Je ne me souvins de notre rendez-vous avec le Dr Petersen que lorsque nous nous arrêtâmes devant l'immeuble où se trouvait son cabinet. J'étais en train de compter les minutes qui nous séparaient de la maison, de l'instant où je pourrais enfin posséder Eva comme j'en avais envie... follement... furieusement.

Elle se redressa quand Angus descendit de voiture. J'affermis aussitôt l'étreinte de mes bras autour d'elle.

— Pas aujourd'hui, dis-je d'un ton crispé.

— D'accord, souffla-t-elle en déposant un autre baiser sur ma joue.

Angus ouvrit la portière. Elle se détacha de moi et descendit malgré tout. Je la suivis des yeux jusqu'à ce qu'elle ait franchi la porte à tambour, puis poussai un long soupir.

Angus se pencha pour me jeter un coup d'œil.

— Une thérapie de couple, ça se fait à deux.

— Arrêtez de jubiler, répliquai-je en le foudroyant du regard.

Le sourire qui faisait briller ses yeux gagna ses lèvres.

— Elle vous aime, que ça vous plaise ou non.

— Évidemment que ça me plaît, marmonnai-je en jetant un coup d'œil au-dessus de mon épaule pour m'assurer qu'aucune voiture n'arrivait avant de descendre. Ça ne l'empêche pas d'être incontrôlable, ajoutai-je une fois que je l'eus rejoint sur le trottoir.

Angus referma la portière. Une petite brise souleva les cheveux grisonnants qui dépassaient de sa casquette.

— Parfois on commande et parfois on suit. Préparez-vous à suivre pendant encore un bon bout de temps.

— Elle a parlé à Chris, lâchai-je, exaspéré.

Il arqua les sourcils tout en déclarant :

— Je l'ai vu arriver au Crossfire.

— Pourquoi est-ce qu'elle s'obstine ainsi ? dis-je en tirant sur les pans de ma veste. Elle ne pourra pas changer le passé.

— Ce n'est pas au passé qu'elle pense, répondit-il en posant brièvement la main sur mon épaule. C'est à l'avenir.

Je trouvai Eva en train d'arpenter le cabinet du Dr Petersen. Elle parlait en agitant les mains. Le médecin était assis dans son fauteuil, occupé à prendre des notes sur sa tablette.

— Cette situation me rend folle, fulmina-t-elle.

Puis elle m'aperçut sur le seuil et s'immobilisa.

— Gideon ! s'exclama-t-elle avec un sourire qui illumina son beau visage.

Je n'aurais reculé devant aucun sacrifice pour lui voir cette expression heureuse. Elle souriait simplement parce que j'étais là...

Je les saluai et allai m'asseoir sur le canapé tout en m'interrogeant sur l'étendue de ses révélations au Dr Petersen. Celui-ci m'avait suivi des yeux.

— Bonjour, Gideon. Je suis content que vous ayez pu nous rejoindre, finalement.

Je tapotai le canapé et attendis qu'Eva vienne s'asseoir près de moi.

— Nous avons l'intention d'emménager dans le penthouse de la Cinquième Avenue avec Cary, annonçai-je d'un ton suave, soucieux d'orienter la conversation sur un terrain où je me sentais plus à l'aise. La transition ne se fera sans doute pas sans quelques heurts.

Eva me dévisagea, bouche bée.

Le Dr Petersen posa son stylet.

— Eva était en train de me parler d'une visite de votre beau-père. J'aimerais continuer là-dessus avant de passer à autre chose.

J'entremêlai mes doigts à ceux d'Eva.

— Ce sujet n'est pas ouvert à la discussion.

Je tournai la tête et mes poumons se vidèrent d'un coup quand je croisai le regard d'Eva.

Son expression avait changé du tout au tout.

La séance venait à peine de commencer et il me tardait déjà d'en finir.

J'ordonnai à Angus de nous ramener à la maison – au penthouse.

Eva était si absorbée dans ses pensées qu'elle fut visiblement surprise quand le voiturier ouvrit sa portière. Nous étions dans le garage situé au sous-sol de l'immeuble. Elle me lança un coup d'œil.

— Je t'expliquerai, dis-je en la guidant vers l'ascenseur.

Nous montâmes sans échanger un mot. Quand les portes s'ouvrirent sur notre hall privé, je la sentis se raidir. Cela faisait près d'un mois que nous n'étions pas revenus ici ensemble. Et la dernière fois que nous nous étions retrouvés dans ce hall, c'était lorsqu'elle m'avait interrogé au sujet de la mort de Nathan.

J'avais eu peur, moi aussi, à l'époque. Peur d'avoir fait quelque chose qu'elle ne me pardonnerait jamais.

Nous avions vécu des moments explosifs ici. Le penthouse n'avait pas été témoin d'autant de joie et d'amour que l'appartement de l'Upper West Side. Mais nous ferions en sorte que cela change. Un jour, nous regarderions en arrière et cet endroit nous rappellerait toutes les étapes de notre aventure commune, les bonnes et les moins bonnes. Je refusais d'envisager les choses autrement.

J'ouvris la porte et l'invitai à me précéder. Elle laissa tomber son sac sur un fauteuil et ôta ses chaussures. Je me débarrassai de ma veste, la déposai sur le dossier d'un des tabourets de bar de la cuisine et choisis une bouteille de syrah.

— Je t'ai déçue, lançai-je en la débouchant.

Eva s'avança et s'appuya contre le mur.

— Non, ce n'est pas toi qui m'as déçue.

Je réfléchis à ma réponse tout en sortant une carafe et deux verres. Négocier avec ma femme n'était jamais simple. Avec n'importe qui d'autre, j'entamais la négociation armé de la certitude que je pouvais soit remporter l'affaire, soit laisser tomber. J'étais libre d'exercer mon droit de retrait.

Sauf quand la négociation menaçait mon emprise sur Eva.

Je versai le vin dans la carafe. Elle me rejoignit près du comptoir et posa la main sur mon épaule.

— On n'est pas ensemble depuis très longtemps, Gideon, et tu as déjà fait beaucoup de chemin. Je n'ai pas l'intention de te pousser à aller plus loin. Ces choses-là prennent du temps.

Je laissai le vin décanter et l'attirai contre moi. Je l'avais sentie affreusement loin de moi depuis plus d'une heure et cette distance me tuait.

— Embrasse-moi, murmurai-je.

Elle rejeta la tête en arrière et m'offrit ses lèvres. J'y pressai les miennes, mais ne fis rien d'autre parce que je voulais que ce soit elle qui m'embrasse. J'en avais besoin.

La caresse de sa langue me tira un gémissement. Le contact de ses doigts sur ma nuque m'apaisa. Ses lèvres glissaient sur les miennes avec une douceur qui ressemblait à une excuse et son gémissement de reddition sonna à mes oreilles comme une déclaration d'amour.

Je la soulevai jusqu'à ce que ses pieds quittent le sol. J'étais tellement soulagé qu'elle veuille encore de moi que j'en éprouvais comme un vertige.

— Eva... je suis désolé.

— Là, tout va bien, chuchota-t-elle en encadrant mon visage de ses mains. Tu n'as pas à t'excuser.

Je sentis ma gorge devenir brûlante. Je la hissai sur le comptoir et me glissai entre ses jambes. Sa jupe remontée révélait le haut de ses bas, l'amorce de son porte-jarretelles. Je la voulais. De toutes les façons possibles. Je laissai aller mon front contre le sien.

— Tu es fâchée parce que je n'ai pas voulu parler de Chris avec le Dr Petersen, soufflai-je.

— Je ne m'attendais pas que tu refuses aussi catégoriquement, c'est tout, répondit-elle en écartant les cheveux de mon front pour y déposer un baiser.

J'aurais dû, pourtant, vu ta colère quand on a quitté le Crossfire.

— Ce n'était pas à cause de toi.

— C'était à cause de Chris ?

— À cause de la situation, soupirai-je. Tu penses que les gens vont changer, Eva, or il n'y a aucune raison qu'ils le fassent. Du coup, tu crées des histoires alors qu'on a déjà assez de problèmes comme cela. J'ai envie de partager des moments paisibles avec toi, Eva. De passer des journées rien qu'avec toi, heureux et loin des soucis.

— Et des nuits à dormir dans un autre lit ? Dans une autre chambre ?

Je fermai les yeux.

— C'est ça qui te tracasse ?

— Pas uniquement, mais en partie, oui. Je veux être auprès de toi, Gideon. Jour et nuit.

— Je comprends, mais…

— Cette paix que tu recherches ? Tu prétends la trouver le jour et souffrir de son absence la nuit. Ça te ronge, Gideon, et ça me détruit de voir ce qui t'arrive. Je ne veux pas que tu vives éternellement ainsi. Je ne veux pas que nous vivions éternellement ainsi.

Je la dévisageai, l'âme à nu face à cet incroyable regard couleur d'acier qui m'interdisait de dissimuler quoi que ce soit. Il y avait tant d'amour dans ce regard. De l'amour et de l'inquiétude, de la déception et de l'espoir. Sous les lampes au-dessus du comptoir, sa chevelure blonde scintillait comme de l'or, me rappelant à quel point elle m'était précieuse. Elle était un cadeau auquel je ne croyais pas avoir droit.

— Eva… je parle de mes cauchemars avec le Dr Petersen.

— Mais pas de ce qui les provoque.

— Tu supposes que le problème vient de Hugh, répondis-je d'un ton égal tandis que la haine et l'humiliation me brûlaient les entrailles. Mais c'est de mon père que nous avons parlé.

— Champion... dit-elle en reculant, je ne sais pas de quoi sont faits tes cauchemars, mais quand tu en émerges, c'est de deux façons : soit tu es prêt à en découdre avec la terre entière, soit tu pleures comme si ton cœur se brisait. Et quand tu balances les poings autour de toi et que j'écoute ce que tu dis, je suis quasiment certaine que c'est de Hugh que tu cherches à te défendre.

Je pris une brève inspiration. Le fait que mon ancien thérapeute – et violeur – puisse atteindre Eva à travers moi, par-delà la tombe, me mettait en rage.

— Tu sais, reprit-elle en enroulant les jambes autour de mes hanches, j'étais sincère tout à l'heure, quand je t'ai dit que je n'avais pas l'intention de te pousser à aller plus loin. Si on était ensemble depuis deux ans, je te ferais sans doute une scène. Mais ça ne fait que quelques mois, Gideon. Que tu acceptes de voir un médecin et de parler de ton père me suffit pour le moment.

— Vraiment ?

— Oui. Mais les choses dont on ne peut jamais parler te hantent, toi aussi. Et ton silence handicape le Dr Petersen. Plus tu lui caches de choses, moins il peut t'aider.

Nathan. Il n'était pas nécessaire de prononcer son nom.

— Je fais des efforts, Eva.

— Je sais.

Ses mains glissèrent sur mes épaules avant de s'attaquer aux boutons de mon gilet.

— Dis-moi juste que tu n'espères pas remettre éternellement le moment d'en parler. Dis-moi que tu t'efforces de trouver le courage de le faire.

Les battements de mon cœur s'accélérèrent. Je lui saisis les poignets, les maintins fermement, comme si je cherchais à m'arrimer à elle. Je me sentais piégé, coincé entre ses besoins et les miens, qui me semblaient effroyablement divergents à cet instant précis.

Je lui serrais si fort les poignets que ses lèvres s'entrouvrirent et que ses seins se soulevèrent. Il suffisait que je fasse mine de l'entraver, que je pose sur elle un regard ardent, que je lui parle d'une certaine façon... pour qu'Eva réagisse à mes exigences silencieuses.

— Je fais de mon mieux, assurai-je.

— Ce n'est pas une réponse.

— C'est la seule que j'aie pour l'instant, Eva.

Elle avala sa salive et se redressa.

— Tu joues avec moi, observa-t-elle posément. Tu me manipules.

— Non. Je me contente de dire la vérité, même si ce n'est pas celle que tu as envie d'entendre. Quand tu as déclaré que tu ne me pousserais pas à aller plus loin, tu es sûre que tu étais sincère ?

Elle passa la langue sur sa lèvre inférieure et me scruta.

— Oui, acquiesça-t-elle.

— Bien. Que dirais-tu d'un verre de vin suivi d'un dîner ? Après quoi, si tu as envie de jouer, il te suffira de me le faire savoir.

— De jouer ? Comment cela ?

— J'ai acheté des cordes en soie, pour toi.

— Des cordes en soie ? répéta-t-elle, les yeux écarquillés.

— Cramoisies, ça va de soi.

Je la lâchai et m'écartai pour la laisser réfléchir tandis que je lui remplissais un verre de vin.

— J'aimerais t'attacher quand tu te sentiras prête. Pas forcément ce soir, mais un jour. Je ne te pousserai pas non plus à aller plus loin que tu n'en as envie.

Nous tirions chacun dans des directions opposées. Eva choisissait de croire qu'un observateur cultivé pourrait nous aider à trouver la réponse que nous cherchions. J'estimais pour ma part qu'il était possible de trouver des réponses par nous-mêmes en nous unissant de la manière la plus intime qui soit.

La guérison par le sexe. Quoi de mieux pour deux personnes au passé comme le nôtre, à Eva et à moi ?

Elle accepta le verre de vin que je lui tendis.

— Quand les as-tu achetées ?

— Il y a une semaine ou deux. Je n'avais pas l'intention de m'en servir tout de suite. Aujourd'hui, tu me donnes envie de le faire...

Je bus une gorgée de vin.

— Cela dit, je serais parfaitement heureux de te baiser à la hussarde.

La façon dont le vin s'agita dans son verre quand elle porta ce dernier à sa bouche trahit sa nervosité. Elle le vida d'un trait.

— Tu m'en veux d'avoir parlé à Chris.

— Je t'ai dit que non.

— Tu étais furieux quand on est partis, Gideon.

— Furieusement excité, répondis-je avec un sourire ironique. Je ne pourrais pas expliquer pourquoi parce que je l'ignore moi-même.

— Essaie toujours.

J'approchai la main de sa bouche et lui effleurai les lèvres.

— Quand je te vois animée d'une telle fureur passionnée, prête à livrer bataille, j'ai envie de piéger toute cette violence sous le poids de mon corps. De te soumettre à mon désir, malgré tes coups de griffe et tes cris, et de sentir ta petite chatte enserrer ma queue pendant que je te lime et que tu n'appartiens qu'à moi.

— Gideon.

191

Elle posa son verre et m'agrippa, sa bouche réclamant la mienne avec une avidité sauvage dont j'espérais qu'elle ne se calmerait jamais.

— Comment se fait-il que tu n'aies jamais parlé à Chris de ce qui s'était passé avec Hugh ?

La question avait surgi de nulle part. Je cessai de mâcher et le morceau de pizza qui se trouvait dans ma bouche me parut soudain insipide. J'attrapai ma serviette, m'essuyai les lèvres.

— Pourquoi faut-il que nous discutions encore de cela ?

Assise sur le sol près de moi, entre la table basse et le canapé, Eva me regarda en fronçant les sourcils.

— Nous n'en avons pas encore discuté.

— Vraiment ? C'est sans importance, de toute façon. Ma mère lui en a parlé.

Son froncement de sourcils s'accentua. Elle attrapa la télécommande et réduisit au silence les inspecteurs du NYPD qui s'agitaient à l'écran.

— Je ne crois pas.

Je me levai et ramassai mon assiette.

— Elle l'a fait, Eva.

— Tu en es certain ? demanda-t-elle en me suivant dans la cuisine.

— Oui.

— Comment ?

— Ils en ont discuté un soir à table, et je n'ai pas envie de renouveler l'expérience ce soir.

— Chris s'est comporté comme s'il ne savait rien, déclara-t-elle tandis que je transférais les restes de mon dîner de mon assiette dans la poubelle. Il semblait sincèrement surpris et horrifié.

— Ce qui prouve qu'il est aussi obtus que ma mère. Ce qui ne devrait pas te surprendre.

— Peut-être qu'il ne savait vraiment rien.

— Et alors ? répliquai-je en déposant mon assiette dans l'évier – l'odeur de nourriture me soulevait l'estomac. Qu'est-ce que ça peut foutre, à présent ? Ce qui est fait est fait, Eva ! Laisse tomber.

— Pourquoi tu t'énerves ?

— Parce que je pensais passer une soirée tranquille avec ma femme – dîner, vin, télé, faire l'amour – après une longue journée pénible, rétorquai-je en quittant la pièce. Oublie ça, Eva. À demain.

— Gideon, attends, s'écria-t-elle en me saisissant le bras. Ne pars pas te coucher en étant furieux. S'il te plaît. Je suis désolée.

Je m'arrêtai et repoussai sa main.

— Moi aussi.

— *Commence doucement, me murmure-t-il à l'oreille.*

Je sens son excitation monter. Une de ses mains se rapproche de mon pénis, que je caresse, et recouvre la mienne. Il halète. Son sexe en érection me frôle les fesses.

J'ai la nausée. Je transpire. Mon sexe mollit malgré le va-et-vient de ma main guidée par la sienne.

— *Tu réfléchis trop, souffle-t-il. Concentre-toi sur ton plaisir. Regarde la femme devant toi. Elle a envie que tu la baises. Imagine ce que ça ferait de fourrer ta queue en elle. Toute douce, toute chaude, toute mouillée. Bien serrée.*

Son poing se resserre sur ma main. Je regarde la double page ouverte sur la chasse d'eau. La femme est brune, elle a les yeux bleus et de longues jambes. Comme toutes les femmes des magazines que Hugh apporte.

Son halètement s'accélère et la nausée me reprend. Ce n'est pas normal. Je ne suis pas normal. Ce qu'il fait n'est pas normal. Je me sens sale quand il est comme ça. C'est mal. Je suis un vilain garçon, même maman le dit. Elle me crie après quand elle pleure, quand elle est fâchée contre moi à cause de papa.

Un sourd gémissement transperce ses halètements. C'est moi qui fais ce bruit. C'est bon, même si je ne veux pas que ça le soit.

J'ai du mal à respirer, à penser, à lutter...

— C'est bien, dit-il d'une voix caressante tandis que son autre main s'immisce entre mes fesses.

J'essaie de me dégager, mais il me coince. Il est plus grand que moi, plus fort. J'ai beau faire, je ne peux pas le repousser.

— Arrêtez, je lui dis en me tortillant.

— Tu aimes ça, grogne-t-il, le rythme de sa main s'accélérant. Tu gicles comme un geyser chaque fois. Tout va bien. C'est normal que tu aimes ça. Tu te sentiras mieux après. Tu ne seras plus fâché contre ta mère...

— Non. Arrêtez ! Oh, non...

Il insère deux doigts lubrifiés en moi. Je crie et je me débats, mais il me maîtrise. Le va-et-vient de ses doigts se poursuit, gagne en profondeur, atteint l'endroit qui fait que je ne pense plus qu'à jouir. Le plaisir me submerge malgré les larmes qui me brûlent les yeux.

Ma tête bascule en avant. Mon menton heurte ma poitrine. Ça monte. Je ne peux rien faire pour l'empêcher...

Tout à coup, je baisse les yeux depuis un point de vue plus élevé. Ma main est plus grande, mon avant-bras plus épais, parcouru de veines apparentes. Des poils sombres recouvrent mon bras et mon torse, les muscles de mon ventre se contractent tandis que je refoule l'orgasme dont je ne veux pas.

Je ne suis plus un enfant. Il ne peut plus me faire de mal.

Il y a un couteau sur la double page, la lampe du lavabo en fait briller la lame. Je m'en empare et me dégage *des doigts qui me fouaillent. Je me retourne, la lame plonge dans son torse. Je rugis.*

— Ne me touchez pas !

Je lui agrippe l'épaule et le tire en avant pour qu'il s'empale jusqu'à la garde sur la lame du couteau.

Les yeux de Hugh s'écarquillent d'horreur et sa bouche s'ouvre sur un cri silencieux.

Son visage se métamorphose et devient celui de Nathan. Les contours du cabinet de toilette de mon enfance se contorsionnent et se transforment. Nous sommes dans une chambre d'hôtel sinistrement familière.

Mon cœur s'emballe. Je ne devrais pas être ici. Il ne faut pas qu'on me trouve ici. Je ne dois laisser aucune trace. Je dois m'enfuir.

Je recule, chancelant. La lame du couteau ressort aisément de la plaie sanglante. Les yeux de Nathan deviennent vitreux. Ils sont gris. Des yeux gris. De beaux yeux d'un gris de colombe que je chéris. Les yeux d'Eva. Qui s'assombrissent...

Eva saigne devant moi. Elle est en train de mourir devant moi. Je l'ai tuée. Mon Dieu...

Mon ange !

Je ne peux pas bouger. Je ne peux pas l'atteindre. Elle s'affaisse sur le sol et ses yeux de ciel d'orage deviennent aveugles...

Je me réveillai en sursaut et me redressai si vivement qu'un souffle d'air conditionné passa sur ma peau trempée de sueur. J'étais en proie à une telle panique que je n'arrivais plus à respirer. Je me dégageai des draps entortillés autour de mes jambes et dégringolai du lit, fou de terreur. Mon estomac se souleva. Je me ruai vers la salle de bains et atteignis de justesse la cuvette des toilettes avant de vomir.

Je me douchai pour me débarrasser du voile de sueur qui couvrait mon corps.

Si seulement j'avais pu me débarrasser aussi facilement de la souffrance et du désespoir. Tandis que je m'essuyais, je les sentais peser sur moi au point de m'étouffer. Le souvenir du visage d'une pâleur mortelle d'Eva ne cessait de me hanter.

J'arrachai les draps du lit avec des gestes saccadés, puis recouvris le matelas d'un drap propre.

— Gideon.

Je me redressai et fis volte-face en entendant la voix d'Eva. Elle se tenait sur le seuil de ma chambre, triturant l'ourlet de son tee-shirt. Le regret me frappa de plein fouet. Elle était allée se coucher toute seule, dans la chambre que j'avais fait refaire afin qu'elle soit semblable à celle de son appartement de l'Upper West Side.

— Ça va ? demanda-t-elle d'une voix timide, sa façon de danser d'un pied sur l'autre traduisant son malaise – sa méfiance.

La lumière de la salle de bains éclairait son visage, révélant ses cernes sombres et ses yeux rougis. Elle s'était endormie en pleurant.

À cause de moi. Elle s'était sentie repoussée, indésirable. Je lui avais fait savoir que ses pensées et ses sentiments comptaient moins que les miens. J'avais laissé mon passé creuser un fossé entre nous.

Non, ce n'était pas vrai. En fait, j'avais laissé mes peurs la repousser.

— Non, mon ange, ça ne va pas.

Elle fit un pas en avant, puis s'arrêta.

Je lui tendis les bras.

— Pardon, Eva, dis-je d'une voix rauque.

Elle se précipita vers moi et j'accueillis avec reconnaissance son petit corps ferme et tiède. Je l'étreignis un peu trop étroitement, mais elle ne s'en plaignit pas. Pressant la joue sur le sommet de son crâne, j'inhalai son odeur. Je pouvais tout affronter – j'affronterais tout, tant qu'elle serait auprès de moi.

— J'ai peur, avouai-je.

Mon murmure était à peine audible, pourtant elle l'entendit. Ses doigts s'enfoncèrent dans les muscles de mon dos tandis qu'elle me serrait contre elle avec force.

— Il ne faut pas. Je suis là.

— Je vais faire plus d'efforts, promis-je. Ne m'abandonne pas.

— Gideon, soupira-t-elle, je t'aime tellement. Je veux juste que tu sois heureux. Pardon de t'avoir poussé à en faire plus alors que j'avais dit que je ne le ferais pas.

— C'est ma faute. J'ai tout gâché, Eva. Je suis vraiment désolé.

— Chut. Tu n'as pas à t'excuser.

Je la soulevai dans mes bras, la portai jusqu'au lit et l'allongeai délicatement. Je la recouvris de mon corps, le visage enfoui dans son cou. Elle plongea les doigts dans mes cheveux, me massa le crâne, la nuque, le dos. Elle me fit savoir qu'elle m'acceptait malgré tous mes défauts.

Mes larmes mouillèrent son tee-shirt et je me recroquevillai, honteux.

— Je t'aime, chuchota-t-elle. Je ne cesserai jamais de t'aimer.

— Gideon.

La voix d'Eva accompagnée de la caresse de sa main sur mon torse me tira de mon sommeil. Je soulevai les paupières, les yeux brûlants de fatigue, et la découvris penchée sur moi, sa chevelure luisant doucement dans la pâle lueur de l'aube.

— Mon ange ?

Elle glissa la jambe sur moi, puis se redressa à califourchon.

— Que dirais-tu de faire de cette journée la plus belle de notre vie ?

— Je dirais que c'est un bon plan.

Son sourire me chavira. Elle attrapa quelque chose sur l'oreiller, et l'instant d'après, les enceintes au plafond laissèrent échapper une mélodie. Je mis un moment à reconnaître l'*Ave Maria*.

Eva me caressa le visage avec une infinie douceur.

— Toujours d'accord ?

Je voulus lui répondre, mais ma gorge était si nouée que je ne pus que hocher la tête. Comment lui dire que j'avais l'impression de me réveiller au beau milieu d'un rêve, dans un paradis à couper le souffle que je ne méritais pas ?

Elle tendit les bras derrière elle pour écarter le drap qui me recouvrait les hanches, puis attrapa le bas de son tee-shirt qu'elle enleva d'un geste preste.

Subjugué, je luttai pour retrouver ma voix.

— Dieu, que tu es belle !

Mes mains remontèrent sur les courbes de son corps voluptueux. Je me redressai en position assise et, les talons calés sur le matelas, je reculai en la serrant contre moi jusqu'à ce que mon dos heurte la tête du lit. Mes doigts s'enfoncèrent dans sa chevelure, puis descendirent le long de son cou. J'aurais pu la caresser jusqu'à la fin des temps sans jamais me lasser d'elle.

— Je t'aime, dit-elle avant d'incliner la tête pour s'emparer de ma bouche en un baiser exigeant.

Je la laissai prendre possession de moi, m'ouvris à elle. Sa langue m'explorait, me caressait savamment, ses lèvres douces et humides contre les miennes.

— Dis-moi ce que tu veux, murmurai-je, immergé dans la musique – immergé en elle.

— Toi. Seulement toi.

— Alors prends-moi. Je t'appartiens.

— Je suis désolé de devoir te dire cela, Cross, déclara Arash en pianotant sur l'accoudoir de son fauteuil, mais tu as perdu ton instinct de tueur. Eva l'a étouffé.

Je levai les yeux de mon écran. Après avoir consacré deux heures à faire l'amour à ma femme ce matin-là, j'étais prêt à reconnaître que je ne me montrais pas particulièrement agressif. J'étais certes calme et détendu, et cependant...

— Ce n'est pas parce que je ne considère pas que la nouvelle console de LanCorp constitue une menace face à GenTen que je me désintéresse de la question.

— Tu ne te désintéresses pas de la question, tu n'es pas vigilant, rétorqua-t-il. Ryan Landon s'en est aperçu, je te le garantis. Jusqu'à maintenant, semaine après semaine, tu l'aiguillonnais, ce qui l'obligeait à avancer.

— Est-ce qu'on ne vient pas de remporter le marché PosIT ?

— Il s'agissait seulement d'une riposte, Cross. Tu dois être plus offensif.

La sonnerie de mon téléphone relaya celle de mon cellulaire. Le nom d'Ireland s'afficha à l'écran et je tendis la main pour décrocher.

— Il faut que je prenne cet appel.

— Évidemment, marmonna-t-il.

— Ireland, comment vas-tu ? répondis-je en le dévisageant, les yeux étrécis.

Nous nous en tenions généralement aux textos depuis que nous avions repris contact, ma sœur et moi. Un mode de communication qui nous convenait mieux. Pas de silences embarrassés, pas besoin de feindre l'enjouement ou la décontraction.

— Salut. Désolée de t'appeler en plein travail, dit-elle d'une voix éteinte.

— Que se passe-t-il ? demandai-je, inquiet.

— Je ferais peut-être mieux de rappeler plus tard, dit-elle après une pause.

Je jurai intérieurement. Eva réagissait de la même façon quand j'étais trop brusque. Les femmes qui comptaient dans ma vie allaient devoir me faciliter la tâche. J'avais encore beaucoup à apprendre dans le domaine des relations sociales.

— J'ai l'impression que quelque chose te tracasse, risquai-je.

— Tu n'as pas vraiment l'air dans ton assiette, toi non plus, répliqua-t-elle.

— Tu peux appeler Eva pour t'en plaindre, elle compatira. À présent dis-moi ce qui ne va pas.

Elle soupira, puis :

— Papa et maman se sont disputés toute la soirée. Je ne sais pas à quel sujet, mais papa n'arrêtait pas de crier. Tu sais que ce n'est pas son genre. Il n'y a pas plus zen que lui. Rien ne l'atteint. Et maman a horreur des disputes. Elle fait tout pour éviter les conflits.

Sa finesse me surprit autant qu'elle m'impressionna.

— Je suis navré que tu aies été témoin de cela.

— Papa est parti tôt ce matin et maman n'arrête pas de pleurer depuis. Tu sais ce qui se passe ? Est-ce que c'est à cause de ton mariage avec Eva ?

Un calme étrange, que je reconnus cependant, m'envahit. Je ne savais pas quoi lui répondre et préférais éviter de tirer des conclusions trop hâtives.

— Il y a sans doute un lien.

Je n'avais qu'une certitude : je ne voulais pas qu'Ireland entende ses parents se disputer. Je ne me souvenais que trop bien des querelles de mes parents quand l'escroquerie de mon père avait été révélée au grand jour. La panique et la peur éprouvées résonnaient encore en moi.

— As-tu un ami chez qui tu pourrais passer le week-end ? demandai-je.

— Oui. Toi.

Sa réponse me prit de court.

— Tu veux venir chez moi ?

— Pourquoi pas ? Je n'ai jamais vu ton appartement.

Je regardai Arash, qui m'observait. Il se pencha en avant, cala les coudes sur ses genoux.

Je ne savais pas comment refuser, mais je ne pouvais pas accepter. Eva était la seule personne à avoir passé la nuit sous le même toit que moi, et à l'évidence cela ne se déroulait pas toujours bien.

— Ce n'est pas grave, dit Ireland. Oublie.

— Non, attends. C'est juste qu'on a quelque chose de prévu avec des amis, ce soir. J'ai besoin d'un peu de temps pour régler ça.

— Ah, je comprends ! fit-elle, se radoucissant. Écoute, je ne veux pas chambouler vos projets. J'ai des amis que je peux appeler. Ne t'inquiète pas.

— C'est pour toi que je m'inquiète. On va s'arranger, ce n'est pas un problème.

— Je ne suis plus une gamine, Gideon, me rappela-t-elle, clairement exaspérée. Il n'est pas question que je squatte chez vous alors que vous aviez prévu de sortir. Je préfère mille fois aller chez mes amis.

Je ne pus m'empêcher d'être soulagé.

— Que dirais-tu d'un dîner samedi soir ? proposai-je pour me rattraper.

— Génial ! Je pourrais dormir chez vous ?

Aïe. Comment allais-je me tirer de ce guêpier ? J'allais devoir m'en remettre à Eva pour trouver une solution.

— Pourquoi pas ? Ça ira, d'ici là ?

— Non mais écoute-toi ! s'esclaffa-t-elle. Arrête un peu de jouer les grands frères. Je vais très bien. C'est juste que ça m'a fait bizarre de les entendre s'engueuler. Je n'ai pas l'habitude.

— Je comprends, mais ça va aller. Tous les couples finissent par se disputer un jour ou l'autre.

J'avais prononcé ces paroles pour la rassurer. Cette histoire me mettait mal à l'aise et piquait ma curiosité.

Se pouvait-il qu'Eva ait eu raison et que Chris n'ait jamais rien su ? Cela me semblait impossible à croire.

Je finissais de rouler les manches de ma chemise quand Eva apparut dans le miroir. Je me figeai et la détaillai du regard.

Elle portait un minishort, un chemisier sans manches presque transparent et des sandales à talons. Ses cheveux étaient attachés en queue-de-cheval, comme d'habitude, mais elle avait fait quelque chose pour qu'ils aient l'air ébouriffés. Ses yeux étaient assez maquillés, ses lèvres, à peine. Des créoles en or pendaient à ses oreilles et des bracelets ornaient ses poignets.

Je m'étais réveillé ce matin auprès d'un ange, et visiblement j'allais me coucher ce soir avec une tout autre femme.

J'émis un sifflement appréciateur, puis tournai le dos au miroir pour l'admirer directement.

— Tu as l'air d'une très vilaine fille, tu es au courant ?

Elle tortilla des fesses et inclina crânement la tête.

— C'est ce que je suis.

— Viens par ici.

Elle me gratifia d'un regard circonspect.

— Je ne crois pas, non. Je sais très bien ce que tu as en tête, mais il faut qu'on y aille.

— On peut se permettre un léger retard. Que faudrait-il que je fasse pour te convaincre de ne porter ce short qu'avec moi ?

Je voulais que les autres la désirent et sachent qu'elle m'appartenait. Je voulais aussi la garder pour moi seul.

Une lueur calculatrice s'alluma dans son regard.

— On pourrait renégocier les caresses sous la table...

Je me souvins du marché que nous avions passé : un coup à la sauvette en échange de caresses sous la table – tout habillé. Le minishort risquait de compliquer les choses...

J'acquiesçai d'un hochement de tête.

— Enfile une jupe, mon ange. Et que la fête commence !

— L'idée vient de toi ? s'enquit Arash quand nous le retrouvâmes devant la porte du *Starlight Lounge*.

De l'autre côté de la porte vitrée, je regardai le videur surveiller le nombre de personnes qui prenaient place dans l'ascenseur qui conduisait au toit-terrasse. Deux physionomistes montaient la garde devant la porte extérieure et contenaient la foule de ceux qui espéraient se voir accorder l'entrée grâce à leur look, leurs fringues, ou leur charme.

— Je suis aussi surpris que toi, répondis-je.

— J'avais l'intention de t'en parler, assura Eva, qui sautillait presque tant elle était excitée. Shawna a entendu dire du bien de cet endroit et j'ai pensé que ce serait sympa.

— Il y a d'excellentes critiques sur le Net et certains de mes clients sont très enthousiastes, renchérit Shawna.

Manuel Alcoa scrutait la foule massée derrière le cordon de sécurité, tandis que Megumi Kaba demeurait prudemment entre Cary et Eva. Mark Garrity, Steven Ellison et Arnoldo se tenaient en retrait, afin de céder le passage aux clients dont le nom figurait sur la liste VIP.

Cary passa le bras autour de la taille de Megumi.

— Reste près de moi, ma belle, dit-il en souriant. On va donner une leçon à ces amateurs.

203

— Ta surprise vient d'arriver, annonça Eva en me prenant par le bras.

Je suivis son regard et avisai un couple qui se dirigeait vers nous. Je haussai les sourcils quand je reconnus Magdalene Perez. Sa main était glissée dans celle de l'homme qui l'accompagnait, et elle arborait le regard le plus brillant que je lui aie vu depuis bien longtemps.

— Magdalene, la saluai-je en m'emparant de la main qu'elle me tendait avant de me pencher pour l'embrasser sur la joue. Heureux de te voir.

Et plus heureux encore qu'Eva l'ait invitée. Leur première rencontre avait fait des étincelles – la faute en incombait entièrement à Magdalene. Leur querelle avait mis ma relation avec cette dernière à rude épreuve et j'avais bien cru que les choses ne s'arrangeraient jamais. Je me réjouissais de constater que la situation avait évolué.

— Gideon, Eva, dit Magdalene en souriant. Je vous présente mon fiancé, Gage Flynn.

Je lui serrai la main une fois qu'il eut salué Eva. Sa poignée de main était ferme et il soutint mon regard sans ciller. Je me promis toutefois de découvrir tout ce qu'il y avait à savoir à son sujet avant la fin de la semaine. Magdalene en avait assez supporté avec Christopher. Il n'était pas question qu'un autre la fasse souffrir.

— Et voilà les derniers ! annonça Eva comme Will et Natalie nous rejoignaient.

Will Granger affichait un look beatnik qui convenait parfaitement à son physique. Il tenait par la taille une petite femme aux cheveux bleus, habillée dans le même style années 1950 et dont les bras étaient recouverts de faux tatouages.

Tandis qu'Eva se chargeait des présentations, j'adressai un signe de tête à l'un des physionomistes pour lui faire savoir que notre groupe était au complet. Il écarta le cordon de sécurité pour nous laisser entrer.

Ma femme me jeta un regard soupçonneux.

— Ne me dis pas que tu es propriétaire de cet endroit.

— D'accord, je ne le dis pas.

— Tu veux dire que tu l'es ?

Ma main glissa du creux de ses reins jusqu'à sa hanche. Eva avait troqué son minishort pour une jupe moulante, fendue au dos. À tout prendre, j'aurais préféré qu'elle garde le short. Celui-ci mettait ses jambes en valeur, alors que cette jupe attirait l'attention sur ses fesses splendides.

— Il faudrait savoir : tu veux que je réponde à ta question ou pas ? répliquai-je alors que nous débouchions dans le club.

Le volume sonore était élevé, mais le chanteur amateur qui se trouvait sur scène l'emportait sans peine. La salle offrait une vue éblouissante de Manhattan by night et l'éclairage discret des tables et des allées avait été conçu pour que les clients puissent en profiter. L'air conditionné, qui sortait des murs et du sol, garantissait une température agréable à ce vaste espace semi-couvert.

— Existe-t-il un seul endroit à New York dont tu ne sois pas propriétaire ?

Arash s'esclaffa.

— Il n'est plus propriétaire du *D'Argos Regal* sur la 36e Rue.

Eva s'immobilisa abruptement. Arash, qui marchait derrière elle, la percuta et faillit la faire tomber. Je le foudroyai du regard.

Eva me saisit le bras et dut crier pour se faire entendre par-dessus la musique.

— Tu t'es débarrassé de l'hôtel ?

L'espoir et l'émerveillement que je lus sur son visage compensèrent amplement la perte financière que j'avais essuyée en réalisant cette opération. J'acquiesçai d'un hochement de tête.

Se pendant à mon cou, elle couvrit mon visage de petits baisers. Je souris quand mon regard croisa celui d'Arash.

— Tout s'explique, déclara celui-ci d'un air entendu.

10

— Ils sont trop mignons, ces deux-là, s'extasia Shawna, qui contemplait, attendrie, Will et Natalie en train de chanter en duo *I Got You, Babe*.

— Un peu trop bisounours à mon goût, déclara Manuel en se levant, son verre à la main. Excusez-moi, tout le monde, je viens de voir quelque chose d'intéressant.

— Tu peux lui faire tes adieux, mon ange, me murmura Gideon à l'oreille d'un ton amusé. On ne le reverra pas de la soirée.

Je suivis la ligne de mire de Manuel et avisai une belle brune qui le détaillait ouvertement.

— Au revoir, Manuel ! lançai-je dans son dos en agitant la main. Dis-moi, ajoutai-je en me serrant contre Gideon, affalé sur la coûteuse banquette de cuir, comment se fait-il que les types avec qui tu travailles soient tous plus sexy les uns que les autres ?

— Tu les trouves sexy ? s'étonna-t-il en frottant le bout de son nez contre mon oreille. Ils ne vont peut-être plus travailler avec moi très longtemps, dans ce cas.

— Mon Dieu, quel primate tu fais ! m'exclamai-je en levant les yeux au ciel.

Il resserra son étreinte. Après les turbulences que nous avions traversées la veille, c'était vraiment bon de partager un moment festif.

Megumi se pencha au-dessus de la table basse du carré VIP. Les deux canapés qui délimitaient l'espace pouvaient accueillir confortablement notre petit groupe.

— Quand allez-vous vous décider à vous ridiculiser ? demanda-t-elle.

— Heu... jamais.

Il avait fallu plusieurs verres et l'attention exclusive de Cary pour que Megumi se détende et s'amuse enfin. Mon meilleur ami avait ouvert le feu en nous régalant d'une version enthousiaste de *Only the Good Die Young*, avant d'entraîner Megumi sur scène pour chanter *(I've Had) The Time of My Life*.

Je devais une fière chandelle à Cary de s'occuper ainsi d'elle. D'autant que, contrairement à Manuel, il ne semblait pas avoir l'intention de nous larguer pour aller draguer. J'étais vraiment fière de lui.

— Allez, Eva, m'encouragea Steven. C'est toi qui as choisi cet endroit. Tu dois chanter !

— C'est ta sœur qui a choisi cet endroit, rectifiai-je en regardant Shawna, qui se contenta de hausser les épaules d'un air innocent.

— Elle a chanté deux fois ! répliqua Steven.

— Mark n'a pas encore chanté, tentai-je de me défiler. Mon boss secoua la tête.

— C'est une faveur que je vous fais, crois-moi.

— À qui le dis-tu ! Un crissement de pneus est plus mélodieux que ma voix, assurai-je.

Arnoldo poussa vers moi la tablette qui comportait la liste des chansons. C'était la première fois de la soirée qu'il tentait une ouverture. À l'entrée, il s'était contenté de me saluer en coup de vent, et depuis il ne s'était intéressé qu'à Magdalene et à Gage, ce que j'avais essayé de ne pas prendre comme une offense personnelle.

— Ce n'est pas juste, me plaignis-je. Vous êtes tous ligués contre moi ! Gideon non plus n'a pas chanté.

Je lui jetai un coup d'œil et il haussa les épaules.

— Je peux y aller, si tu veux.

J'étais tellement stupéfaite que j'ouvris des yeux ronds. Je n'avais jamais entendu Gideon chanter. Je n'avais même jamais imaginé qu'il en fût capable – un chanteur se met en avant et exprime des émotions avec sa voix. Mon mari se révélait décidément plein de surprises.

— Et voilà, maintenant, tu es obligée d'y aller, déclara Cary qui se pencha pour ouvrir au hasard une page de la tablette.

L'estomac noué, je jetai un coup d'œil à la liste de chansons qui s'étalait devant moi. Un titre me sauta aux yeux.

Je pris une grande inspiration et me levai.

— D'accord. Mais souvenez-vous que c'est vous qui l'avez demandé. Je ne tolérerai aucun commentaire.

Gideon, qui s'était levé en même temps que moi, m'attira contre lui.

— Tu sais bien que ta bouche ne peut être pour moi qu'une source d'émerveillement, mon ange, me chuchota-t-il à l'oreille.

Je lui donnai un coup de coude dans les côtes et son rire m'accompagna quand je me dirigeai vers la scène. J'aimais son rire, j'aimais passer du temps avec lui et oublier tous nos soucis, entourés de nos amis. Nous étions mariés, mais nous avions encore tellement de rendez-vous à rattraper, tellement de soirées entre amis à vivre. J'espérais que celle-ci n'était que la première d'une longue série.

Je redoutais un peu de troubler cette paix fragile avec la chanson que j'avais choisie. Pas assez cependant pour changer d'avis.

Will et Natalie feignirent de m'applaudir quand je les croisai alors qu'ils regagnaient notre groupe. J'aurais pu sélectionner ma chanson depuis la tablette de notre table, comme nous l'avions fait pour commander plats et boissons, mais je ne voulais pas que Gideon voie le titre.

De plus, j'avais remarqué que les autres clients devaient faire la queue avant de passer alors que les sélections de notre table étaient prioritaires. En ajoutant moi-même mon nom à la liste d'attente, je comptais gagner un peu de temps afin de rassembler le courage dont j'allais avoir besoin.

J'aurais dû me méfier. Quand j'indiquai mon choix à l'hôtesse, elle le tapa sur son clavier, puis m'annonça que j'étais la suivante.

Je jetai un coup d'œil vers notre table. Gideon m'adressa un clin d'œil.

Oh ! Il allait me le payer !

La fille qui était sur scène interprétait *Diamonds*. Quand elle eut terminé, toute la salle applaudit. Elle n'avait pas été mauvaise mais, franchement, l'orchestre live avait habilement gommé ses erreurs. Ces musiciens étaient vraiment bons. Il ne me restait plus qu'à croiser les doigts pour qu'ils le soient assez pour moi...

Je tremblais comme une feuille en montant sur scène. Mais quand des sifflements et des encouragements s'élevèrent de notre table, je ne pus m'empêcher de rire. J'attrapai le micro et les premières mesures s'élevèrent. La mélodie familière agit comme un coup d'envoi et je me jetai à l'eau.

Les yeux rivés sur Gideon, je gazouillai les paroles d'ouverture, lui assurant qu'il était *amazing*. Malgré la musique, j'entendis les éclats de rire que suscita aussitôt ma voix épouvantable. Ma propre table avait carrément explosé de rire, mais je m'y étais attendue.

J'avais choisi *Brave*. Il fallait que je le sois pour chanter cela. Brave, ou folle à lier.

Je me concentrai sur mon mari qui ne riait ni ne souriait. Il se contentait de me fixer d'un regard intense tandis que je lui disais, avec les mots de Sara Bareilles, que je voulais le voir prendre la parole et se montrer courageux.

La mélodie entraînante et le talent des musiciens qui me soutenaient finirent par remporter l'adhésion du public, qui se mit à chanter avec moi. Ma voix s'affermit, donnant plus de puissance au message destiné à Gideon.

Je voulais qu'il sorte de son silence. Il devait dire la vérité à sa famille. Pas pour moi, ni pour eux. Pour lui.

À la fin de la chanson, mes amis se levèrent pour m'applaudir, et je souris, galvanisée. Je fis une profonde révérence et m'esclaffai quand les inconnus du premier rang se joignirent à cette ovation imméritée. Je connais mes points forts – le chant n'en fait pas partie.

— C'était génial ! s'écria Shawna en me serrant dans ses bras quand je regagnai la table. Tu as assuré, ma petite !

— Tu me diras combien je te dois, répondis-je.

Je me sentis rougir lorsque les autres m'adressèrent à leur tour des compliments.

— Vous dites vraiment n'importe quoi !

— Ah, baby girl, tu ne peux pas être douée pour tout ! lança Cary, les yeux plus rieurs que jamais. C'est un soulagement de savoir que toi aussi, tu n'es pas parfaite.

Je lui tirai la langue et attrapai le verre de vodka canneberge qu'on avait eu la gentillesse de commander pour moi.

— À toi de t'y coller, le tombeur, jubila Arash en décochant un sourire à Gideon.

Mon mari hocha la tête, puis me regarda. Son expression était indéchiffrable et je m'inquiétai soudain. Pas la moindre douceur dans le pli de sa bouche ou dans son regard, rien qui m'aide à deviner la teneur de ses pensées.

Un imbécile choisit ce moment pour entonner *Golden*.

Gideon se raidit, ses mâchoires se crispèrent. Je lui pris la main, la serrai doucement et fus un peu soulagée lorsqu'il fit de même.

Il déposa un baiser sur ma joue, puis gagna la scène, traversant la salle de son pas souple et assuré. Je le regardai s'éloigner, vis les autres femmes le suivre des yeux. J'étais de parti pris, bien sûr, mais j'avais la certitude que c'était le plus bel homme présent dans la salle.

Franchement, c'était criminel d'être aussi sexy.

— L'un de vous l'a-t-il déjà entendu chanter ? demandai-je en regardant tour à tour Arash et Arnoldo.

Arnoldo secoua la tête et Arash répondit en riant :

— Avec un peu de chance, on va découvrir qu'il chante aussi bien que toi. Je suis d'accord avec Cary, il ne peut pas être doué pour tout sinon on sera forcés de le détester.

Le type qui était sur scène acheva sa chanson et, un instant plus tard, Gideon apparut. Mon cœur se mit alors à battre aussi fort que lorsque j'étais à sa place. Mes mains devinrent moites et je les essuyai sur ma jupe.

Je redoutais ce que j'allais ressentir en l'écoutant chanter. J'avais beau m'en vouloir de penser cela, mais Brett était difficile à égaler, et le fait d'entendre *Golden* – même interprétée par quelqu'un qui n'aurait jamais dû approcher un micro – avait provoqué un rapprochement malencontreux entre leurs univers respectifs.

Gideon s'empara du micro comme s'il avait fait cela des milliers de fois. Les femmes présentes dans la salle se déchaînèrent, manifestant leur admiration sans retenue et hurlant des remarques suggestives que je choisis d'ignorer. Il était beau à tomber, mais c'était sa présence, son assurance qui faisaient la différence.

Il avait tout de l'homme capable de faire jouir une femme comme une folle. Et Dieu sait que c'était le cas !

— Je dédie cette chanson à ma femme, annonça-t-il.

D'un regard, il donna le signal de départ à l'orchestre. Une ligne de basse reconnaissable entre toutes s'éleva et mon cœur se mit à battre à coups redoublés.

— Lifehouse ! croassa Shawna en battant des mains. Je les adore !

— Il t'appelle déjà sa femme ! hurla Megumi en se penchant vers moi. Tu as trop de chance !

Je ne lui accordai pas un regard. Impossible. Toute mon attention était rivée sur Gideon qui avait commencé à chanter en me regardant droit dans les yeux et me disait de sa voix rauque si sensuelle qu'il avait désespérément besoin de changement et soif de vérité.

Hanging By A Moment (Suspendu à l'instant). Il répondait à ma chanson.

Les battements de mon cœur ralentirent, les yeux me picotèrent. Comment avais-je pu le croire dépourvu d'émotion ? Son timbre enroué mettait son âme à nu d'une façon bouleversante. Il me tuait.

— Putain ! lâcha Cary, fasciné par la prestation de Gideon. Ce mec sait chanter.

J'étais suspendue à l'instant, moi aussi. Suspendue à sa voix, à ses mots qui me disaient que plus il me courait après, plus il était amoureux de moi. Je m'agitai sur mon siège, excitée au-delà du supportable.

Gideon avait réussi à capter l'attention de toute la salle. De toutes les voix qu'on avait entendues ce soir, la sienne était la seule à atteindre un tel niveau de maîtrise. Le faisceau d'un projecteur était braqué sur lui et il se tenait là, les jambes légèrement écartées, son costume chic détonnant avec la chanson rock qu'il avait choisie. Il se débrouillait si bien que je n'imaginais pas qu'on puisse la chanter autrement. Il surpassait largement Brett – tant par la qualité de son interprétation que par la réaction qu'il déclenchait en moi.

Je fus debout avant d'en avoir conscience et tentai de me frayer un chemin jusqu'à la scène. Quand il acheva sa chanson, la salle devint hystérique. Je me retrouvai perdue au milieu de la mêlée, trop petite pour voir au-delà des épaules qui me cernaient.

Ce fut lui qui me rejoignit. Il fendit la foule et me souleva dans ses bras, m'embrassa avec une passion qui fut saluée par une nouvelle salve de cris et de miaulements. Par-delà le brouhaha, j'entendis l'orchestre entamer un autre morceau. Je grimpai pratiquement sur Gideon pour approcher ma bouche de son oreille.

— Maintenant ! haletai-je.

Je n'eus pas besoin d'en dire plus. Il me reposa sur le sol, m'agrippa la main et m'entraîna à sa suite à travers la salle, puis les cuisines et jusqu'à l'ascenseur de service. Je me plaquai contre lui avant même que les portes se referment sur nous, mais il avait sorti son téléphone de sa poche et le portait à son oreille. Il rejeta la tête en arrière, permettant ainsi à mes lèvres de se promener fiévreusement sur son cou.

— Amenez la limousine, ordonna-t-il d'un ton bourru.

Le téléphone regagna sa poche et Gideon répondit à mes baisers, libérant toute la fougue qu'il avait retenue.

Affamée, je lui dévorai la bouche, aspirai sa lèvre entre mes dents et la goûtai de la langue. Un grondement lui échappa quand je le poussai contre la paroi capitonnée de l'ascenseur, mes mains glissant le long de son torse pour se refermer sur son érection.

— Eva...

Dès que l'ascenseur s'immobilisa, il se mit en mouvement, me saisit le coude et me fit quitter la cabine en me poussant devant lui. Au bout du couloir de service, nous débouchâmes dans le hall et dûmes affronter une nouvelle marée humaine avant d'émerger dans la chaleur de la nuit. La limousine attendait dans la rue.

Angus ouvrit la portière arrière et je grimpai à l'intérieur, suivie de Gideon.

— Ne vous éloignez pas trop, ordonna-t-il à Angus.

Nous nous installâmes sur la banquette, laissant entre nous une distance de sécurité d'une trentaine de centimètres, et veillant scrupuleusement à ne pas échanger le moindre regard avant que la cloison de séparation ait amorcé sa lente ascension et que la voiture ait démarré.

À peine la cloison verrouillée, je m'adossai à la banquette et relevai ma jupe, arrachant presque mes vêtements tant j'étais pressée de me faire baiser.

Gideon se laissa tomber à genoux sur le plancher de la voiture et ouvrit sa braguette.

Je me tortillai pour me débarrasser de ma culotte et l'envoyai promener en même temps que mes sandales.

— Mon ange.

Sa voix me tira un gémissement d'impatience.

— Je suis mouillée, je suis mouillée, psalmodiai-je pour lui ôter toute envie de jouer avec moi.

Il testa cependant ma résistance en recouvrant mon mont de Vénus de la main. Ses doigts écartèrent les lèvres de mon sexe et effleurèrent mon clitoris avant de m'investir.

— Bon sang, Eva, tu es trempée.

— Laisse-moi venir sur toi, l'implorai-je en me redressant.

Je voulais commander, donner le rythme, décider de la profondeur…

Gideon fit glisser pantalon et caleçon jusqu'à ses genoux, s'assit sur la banquette et écarta les pans de sa chemise. Son sexe se dressait avec fierté, aussi sauvagement beau que tout le reste de sa personne.

Je sautai à bas de la banquette pour m'agenouiller entre ses jambes et caressai son pénis. Il était chaud et d'une douceur de soie. Ma bouche s'en empara avant que j'aie le temps de penser. Gideon prit une inspiration sifflante, sa main agrippa ma queue-de-cheval et il rejeta la tête en arrière en fermant les yeux.

— Oui.

J'encerclai l'extrémité de son sexe de la langue, sentis les veines saillantes palpiter sous mes paumes. Je serrai les lèvres, les fis remonter, puis glisser à nouveau vers la base.

Il gémit et se cambra pour mieux envahir ma bouche.

— Prends-la à fond.

Je lui obéis aussitôt, vivement excitée par son plaisir. Gideon rouvrit les paupières et inclina la tête pour me regarder.

— Viens là.

L'ordre avait été donné d'une voix impérieuse, et un frisson de désir me traversa. Je rampai le long de son corps magnifique, lui enfourchai les hanches.

— Tu es brûlant, soufflai-je.

— Moi ? Tu es en feu, mon ange.

— Attends d'être en moi, répliquai-je en me positionnant au-dessus de lui.

Il referma la main sur sa queue et s'immobilisa quand je m'empalai dessus. Mes jambes tremblèrent comme son pénis m'écartelait.

— Gideon.

Cet instant exquis, celui où il prenait possession de moi, était de ceux dont je ne me lasserais jamais.

Ses mains m'empoignèrent aux hanches. Je me laissai coulisser sur lui, les yeux rivés aux siens, son regard se voilant lentement. Un grondement résonna dans l'habitacle, et je me sentis devenir plus moite et plus brûlante.

Qu'il m'ait possédée encore et encore importait peu, j'en voulais toujours plus. Je ne me lassais pas de la réponse de son corps, comme s'il n'avait encore jamais rien ressenti de tel, comme si ce que je lui donnais, il ne pourrait jamais le trouver ailleurs.

Je me cramponnai au dossier de la banquette et j'ondulai des hanches pour m'empaler davantage. Je le sentis tout au fond de moi, mais ne parvins pas à le prendre tout entier. C'était pourtant ce que je voulais. Je voulais tout ce qu'il avait à me donner.

— La première fois, dit-il d'une voix enrouée en me regardant, c'est ici que tu m'as chevauché, que tu m'as rendu fou. Tu m'as explosé la tête.

— C'était tellement bon, haletai-je, au bord de l'orgasme, son sexe en moi si gros et si dur. Mais c'est encore meilleur maintenant.

Ses doigts s'enfoncèrent dans ma chair.

— J'ai encore plus envie de toi.

— Aide-moi, soufflai-je en pressant ma tempe contre la sienne.

— Accroche-toi, dit-il avant de soulever le bassin. Prends-moi, Eva. Prends-moi tout entier.

Je lâchai un cri et accompagnai d'instinct son mouvement pour l'accueillir en moi jusqu'au bout.

Les traits de Gideon étaient déformés par l'excitation, par la brutalité de son désir.

— Je vais jouir tellement fort que tu me sentiras en toi toute la nuit, promit-il d'un ton menaçant.

Le son de sa voix... le souvenir du regard qu'il avait braqué sur moi quand il était sur scène... jamais je n'avais été aussi excitée. Il n'allait pas être le seul à jouir très fort.

Il appuya la tête contre le dossier, le souffle erratique, des râles de plaisir remontant dans sa gorge. Il me lâcha les hanches et posa ses poings serrés sur la banquette. Il m'autorisait à le baiser comme je le voulais, à me servir de lui.

J'atteignis l'orgasme dans un cri. Mon dos se cambra et un frémissement me parcourut de la tête aux pieds tandis que je me contractais convulsivement sur sa queue. Mes mouvements se ralentirent et ma vision s'obscurcit. Un long gémissement jaillit de ma bouche, l'assouvissement me faisant tourner la tête.

Puis le monde bascula et je me retrouvai allongée sur le dos. Gideon se hissa au-dessus de moi, coula le bras sous ma jambe gauche qu'il cala sur son épaule. Ses coups de reins se firent de plus en plus puissants, de plus en plus profonds.

Je me tordais irrépressiblement. C'était tellement bon que c'était presque douloureux.

J'étais à sa merci, sans défense. Il se servait de moi comme je m'étais servie de lui, animé d'un tel besoin de jouissance qu'il avait perdu tout contrôle. Il me pilonnait si vigoureusement qu'il me ramena au bord de la jouissance

— Je t'aime, haletai-je, éperdue, mes mains lui caressant les cuisses.

Mon nom franchit ses lèvres dans un grondement et il explosa en moi, les dents serrées, les hanches soudées aux miennes. Le sentir jouir en moi m'envoya de nouveau au septième ciel.

— C'est si bon, gémit-il alors que mes muscles intimes l'étreignaient.

Nous luttâmes ensemble, corps à corps, agrippés l'un à l'autre.

Il enfouit le visage au creux de mon cou.

— Je t'aime.

Les larmes me picotèrent les yeux. Il prononçait si rarement ces paroles.

— Répète-le-moi, le suppliai-je en le serrant dans mes bras.

Sa bouche trouva la mienne.

— Je t'aime...

— Encore, exigeai-je avant de me passer la langue sur les lèvres.

Gideon me lança un coup d'œil par-dessus son épaule. Le bacon rissolait dans la poêle qui se trouvait devant lui et l'odeur me faisait saliver.

— Moi qui croyais que deux paquets de bacon suffiraient pour le week-end.

— Il faut manger gras quand on a bu de l'alcool, répliquai-je en essuyant un coin de mon assiette du bout du doigt. Si on n'a pas la gueule de bois, bien sûr.

— Alors c'est trop tard pour moi, grommela Cary en entrant dans la cuisine seulement vêtu d'un jean qu'il n'avait pas pris la peine de boutonner jusqu'en haut. Il y a de la bière ?

Gideon désigna le frigo de sa fourchette.

— Dans le tiroir du bas.

— Mal aux cheveux, Cary ? demandai-je.

— Pire que ça. J'ai l'impression qu'on m'a fendu le crâne en deux.

Il sortit une bière du frigo, me rejoignit au comptoir, décapsula la bouteille et descendit d'un trait la moitié de son contenu.

— Comment as-tu dormi ? risquai-je en croisant les doigts.

Il avait passé la nuit dans le deux-pièces attenant au penthouse, et j'espérais qu'il avait aimé. Celui-ci avait le même charme d'avant-guerre que l'appartement de Gideon et le mobilier était très semblable. Cary avait certes des goûts plus contemporains, mais je n'imaginais pas qu'il puisse trouver à redire à la vue sur Central Park. Et tout le reste pouvait être changé sur un simple mot de sa part.

— Comme une bûche, répondit-il en écartant le goulot de ses lèvres.

— L'appartement te plaît ?

— Évidemment. Il faudrait que je sois difficile...

— Tu as envie de vivre ici ? insistai-je.

Cary me gratifia d'un sourire.

— Oui, baby girl. C'est le rêve. Merci d'avoir pitié de moi, Gideon.

Mon mari se détourna de la cuisinière, une assiette de bacon à la main.

— Cette proposition ne m'a pas été inspirée par la pitié, assura-t-il avec flegme. Cela mis à part, tu es le bienvenu.

— Du rab ! m'extasiai-je en battant des mains.

Gideon préleva une tranche de bacon sur l'assiette et la glissa entre ses lèvres. Je me penchai vers lui, bouche entrouverte. Il se rapprocha et me laissa saisir le morceau qui dépassait de sa bouche.

— Oh non ! gémit Cary. Je suis déjà au bord de la nausée.

— Boucle-la, dis-je en lui donnant une petite tape.

Il s'esclaffa et finit sa bière.

— Il faut bien que je vous bouscule un peu. Qui d'autre que moi vous empêchera de chanter *I Got You, Babe* d'ici à quelques années, autrement ?

Je souris en songeant à Will et à Natalie. Will m'était de plus en plus sympathique et j'avais découvert que je m'entendais bien aussi avec sa copine.

— Tu ne les trouves pas adorables ? Ils sont ensemble depuis le secondaire.

— C'est bien là le problème, répliqua Cary. Quand on reste trop longtemps avec quelqu'un, ça se termine soit en prises de bec, soit en niaiserie dégoulinante et on disparaît dans la quatrième dimension.

— Mark et Steven aussi sont ensemble depuis des années, objectai-je. Et ils ne passent pas leur temps à se disputer ni à bêtifier.

— Ils sont gay, Eva, répliqua-t-il. Pas d'œstrogène, pas de drame.

— Espèce de sale sexiste ! Tu n'as pas dit ça, ce n'est pas possible.

— Tu sais que j'ai raison, s'obstina-t-il en jetant un coup d'œil à Gideon.

— Sur ces belles paroles, je vous quitte, annonça celui-ci en chipant trois tranches de bacon avant de s'éclipser.

— Hé ! lançai-je d'une voix plaintive.

Mon meilleur ami éclata de rire.

— Ne t'inquiète pas, il est accro au genre féminin.

Je le fusillai du regard tout en dévorant à belles dents une autre tranche de bacon.

— Je te pardonne pour cette fois, mais uniquement parce que tu as assuré avec Megumi, hier soir.

— Je n'ai pas eu besoin de me forcer, j'aime bien Megumi.

Sa bonne humeur s'envola soudain et son visage s'assombrit.

— Je sais ce qu'elle traverse en ce moment. Je suis désolé pour elle.

— Moi aussi.

— Tu as trouvé des idées pour aider les victimes d'abus sexuels ?

— J'ai l'intention de proposer à Gideon de m'investir dans sa fondation, Crossroads.

— Pourquoi tu n'y as pas pensé avant ?

— Parce que... je suis têtue, j'imagine.

Je glissai un regard par-dessus mon épaule avant d'ajouter à mi-voix :

— Un des trucs que Gideon aime chez moi, c'est que je ne fais pas toutes ses quatre volontés. Ce n'est pas Stanton, tu comprends ?

— Et toi, tu n'as pas envie de ressembler à ta mère. Dois-je en conclure que tu comptes garder ton nom de jeune fille ?

— Pas question ! Gideon tient beaucoup à ce que je devienne Eva Cross. En plus, je trouve ça classe.

— C'est vrai, dit-il en me tapotant le bout du nez. Tu sais que je suis toujours là pour toi.

Je descendis de mon tabouret et le serrai dans mes bras.

— Moi aussi, Cary.

— Et de toute évidence, je te prends au mot, répondit-il avant de laisser fuser un profond soupir. Beaucoup de changements dans ta vie, baby girl. Ça ne te fait pas peur ?

Je croisai son regard et retrouvai cette complicité qui nous avait permis de survivre à tant d'épreuves.

— Bien plus que je ne m'autorise à le penser.

— Il faut que je file au bureau, annonça Gideon en réapparaissant, une casquette de l'équipe des Yankees vissée sur le crâne.

Il avait gardé son tee-shirt, mais troqué son pantalon de pyjama pour un jogging, et il faisait tourner son trousseau de clefs autour de son doigt.

— Je n'en ai pas pour longtemps, ajouta-t-il.

— Tout va bien ? demandai-je en m'écartant de Cary.

Mon mari arborait cette expression impénétrable qui me soufflait que son esprit s'affairait déjà à résoudre le problème qui l'appelait au bureau un samedi.

— Tout va bien, assura-t-il en me rejoignant pour déposer un baiser rapide sur mes lèvres. Je serai de retour d'ici une heure ou deux. Ireland n'arrivera pas avant 18 heures.

Je le regardai quitter la pièce.

Qu'est-ce qui pouvait être important au point de l'éloigner de moi pendant le week-end ? Gideon se montrait possessif sur bien des points à mon sujet, mais le temps que nous passions ensemble figurait en tête de liste. Et cette façon qu'il avait eue de faire tourner son trousseau de clefs ne me disait rien qui vaille. Il était très économe de ses gestes. Les seules fois où je l'avais vu ne pas tenir en place, c'était parce qu'il était complètement détendu ou... prêt à livrer bataille.

Je ne parvenais pas à chasser l'impression qu'il me cachait quelque chose. Comme d'habitude.

— Je vais prendre une douche, annonça Cary en sortant une bouteille d'eau du frigo. Ça te dirait de regarder un film avec moi, après ?

— Oui, bonne idée, répondis-je, la tête ailleurs.

J'attendis qu'il ait regagné son appartement pour aller chercher mon téléphone.

11

— Où est Eva ?

Je contournai l'avant de la Mercedes et me plantai devant Brett Kline. Je faillis lui tendre la main pour le saluer – la force de l'habitude –, mais je me retins. Ses mains s'étaient posées sur ma femme par le passé... et plus récemment. Je ne voulais pas les toucher. Je voulais les briser.

— Elle est à la maison, répondis-je en désignant la porte du Crossfire. Montons à mon bureau.

Kline m'adressa un sourire froid.

— Vous ne pouvez pas l'éloigner de moi.

— Vous le faites très bien tout seul, répliquai-je.

Il portait un tee-shirt usé frappé du logo du *Pete's Bar*, un jean et des bottes noirs. Un choix vestimentaire qui n'avait rien d'une coïncidence. Il avait voulu rappeler à Eva leur passé commun. À moi aussi, peut-être. Yimara lui en avait-il soufflé l'idée ? Cela ne m'aurait pas surpris.

Qu'elle vienne de l'un ou de l'autre, c'était une mauvaise idée.

Il s'engagea dans la porte à tambour devant moi. Un employé de la sécurité lui demanda ses nom et prénom, et lui imprima un badge d'identification temporaire.

Nous franchîmes le portique de sécurité et rejoignîmes les ascenseurs.

— Vous ne m'intimidez pas avec votre fric, lâcha-t-il.

J'entrai dans la cabine et pressai le bouton du dernier étage.

— Il y a des yeux et des oreilles qui traînent partout dans cette ville. Au moins, dans mon bureau, je suis certain que nous ne nous donnerons pas en spectacle.

— Vous ne vous souciez donc que de ça ? rétorqua-t-il avec une moue dégoûtée. De votre image ?

— Venant de vous, la question est ironique.

— Ne faites pas comme si vous me connaissiez. Vous savez que dalle à mon sujet.

L'agressivité et la contrariété de Kline étaient presque palpables dans l'espace confiné de l'ascenseur. Il avait agrippé la rambarde derrière lui des deux mains en une posture hostile et impatiente. Depuis les pointes oxygénées de ses cheveux jusqu'aux tatouages noir et gris qui lui recouvraient les bras, le leader des Six-Ninth n'aurait pas pu apparaître plus différent de moi. Je m'étais d'abord senti menacé par cette différence et par son passé avec Eva, mais cette époque était révolue.

Après San Diego, et surtout après la nuit que je venais de passer, Kline ne m'impressionnait plus.

Les griffures que les ongles d'Eva avaient laissées sur ma peau me brûlaient encore. Elle s'était ingéniée à repousser mes limites jusqu'aux petites heures de l'aube. La faim insatiable que je lui inspirais ne laissait de place à personne d'autre. Et l'émotion dans sa voix lorsqu'elle m'avait dit qu'elle m'aimait, ses larmes quand j'avais à mon tour chuchoté que je l'aimais...

Je m'adossai à la paroi opposée et glissai les mains dans mes poches, sachant que ma nonchalance l'irriterait.

— Elle est au courant de notre entrevue ? demanda-t-il.

— Ce sera à vous de décider si vous avez envie de lui en faire part, je suppose.

— Oh, je lui en ferai part !

— J'y compte bien.

Nous atteignîmes le dernier étage et je le guidai jusqu'à mon bureau. Quelques rares personnes étaient présentes et j'en pris bonne note. Travailler pendant ses jours de congé ne prouve pas forcément qu'on est un meilleur employé, mais l'ambition m'inspire le respect et mérite d'être récompensée.

Une fois à l'intérieur, je refermai la porte derrière nous et opacifiai la paroi vitrée. Un dossier se trouvait sur mon bureau, comme je l'avais demandé avant de quitter le penthouse. Je fis signe à Kline de s'asseoir.

Il resta debout.

— C'est quoi, ce cirque ? Je suis venu à New York pour voir Eva et votre gorille m'amène ici.

Le « gorille » en question était un garde du corps fourni par Vidal Records, mais il ne se trompait pas en pensant qu'il travaillait pour moi.

— Je suis disposé à vous offrir une forte somme d'argent – ainsi qu'un certain nombre de privilèges – en échange des droits exclusifs sur la vidéo de Yimara.

— Sam m'a prévenu que vous alliez tenter ce coup-là, répliqua-t-il avec un sourire dur. Cette vidéo ne vous concerne en rien. C'est entre Eva et moi.

— Et le monde entier s'il venait à y avoir des fuites – ce qui la détruirait. Vous vous souciez un tant soit peu de ce qu'elle ressent ?

— Il n'y aura pas de fuites. Et évidemment que je me soucie de ce qu'elle ressent. C'est une des raisons pour lesquelles je veux lui parler.

— Vous voulez lui demander ce que vous pouvez utiliser. Vous croyez la convaincre de vous autoriser à en exploiter une partie.

Il se balança d'avant en arrière, preuve que je venais de lui porter un coup.

— Vous n'obtiendrez pas la réponse que vous espérez, affirmai-je. La seule existence de cette vidéo l'horrifie. Vous êtes un imbécile si vous ne l'avez pas deviné.

— Ce n'est pas qu'un film de baise. Il y a des passages où on nous voit nous balader ensemble. Il y avait un truc fort entre nous. Eva n'était pas un plan cul comme les autres, pour moi.

Petit merdeux. Je dus réprimer une violente envie de le frapper.

— Pas sûr que vous captiez, ajouta-t-il avec un sourire méprisant. Visiblement, ça ne vous dérangeait pas de continuer à tringler l'autre brune avant que je refasse surface. C'est seulement à ce moment-là que vous avez changé les règles du jeu. Eva est un jouet pour vous. Elle ne vous intéresse que si un autre la veut.

Son allusion à Corinne toucha une corde sensible. J'avais bien failli perdre Eva à force de faire semblant de sortir avec mon ex. Ce souvenir me hantait encore.

Ce qui ne m'empêcha pas de remarquer qu'il était doué pour rejeter la faute sur autrui.

— Eva sait ce qu'elle représente pour moi.

Il fit un pas vers mon bureau.

— Elle est bien trop aveuglée par vos milliards pour se rendre compte qu'il y a quelque chose de louche derrière ce mariage bidon à l'étranger. Est-ce que c'est seulement légal ?

J'avais anticipé cette question.

— Parfaitement, répondis-je.

J'ouvris le dossier devant moi et en sortis une photo. Elle avait été prise le jour de notre mariage, au moment où j'avais embrassé Eva pour la première fois en tant qu'époux. Derrière nous, on apercevait la plage et le pasteur qui nous avait unis. Je tenais le visage d'Eva entre mes mains, et nos lèvres se frôlaient tendrement.

Ses mains m'enserraient les poignets, ma bague étincelant à son doigt.

Je plaçai la photo face à lui, puis posai une copie du certificat de mariage à côté – de la main gauche afin d'exhiber fièrement mon alliance sertie de rubis.

Je ne cherchais pas à prouver quoi que ce soit en partageant avec lui des souvenirs aussi intimes. Je souhaitais uniquement le provoquer. Je m'y employais depuis son arrivée à New York. Je voulais le déséquilibrer, le placer en situation d'infériorité avant qu'il s'avise d'approcher de nouveau ma femme.

— Eva et vous, c'est terminé, déclarai-je posément. Si vous en doutiez, vous en avez désormais la certitude. Cela dit, je ne crois pas que vous vouliez vraiment ma femme. Je pense que vous êtes davantage intéressé par l'exploitation de son souvenir pour promouvoir votre groupe.

— C'est ça, ricana Kline, faites-moi passer pour un fumier. Vous ne supportez pas l'idée qu'elle voie cette vidéo. Vous ne l'avez jamais fait grimper au rideau et vous ne le ferez jamais.

L'envie d'effacer du poing cette expression suffisante fit trembler les muscles de mes avant-bras.

— Croyez ce qui vous plaira. Voici les choix qui s'offrent à vous : soit vous prenez les deux millions que je vous propose en échange des droits de la vidéo et vous disparaissez...

— Je n'en veux pas, de votre putain de fric ! coupa-t-il en agrippant le rebord de mon bureau avant de se pencher vers moi. Vous ne pouvez pas vous approprier mes souvenirs. Vous avez peut-être Eva – pour l'instant –, mais moi, j'ai la vidéo ! Je refuse de vous la vendre.

L'idée de Kline visionnant ces images – se regardant baiser ma femme – me donnait la nausée. Et le fait qu'il suggère qu'Eva voie ces images, sachant l'effet qu'elles auraient sur elle, faillit me faire perdre mon sang-froid. Je dus lutter pour garder un ton égal.

— Vous pouvez aussi refuser l'argent et garder le secret au sujet de cette vidéo jusqu'à votre mort. Comme un cadeau que vous feriez à Eva sans qu'elle en sache jamais rien.

— C'est quoi, ce plan tordu ?

— Ou bien vous pouvez vous comporter comme un sale égoïste, poursuivis-je, utiliser cette vidéo pour la blesser, la choquer, tenter de détruire son mariage et accroître votre célébrité.

Je le fixai sans ciller. Kline ne céda pas d'un pouce, mais il baissa les yeux une fraction de seconde. Une victoire bien mince...

Je sortis le contrat établi par Arash et le plaçai devant lui.

— Si vous vous souciez d'elle un tant soit peu, vous reviendrez sur la décision qui vous a amené à New York.

Il ramassa le document, le déchira en deux et jeta les morceaux sur mon bureau.

— Je ne partirai pas tant que je ne l'aurai pas vue.

Fulminant, il quitta mon bureau au pas de charge. Je passai alors un appel via une ligne sécurisée.

— Vous avez eu assez de temps ? demandai-je.

— Oui. On s'est occupés de son ordinateur portable et de sa tablette dès que vous l'avez fait monter. On vérifie sa messagerie et les sauvegardes des serveurs en ce moment même. La fouille de sa résidence n'a rien donné, ce week-end – il n'y avait pas mis les pieds depuis des semaines. On a intégralement nettoyé l'équipement de Kline et de Yimara, ainsi que les comptes et le matériel de tous ceux qui ont reçu des extraits de la vidéo. Un des responsables de Vidal en avait une copie intégrale sur son disque dur. On l'a effacée. Nous n'avons trouvé aucune trace d'envoi vers l'extérieur.

Mon sang se figea dans mes veines.

— Quel responsable ?

— Votre frère.

Merde. Je me souvins de la vidéo de Christopher avec Magdalene... Je savais à quel point la haine qu'il me portait était perverse. Penser qu'il ait pu voir des images aussi intimes d'Eva... Cela réveilla en moi des pulsions que je n'avais plus ressenties depuis que j'avais entendu parler de Nathan pour la première fois.

Il ne me restait plus qu'à espérer que la société de sécurité privée à laquelle je m'étais adressé avait définitivement réglé le problème. Leurs équipes techniques avaient l'habitude de traiter des données autrement sensibles.

Je fourrai le contrat déchiré et la photo à l'intérieur du dossier.

— Cet enregistrement ne doit plus exister nulle part.

— Compris. On est dessus. Le risque qu'une copie soit encore en circulation existe en dépit du travail qu'on a réalisé jusqu'à présent. On continue la surveillance jusqu'à nouvel ordre de votre part.

Je n'annulerais jamais la mission dont je les avais chargés. J'étais bien décidé à traquer jusqu'à la fin de mes jours le moindre indice indiquant que ce film existait encore quelque part, échappant à mon contrôle.

— Merci.

Je raccrochai, quittai mon bureau, pressé de retrouver Eva à la maison.

— Tu es vraiment douée avec ces trucs, déclara Ireland en regardant Eva porter une portion de poulet kung pao à sa bouche à l'aide de ses baguettes. Je n'ai jamais réussi à m'en servir.

— Tiens, essaie de les tenir comme ça...

Je regardai ma femme positionner les doigts de ma sœur sur les baguettes, sa blonde chevelure formant un contraste saisissant avec les cheveux d'un noir d'encre d'Ireland. Assises par terre à mes pieds, elles portaient toutes deux un short et un débardeur, leurs jambes bronzées étaient allongées sous la table basse. L'une était aussi longue et mince que l'autre était petite et voluptueuse.

Installé derrière elles sur le canapé, j'observais plus que je ne participais, un peu envieux qu'elles aient un contact si facile, même si je leur en étais profondément reconnaissant.

C'était assez irréel. Jamais je n'aurais imaginé une soirée comme celle-ci, une soirée tranquille à la maison… en famille. Je ne savais pas comment y participer, ni même si j'en étais capable. Qu'étais-je censé dire ? Ressentir ?

J'étais au-delà de l'émerveillement. Et reconnaissant. Éperdument reconnaissant à ma femme, qui avait apporté tant de choses dans ma vie.

Il n'y avait pas si longtemps, un samedi soir comme celui-ci, j'aurais assisté à un quelconque événement mondain hautement médiatisé. Je me serais concentré sur les opportunités qui pouvaient s'offrir à Cross Industries jusqu'à ce qu'une femme suscite en moi un irrépressible besoin de baiser. Mais même si j'avais fini la soirée à l'hôtel avec une compagne d'un soir, j'aurais été seul. Et comme je n'avais qu'une très vague idée de ce qu'était un foyer, et pas la moindre notion de ce que signifiait partager la vie de quelqu'un, je n'aurais pas su ce que je ratais.

— Regarde ! s'écria Ireland en portant un minuscule morceau de poulet à sa bouche qu'elle s'empressa d'avaler. J'ai réussi !

Je descendis mon verre de vin d'un trait et me triturai désespérément les méninges pour trouver quelque chose à dire. Tout ce qui me venait à l'esprit me paraissait insincère ou forcé.

— La cible des baguettes est grande, finis-je par lancer. Ça augmente tes chances de réussite.

Ireland tourna la tête vers moi, révélant les mêmes yeux bleus que ceux que je voyais chaque matin dans la glace. Ils étaient cependant moins méfiants que les miens, plus innocents, plus joyeux.

— J'hallucine ou tu viens de me traiter de vantarde ?

Incapable de résister, je lui caressai les cheveux. Eux aussi, tellement semblables aux miens, et pourtant différents.

— Je n'ai pas dit cela, répondis-je.

— Pas ouvertement, rectifia-t-elle en inclinant la tête pour accompagner ma caresse avant de se retourner vers Eva.

Ma femme leva les yeux vers moi et m'offrit un sourire d'encouragement. Elle savait que je puisais ma force en elle et m'en faisait don inconditionnellement.

La gorge soudain nouée, je me levai, ramassai le verre de vin vide d'Eva – Ireland n'avait pas encore touché à son soda – et gagnai la cuisine. Je m'efforçai de trouver la sérénité qui me faisait défaut pour passer une soirée agréable.

La voix d'Ireland me parvint depuis le salon :

— Channing Tatum est trop sexy. Tu ne trouves pas ?

Je fronçai les sourcils. La question était innocente, pourtant j'imaginais aussitôt le jour où ma petite sœur sortirait avec un garçon. C'était sans doute déjà arrivé – elle avait dix-sept ans – et vouloir qu'elle se tienne à l'écart des garçons n'était pas réaliste. Je savais aussi que c'était ma faute si j'étais passé à côté d'une grande partie de son enfance. Mais imaginer ma sœur en compagnie de versions plus jeunes d'hommes tels que moi,

Manuel ou Cary, suscita en moi une réaction défensive qui ne m'était pas familière.

— Il est beau gosse, admit Eva.

Contrarié, taraudé par la possessivité, je remplis les deux verres qui se trouvaient devant moi.

— C'est l'homme le plus sexy de l'année, assura Ireland. Tu as vu ses biceps ?

— Alors là, permets-moi de te contredire, rétorqua Eva. Gideon le bat à plates coutures.

Je souris.

— Tu es fichue, ma pauvre, la taquina ma sœur. Dès que tu penses à lui, tes pupilles forment des petits cœurs. C'est trop mignon !

— Tais-toi !

Le rire musical d'Ireland flotta jusqu'à moi.

— T'inquiète. Gideon aussi a l'air complètement niais quand il te regarde. Et ça fait des années qu'il figure sur la liste des pressentis au titre de l'homme le plus sexy de l'année. Mes copines n'arrêtent pas de me bassiner avec ça.

— Ne me dis pas de trucs comme ça. Je suis trop jalouse.

Je ris intérieurement et laissai tomber la bouteille dans le bac de recyclage.

— Gideon aussi. Je ne te dis pas comment il va flipper quand il verra ton nom sur la liste des femmes les plus hot de l'année. Il n'y aura pas moyen de l'éviter maintenant que tout le monde a entendu parler de toi.

— N'importe quoi ! s'insurgea Eva. Il faudrait me photoshoper sérieusement les fesses et les cuisses pour arriver à vendre ça.

— Ah ouais ? Tu as vu Kim Kardashian ou Jennifer Lopez ?

Je m'attardai sur le seuil du salon pour observer le tableau idyllique que formaient Ireland et Eva. J'aurais voulu figer cet instant, le garder sous globe pour toujours, et un sentiment de mélancolie m'envahit.

Ireland me repéra et leva les yeux au ciel.

— Tiens, qu'est-ce que je te disais ? lança-t-elle à Eva. Complètement niais.

Assis à mon bureau, je sirotais un café en étudiant le tableau affiché sur mon écran. Je fis rouler mes épaules pour tenter de dissiper la raideur de ma nuque.

— Qu'est-ce que tu fabriques ? Il est 3 heures du matin.

Je tournai la tête et découvris Ireland sur le pas de la porte.

— Et alors ?

— Pourquoi est-ce que tu travailles aussi tard ?

— Et pourquoi tu chates sur Skype aussi tard ? rétorquai-je du tac au tac.

J'avais entendu des rires et quelques éclats de voix depuis que j'avais quitté Eva endormie.

— On s'en fiche, marmonna-t-elle.

Elle se laissa choir sur une des chaises de mon bureau et allongea les jambes.

— Tu ne peux pas dormir ? hasarda-t-elle.

— Non.

Elle ignorait à quel point c'était vrai. Littéralement. Avec Ireland dans le lit d'Eva et Eva dans le mien, je ne pouvais courir le risque de m'endormir. Il y avait des limites à ce que je pouvais demander à ma femme. Si je continuais de lui imposer mes cauchemars et les frayeurs qu'ils lui causaient, cela finirait par détruire l'amour qu'elle éprouvait pour moi.

— Christopher m'a envoyé un texto tout à l'heure, lâcha ma sœur. Il semblerait que papa ait pris une chambre à l'hôtel.

Je haussai les sourcils.

Elle hocha la tête, l'air malheureux.

— Ça va mal, Gideon. Ils n'ont jamais passé une nuit loin l'un de l'autre. Pour autant que je me souvienne.

Je ne sus que lui répondre. Notre mère m'avait appelé toute la journée et avait laissé des messages sur ma boîte vocale. Elle avait aussi tenté de me joindre sur le fixe du penthouse et j'avais fini par débrancher le poste principal. Si je détestais l'idée qu'elle traverse des moments difficiles, je devais préserver les instants que je passais avec Eva et Ireland.

Cela pouvait sembler égoïste de ma part, mais j'avais déjà perdu ma famille à deux reprises – une première fois quand mon père était mort et une deuxième après Hugh. Je ne pouvais pas me permettre d'en perdre une autre. Je ne pensais pas être capable d'y survivre. Pas maintenant qu'Eva faisait partie de ma vie.

— J'aimerais bien savoir ce qui a provoqué leur dispute, reprit Ireland. Je veux dire, si personne n'a trompé personne, ils devraient se réconcilier, non ?

Je soupirai et me redressai.

— Ce n'est pas à moi qu'il faut demander cela. J'ignore comment fonctionnent les relations de couple. Je me contente d'avancer au jugé, en priant pour ne pas me prendre les pieds dans le tapis et en étant reconnaissant à Eva de se montrer aussi conciliante.

— Tu l'aimes vraiment.

Je suivis son regard jusqu'au collage de photos sur le mur. Regarder ces clichés de ma femme était parfois douloureux. J'aurais voulu pouvoir revivre chacun de ces instants. J'aurais voulu pouvoir conserver chaque seconde passée avec elle. Le temps filait et je n'avais aucun moyen de le stocker pour parer aux incertitudes de l'avenir.

— Oui, murmurai-je.

J'étais prêt à tout pardonner à Eva. Rien de ce qu'elle pourrait dire ou faire ne saurait nous séparer. Parce que je ne pouvais pas vivre sans elle.

— Je suis heureuse pour toi, Gideon.

Je reportai mon attention sur ma sœur, et elle me sourit.

— Merci.

L'inquiétude demeurait dans son regard et je percevais son trouble. J'aurais aimé régler les problèmes qui la préoccupaient, mais je ne savais pas comment.

— Tu ne pourrais pas parler à maman ? hasarda-t-elle. Pas maintenant, bien sûr. Mais demain ? Tu découvriras peut-être ce qui se passe ?

J'hésitai, sachant que toute conversation avec ma mère était vouée à l'échec, puis :

— J'essaierai.

— Tu n'aimes pas beaucoup maman, j'ai l'impression, fit-elle en étudiant ses ongles.

Je pesai soigneusement mes mots avant de répondre.

— Nous avons une divergence d'opinion fondamentale.

— Oui, je comprends. C'est un peu comme si elle était atteinte d'un trouble compulsif obsessionnel qui s'appliquerait aux membres de sa famille. Elle voudrait que tout le monde soit comme elle souhaite ou fasse semblant, en tout cas. Elle se soucie tellement de l'opinion des gens ! J'ai vu un vieux film, l'autre jour, qui m'a fait penser à elle. *Des gens comme les autres*. Tu connais ?

— Non, ça ne me dit rien.

— Il faut que tu le voies. C'est Kiefer Sutherland qui tient le rôle du père. C'est triste, mais c'est une histoire très prenante.

— Je note le titre. Tu sais, ajoutai-je, ressentant soudain le besoin d'expliquer l'attitude de notre mère, ce qu'elle a eu à affronter après la mort de mon père...

236

ç'a été très brutal. Je crois que, depuis, elle s'est forgé une sorte de carapace.

— La mère d'une de mes amies dit qu'elle était différente avant. Quand elle était mariée avec ton père.

— Je me souviens en effet qu'elle était différente, confirmai-je en reposant mon café qui avait refroidi.

— Mieux que maintenant ?

— C'est subjectif. Elle était plus... spontanée. Plus insouciante.

— Tu crois que ça l'a brisée ? demanda ma sœur en se frottant les lèvres. La mort de ton père ?

Je sentis comme un étau m'enserrer la poitrine.

— Ça l'a changée, reconnus-je posément. Je ne saurais pas dire à quel point.

— Hmm, fit-elle en se redressant, s'efforçant visiblement de chasser sa mélancolie. Tu vas rester debout encore longtemps ?

— Probablement toute la nuit.

— Tu ne voudrais pas regarder ce film avec moi ?

La suggestion me surprit et me fit plaisir.

— Volontiers, mais je te préviens, je ne supporte pas qu'on me raconte ce qui va se passer. Pas de spoilers, d'accord ?

— Je t'ai déjà dit que c'était triste. Si tu veux un conte de fées, la princesse dort au fond du couloir.

Sa réplique me fit sourire.

— Tu cherches le film, je m'occupe des sodas, dis-je en me levant.

— Une bière, ça serait sympa.

— Pas sous ma surveillance.

— Alors, du vin, riposta-t-elle en bondissant sur ses pieds.

— Repose-moi la question dans quelques années.

— Tu auras des enfants à ce moment-là. Ce ne sera plus aussi marrant.

Je m'immobilisai, paralysé par l'angoisse. J'étais à la fois aux anges et terrifié à l'idée d'avoir un bébé avec Eva. Si ma femme ne pouvait pas vivre en sécurité auprès de moi, comment un enfant le pourrait-il ?

— Tu devrais voir ta tête ! pouffa Ireland. Le play-boy en pleine panique. On ne t'a pas expliqué comment ça se passe ? D'abord l'amour, ensuite le mariage, et pour finir, le bébé dans la poussette !

— Si tu ne te tais pas, je t'envoie au lit.

Elle s'esclaffa et glissa son bras sous le mien.

— Tu me fais trop rire. Je te taquine, c'est tout. Tu ne vas pas piquer une crise, hein ? Il y en a déjà assez qui le font dans la famille.

Je tâchai d'ordonner à mon cœur de battre moins vite.

— C'est peut-être toi qui aurais besoin d'un verre, suggéra-t-elle.

— Je crois que je vais m'en servir un, marmonnai-je.

— Eva a du mérite d'avoir réussi à te soutirer une demande en mariage. Tu as eu aussi une crise de panique quand tu lui as demandé sa main ?

— S'il te plaît, Ireland, tais-toi.

Posant la tête sur mon épaule, elle gloussa et m'entraîna hors du bureau.

Le soleil était levé depuis deux bonnes heures quand je retournai me coucher. Je me déshabillai sans bruit, les yeux braqués sur la forme appétissante du corps de ma femme, nichée sous les couvertures.

Eva était roulée en boule, presque entièrement cachée à l'exception de sa chevelure répandue sur l'oreiller. Mon esprit se chargea d'imaginer le reste, sachant qu'elle était nue.

À moi. Toute à moi.

Dormir loin d'elle me tuait. Et je savais qu'elle en souffrait aussi.

Je me glissai près d'elle. Elle laissa échapper un petit gémissement et se blottit contre moi, son corps tiède se tortillant pour s'ajuster au mien.

Je durcis instantanément. Le désir m'échauffa le sang et un frisson d'impatience courut sur ma peau. Une réaction physique, doublée de quelque chose d'autre. Quelque chose de plus profond. Un sentiment de reconnaissance à la fois troublant, merveilleux et effrayant.

Eva comblait en moi un vide dont j'avais ignoré l'existence.

Elle pressa le visage contre mon cou, mêla ses jambes aux miennes et fit remonter ses mains le long de mon dos.

— Hmm... bien dur et comestible de partout, ronronna-t-elle.

— De partout, acquiesçai-je en la prenant par les fesses pour l'attirer contre mon érection.

Un rire silencieux lui secoua les épaules.

— Il ne faut pas qu'on fasse de bruit.

— Je te bâillonnerai avec ma main.

— Quoi ? s'écria-t-elle en me mordillant le cou. C'est toi qui es bruyant.

Elle n'avait pas tort. Si impatient et brutal que je puisse être quand j'étais excité, je n'avais jamais été très expressif sur le plan vocal avant de la connaître. Se montrer discret quand la situation l'exigeait n'était pas facile avec Eva. C'était si incroyablement bon avec elle, elle me faisait ressentir tellement de choses.

— On ira lentement, murmurai-je, mes mains parcourant avidement sa peau soyeuse. Ireland devrait dormir encore quelques heures. Rien ne presse.

— Quelques heures, hein ?

Elle rit, s'écarta de moi et roula sur le ventre pour ouvrir le tiroir de la table de chevet.

239

— Perfectionniste, va !

Je me tendis en la voyant attraper la boîte de pastilles de menthe qu'elle gardait à portée de main. Son geste me rappela des situations similaires, quand d'autres femmes avaient tendu la main ainsi pour attraper des préservatifs.

Eva et moi n'avions utilisé de préservatifs que deux fois. Avant elle, je n'avais jamais eu de rapports non protégés – éviter une grossesse était un principe auquel j'adhérais scrupuleusement.

Hormis ces deux premières fois, nous nous en remettions, Eva et moi, à la contraception orale.

Cette méthode comportait un risque. J'en avais conscience. Et étant donné la fréquence de nos rapports – au moins deux, parfois trois à quatre fois par jour –, le risque n'était pas anodin.

Il m'arrivait d'y penser, parfois. De m'interroger sur l'égoïsme dont je faisais preuve en plaçant mon propre plaisir au-dessus des conséquences. Mais la raison de mon imprudence ne tenait pas qu'à cela. Si ç'avait été le cas, j'aurais pu gérer, me montrer responsable.

Non, c'était bien plus compliqué.

Je ressentais le besoin primitif de jouir en elle. J'avais besoin de cette sensation de conquête et de reddition mêlées.

J'avais été taraudé par ce désir avant même de la posséder, alors que j'ignorais encore à quel point ce serait explosif entre nous. J'étais allé jusqu'à l'avertir dès avant notre premier rendez-vous. Je lui avais dit que j'avais besoin qu'elle me donne cela, cette chose dont je n'avais jamais eu envie avec aucune autre.

— Ne bouge pas, ordonnai-je en me hissant sur elle alors qu'elle était toujours à plat ventre.

Je glissai la main sous sa hanche et recouvris son mont de Vénus de ma paume. Elle était toute chaude.

Sous mes doigts caressants, sa fente devint brûlante et moite.

Elle étouffa un gémissement.

— C'est ainsi que je te veux, chuchotai-je en lui frôlant la joue de mes lèvres.

J'attrapai l'oreiller et le glissai sous son bassin de façon à lui soulever les hanches. Une position qui me permettrait de la pénétrer à fond.

— Gideon...

Elle avait prononcé mon nom d'une voix suppliante, comme si elle ne savait pas que j'étais prêt à m'agenouiller devant elle pour implorer le privilège de la posséder.

Je me redressai, lui écartai les jambes et lui clouai les poignets sur le matelas, près de la tête. Ainsi immobilisée, je m'enfonçai en elle. Elle était prête à me recevoir, étroite, douce et humide. Je dus serrer les dents pour réprimer le grognement qui monta dans ma gorge, et un tremblement me secoua de la tête aux pieds. Ma poitrine se souleva et l'air qui s'échappa de mes poumons souleva ses cheveux sur l'oreiller.

C'était ainsi, Eva n'avait rien à faire. Il suffisait qu'elle me prenne et je me retrouvais propulsé au bord de la jouissance.

Mes hanches se mirent en mouvement sans que je l'aie décidé, et ma queue se retrouva empalée en elle jusqu'à la garde. Elle se contracta autour de moi telle une petite bouche avide.

— Mon ange...

La pression à la base de mon sexe était insistante, mais je pouvais lui résister. Ce n'était pas une question de contrôle, mais de volonté.

Je voulais jouir en elle. Je le voulais assez pour considérer le risque – si terrifiant fût-il – comme acceptable.

Je fermai les yeux, laissai aller mon front contre sa joue. J'inhalai son parfum et lâchai prise, cédant brutalement à l'extase. Les muscles de mes fesses se crispèrent tandis que je me soulageais en elle.

Eva gémissait et se contorsionnait sous moi. Sa chatte se contracta violemment, puis se mit à palpiter tandis qu'un doux gémissement accompagnait son orgasme.

Son plaisir incendia mes sens et son nom franchit mes lèvres dans un souffle. Ma jouissance avait le pouvoir de déclencher la sienne parce qu'elle l'excitait autant que mes caresses. Je me devais de la récompenser pour cela, lui montrer la profondeur de ma gratitude. En lui donnant du plaisir, encore et encore, autant de fois qu'elle pourrait en prendre.

— Eva, soufflai-je en essuyant ma joue humide contre la sienne. Crossfire.

Ses doigts agrippèrent les miens. Elle tourna la tête, ses lèvres cherchant les miennes.

— Je t'aime aussi, champion, murmura-t-elle contre ma bouche.

Il n'était guère plus de 17 heures quand je franchis le portail du domaine des Vidal, dans le Duchess County, au volant de la Bentley.

— Tu as conduit trop vite, se plaignit Ireland alors que je m'engageais dans l'allée circulaire qui menait au perron. On est déjà arrivés.

J'immobilisai la voiture et laissai tourner le moteur. Un seul regard sur la maison et mon estomac s'était noué. Eva me prit la main et la serra doucement. Je choisis de concentrer mon attention sur ses beaux yeux gris plutôt que sur la façade de style Tudor qui se trouvait derrière elle. Elle avait beau connaître tous mes sombres secrets, et si honteux soient-ils, elle croyait en moi et m'aimait.

— J'aimerais bien repasser une nuit chez vous un de ces quatre, déclara Ireland en glissant la tête entre les sièges avant. C'était sympa, non ?

— On remettra ça, assurai-je.

— Bientôt ?

— Bientôt.

Son sourire me dédommagea amplement de tout ce que cette promesse signifiait en termes de manque de sommeil et d'anxiété. J'avais gardé mes distances avec ma sœur pour de nombreuses raisons, la principale étant que je ne voyais pas ce que je pourrais lui apporter d'indispensable. Si j'avais tout fait pour que Vidal Records ne sombre pas, c'était pour elle, pour garantir son avenir. C'était à mes yeux la seule façon de prendre soin d'elle sans risquer de tout gâcher.

— J'aurai besoin de ton aide, lui avouai-je en toute franchise. Le métier de frère ne m'est pas très familier. Je compte sur ton indulgence. Et ta patience.

Le sourire d'Ireland disparut et son visage d'adolescente céda la place à celui de la jeune femme qu'elle serait bientôt.

— Disons que ça ne demande pas plus de compétences que l'amitié, répondit-elle avec sérieux. Avec quelques contraintes supplémentaires, ajouta-t-elle. Obligation de se souvenir de mon anniversaire et de mes dates de vacances, obligation de toujours tout me pardonner et obligation de me présenter tous tes amis riches, beaux et sexy.

Je haussai les sourcils.

— Tu oublies de mentionner l'obligation de t'avoir à l'œil et de te remonter les bretelles.

— Trop tard ! répliqua-t-elle. Tu as raté ces années-là et il n'y a pas d'effet rétroactif.

Elle avait dit cela pour plaisanter, mais ses paroles firent mouche. J'avais bel et bien raté ces années-là et il n'y avait aucun moyen de revenir en arrière.

Nos regards se croisèrent et je lus dans ses yeux qu'elle avait deviné mes pensées.

Derrière elle, la porte de la maison s'ouvrit et notre mère apparut sur le perron. Elle se planta en haut des marches, vêtue d'une tunique blanche et d'un pantalon assorti. Ses longs cheveux d'ébène retombaient librement sur ses épaules. À cette distance, elle ressemblait à s'y méprendre à Ireland, plus comme une sœur qu'une mère.

J'étreignis la main d'Eva.

Ireland soupira et ouvrit la portière.

— C'est vraiment dommage que vous soyez obligés de travailler demain. Franchement, je me demande à quoi ça sert d'être multimilliardaire si on ne peut même pas sécher le boulot quand on veut.

— Si Eva travaillait avec moi, rétorquai-je en regardant ma femme, on pourrait.

Elle me tira la langue.

— Ne commence pas.

Je portai sa main à mes lèvres et l'embrassai.

— Je n'ai jamais cessé.

J'ouvris la portière, descendis de voiture et actionnai l'ouverture du coffre. Je fis le tour de la Bentley pour récupérer le sac d'Ireland et me retrouvai avec ma petite sœur serrée contre moi, ses bras autour de ma taille. Remis de ma surprise avec un temps de retard, je l'enlaçai à mon tour, ma joue trouvant naturellement sa place au sommet de son crâne.

— Je t'aime, marmonna-t-elle contre mon torse. Merci de m'avoir reçue chez toi.

Une boule se forma dans ma gorge si bien que je fus incapable d'ajouter un mot. Mais déjà Ireland s'écartait de moi et, son sac à la main, rejoignait Eva pour l'embrasser.

Aussi sonné que si je venais de recevoir un coup, je refermai le coffre et regardai ma mère accueillir

Ireland au bas des marches du perron. Je m'apprêtais à me remettre au volant lorsque ma mère me fit signe d'attendre.

Je jetai un coup d'œil à Eva.

— Remonte dans la voiture, mon ange.

Elle parut sur le point de discuter, puis hocha la tête, se glissa sur son siège et referma la portière.

J'attendis que ma mère vienne jusqu'à moi.

— Gideon !

Elle se hissa sur la pointe des pieds pour déposer un baiser sur ma joue.

— Vous ne voulez pas entrer, Eva et toi ? Vous avez fait une longue route.

Je reculai pour me libérer.

— Et le trajet de retour sera tout aussi long.

Je lus la déception dans son regard.

— Rien qu'un instant. Je t'en prie. J'aimerais m'excuser auprès de vous deux. Je n'ai pas très bien accueilli l'annonce de vos fiançailles et j'en suis désolée. C'est un heureux événement pour notre famille, mais je crains de m'être trop souciée de perdre mon fils pour l'apprécier.

— Maman, pas maintenant, dis-je en lui saisissant le bras quand elle fit mine d'approcher de la portière d'Eva.

— Je ne pensais pas ce que j'ai dit l'autre jour à propos d'Eva. J'étais encore sous le choc après avoir vu la bague que ton père m'a offerte au doigt d'une autre. J'étais d'autant plus surprise que tu ne l'avais pas donnée à Corinne. Tu peux le comprendre, n'est-ce pas ?

— Tu as contrarié Eva.

— C'est ce qu'elle t'a dit ? Je n'en avais nullement l'intention. Peu importe. Ton père était très protecteur, lui aussi. Tu lui ressembles tellement.

Je détournai les yeux et fixai sans les voir les arbres au-delà de l'allée. Lorsqu'elle me comparait à mon père, je ne savais jamais comment le prendre. S'agissait-il d'une louange ou d'un compliment équivoque ? Difficile à dire, avec ma mère.

— Gideon... je t'en prie, je fais des efforts. J'ai tenu à Eva des propos dont je me repens, et elle a répliqué comme n'importe quelle femme l'aurait fait à sa place. Je cherche juste à arranger les choses. Je suis heureuse pour toi, Gideon, ajouta-t-elle en posant la main sur ma poitrine, à l'endroit du cœur. Et je me réjouis tant que vous passiez du temps ensemble, Ireland et toi. Je sais toute l'importance qu'elle y attache.

Je repoussai doucement sa main.

— J'y attache beaucoup d'importance, moi aussi. Et c'est Eva qui a rendu cela possible. C'est l'une des raisons qui font que je ne veux pas qu'on la perturbe. Pas maintenant. Elle doit travailler, demain matin.

— Envisageons un déjeuner dans le courant de la semaine, alors. Ou un dîner.

— Chris sera là ? demanda Eva par la vitre de la voiture avant d'ouvrir la portière et de descendre.

Elle se campa fièrement sur ses jambes, si petite et si lumineuse devant l'imposante Bentley noire, irréductible à sa façon.

Ma femme était disposée à guerroyer contre la terre entière pour moi. Un miracle en soi. Personne ne s'était jamais battu pour moi, et j'avais trouvé le moyen de dénicher la seule personne capable de le faire.

Ma mère esquissa un sourire forcé.

— Bien sûr. Nous formons une équipe, Chris et moi.

Ses traits crispés ne m'échappèrent pas et je doutai du bien-fondé de ses intentions.

— C'est envisageable, concédai-je cependant. Appelez Scott demain, nous trouverons le moyen d'arranger cela.

Le visage de ma mère s'illumina.

— Je suis ravie. Merci.

Elle m'étreignit et je me raidis tant l'effort que je dus fournir pour ne pas la repousser était grand. Elle s'approcha d'Eva, les bras écartés, mais ma femme prit les devants et lui tendit la main. Leur poignée de main fut maladroite, chacune étant visiblement sur la défensive.

Ma mère ne voulait pas de querelles ; elle cherchait un terrain d'entente qui lui permettrait de faire comme si tout allait bien.

Après les au revoir d'usage, je me glissai au volant et démarrai, laissant le domaine des Vidal derrière moi. Il ne s'écoula guère plus de quelques secondes avant qu'Eva lâche :

— À quand remonte cette discussion avec ta mère ?

Je jurai intérieurement. Je ne savais que trop bien ce que signifiait ce ton mordant.

Je posai la main sur son genou.

— Je ne veux pas que tu te soucies de ma mère.

— Tu ne veux pas que je me soucie de quoi que ce soit ! Ce n'est pas comme ça qu'on va avancer. Permets-moi de te rappeler que tu n'as pas à te coltiner tous les problèmes seul.

— Ce que ma mère dit ou fait n'a aucune importance, Eva. Je m'en contrefous et tu devrais en faire autant.

Elle se tourna vers moi.

— Tu ferais bien de commencer par partager ce que tu sais avec moi. Surtout quand il s'agit de choses qui me concernent, comme le fait que ta mère soit venue te voir pour me débiner !

— Je ne supporte pas que tu t'énerves pour rien, répondis-je en accélérant alors que nous abordions un tournant.

— Il vaut mieux pour toi que je m'énerve pour rien plutôt qu'à cause de toi ! répliqua-t-elle. Arrête-toi.

— Quoi ? répondis-je en lui jetant un coup d'œil.

— Arrête cette putain de bagnole !

Ma main quitta son genou pour agripper le volant.

— Dis-moi pourquoi.

— Parce que je suis furieuse contre toi, que tu m'énerves d'être aussi sexy quand tu conduis et que je veux que tu t'arrêtes.

Mon exaspération se teinta d'amusement.

— Que j'arrête quoi ? D'être aussi sexy ou de conduire ?

— Gideon, ne me pousse pas à bout.

Résigné, je ralentis et me garai sur le bas-côté de la route.

— Ça va mieux ?

Elle sortit, contourna la voiture par l'avant. Je descendis à mon tour et l'interrogeai du regard.

— C'est moi qui conduis, décréta-t-elle. Au moins jusqu'à ce qu'on ait rejoint la ville.

— Si ça peut te faire plaisir.

Je ne connaissais pas grand-chose aux relations de couple mais, lorsque votre femme était furieuse contre vous, ce genre de concession relevait du simple bon sens. Surtout quand on entretenait l'espoir de la culbuter à l'arrivée – ce qui était mon cas. Après ce week-end festif en compagnie de nos amis, puis d'Ireland, j'éprouvais le besoin de conclure en beauté en montrant à ma femme à quel point je l'aimais.

— Ne me regarde pas comme ça, marmonna-t-elle.

— Comment ? répliquai-je en la déshabillant du regard.

Elle était à croquer dans sa petite robe bain de soleil. La soirée avait beau être chaude et moite, Eva apparaissait si fraîche que j'avais envie de me déshabiller et de me plaquer contre elle pour me rafraîchir – avant de faire monter la température.

— Comme si j'étais une bombe à retardement sur le point d'exploser ! rétorqua-t-elle en croisant les bras. Je ne suis pas folle, tu sais.

— Mon ange, je ne te regardais pas du tout ainsi.

— Et n'essaie surtout pas de me distraire avec des sous-entendus, ou je fais la grève du sexe pendant une semaine !

Je croisai les bras à mon tour.

— Nous avons déjà débattu de ce genre d'ultimatums. Tu as le droit de pester contre moi autant que tu veux, Eva, mais j'ai le droit de te prendre quand je veux. Un point, c'est tout.

— Que je le veuille ou non ?

— De la part d'une femme qui s'excite rien qu'en me regardant conduire, la question de manque pas de sel !

— Tu me donnes envie de t'abandonner au bord de la route, menaça-t-elle, les sourcils froncés.

De toute évidence, je ne maîtrisais pas la situation aussi bien que je l'aurais souhaité. J'optai donc pour un changement de tactique et passai à l'offensive.

— Tu ne me dis pas tout non plus, ripostai-je. Bizarrement, tu ne me parles plus de Kline. Aurait-il cessé de communiquer avec toi depuis San Diego ?

Je m'étais retenu de poser cette question tout le weekend, alors que je crevais d'envie de savoir ce que Kline comptait faire vis-à-vis d'Eva.

Je ne savais trop ce que je souhaitais. S'il la contactait au sujet de la vidéo qu'il ne possédait plus, Eva en souffrirait, mais cela l'inciterait à se rapprocher de moi. S'il faisait passer son bien-être avant et s'effaçait, cela trahirait des sentiments plus profonds que ceux que je lui prêtais. Je ne supportais pas qu'il la désire, et l'idée qu'il puisse éprouver pour elle des sentiments sincères me terrifiait.

— Attends ! s'écria-t-elle. Tu as encore fouillé dans mon portable ?

— Non, répondis-je vivement. Tu n'aimes pas ça.

Je suivais ses moindres mouvements, je savais où elle était et avec qui à chaque instant de la journée, mais elle avait posé une limite très ferme en ce qui concernait son portable et je la respectais, même si cela me rendait dingue.

Elle me dévisagea un instant et sut que je disais la vérité.

— Brett m'a envoyé quelques textos, admit-elle. J'avais l'intention de t'en parler, alors n'essaie pas de dire que c'est la même chose. J'avais vraiment l'intention de t'en parler, alors que toi, pas du tout.

Une voiture arriva à fond de train sur la route et je ne pensai plus qu'à sa sécurité.

— Monte, on parlera dans la voiture.

Elle se glissa au volant et je claquai la portière. Quand je pris place à côté d'elle, elle avait déjà réglé le siège et les rétroviseurs à sa convenance et mis le contact.

À peine eut-elle démarré que la litanie de griefs reprit. Je ne l'écoutais que d'une oreille, sa façon de conduire la Bentley retenant toute mon attention. Eva roulait vite, faisait montre d'une assurance certaine, ses mains ne serrant que légèrement le volant. Son regard ne quittait pas la route, mais je n'arrivais pas à détacher les yeux d'elle. Ma belle Californienne. Sur une route déserte, elle était dans son élément.

Regarder Eva conduire ce puissant bolide m'excitait délicieusement. À moins que ce ne soit le contrecoup de sa harangue, du défi qu'elle venait de me lancer.

— Tu m'écoutes ? me demanda-t-elle soudain.

— Pas vraiment, mon ange. Et avant de t'énerver, laisse-moi te dire que c'est entièrement ta faute. Je te trouve tellement sexy au volant que je deviens affreusement distrait.

Sa main droite s'abattit sur ma cuisse.

— Ce n'est pas le moment de plaisanter !

— Je ne plaisante pas. Eva... tu veux que je te dise tout afin que tu puisses m'aider. J'ai compris. Et j'y travaille.

— Pas assez dur, apparemment.

— Je ne vois pas l'intérêt de te dire des choses qui ne feront que t'agacer inutilement.

— Nous devons être honnêtes l'un avec l'autre, Gideon. Pas quelquefois, tout le temps.

— Vraiment ? Je n'en attends pas autant de ta part. Je te laisse libre, par exemple, de garder pour toi les commentaires désobligeants de ton père et de Cary à mon sujet.

Elle pinça les lèvres, rumina un instant, puis :

— En partant de ce principe, je n'ai aucune raison de te parler de Brett.

— Faux. Kline a une incidence sur notre relation. Pas ma mère.

Elle ricana.

— C'est la vérité, persistai-je.

— Dois-je en déduire que le fait que ta mère raconte des horreurs sur moi ne te dérange pas ?

— Ça ne me plaît pas. Mais ça ne change rien à ce que je ressens pour toi, ou pour elle. Et t'en parler ne changera rien non plus aux sentiments que tu éprouves à son égard. Le résultat étant le même que je t'en parle ou pas, j'ai choisi l'option la moins perturbante.

— Parce que tu réfléchis comme un mec.

— J'espère bien, répondis-je en tendant la main pour écarter ses cheveux de son épaule. Ne la laisse pas créer des dissensions entre nous, mon ange. Elle n'en vaut pas la peine.

Eva me décocha un bref coup d'œil.

— Tu prétends que ce que dit ou fait ta mère ne t'affecte pas, or c'est faux.

Je fus tenté de nier, histoire de clore cette discussion, mais ma femme voyait tout ce que j'aurais préféré cacher.

— Je ne lui permets pas de m'affecter.

251

— Malgré tout, ça t'affecte. Ça te fait mal et tu le refoules, comme tu refoules tout ce que tu ne veux pas affronter.

— Ne joue pas au psy avec moi, répliquai-je.

Sa main me caressa la cuisse.

— Je t'aime. Je veux mettre un terme à ta souffrance.

— Tu l'as déjà fait, assurai-je en lui pressant la main. Tu m'as rendu tout ce qu'elle m'avait pris. Ne la laisse pas recommencer.

Le regard rivé sur la route, Eva porta nos mains jointes à ses lèvres et embrassa mon alliance.

— Compris.

Elle me décocha un sourire et j'en conclus qu'elle en avait terminé – pour le moment.

12

Je mets quiconque au défi de trouver vision plus suggestive que celle de Gideon Cross sous la douche.

Qu'il puisse faire courir ses mains de manière aussi terre à terre sur cette étendue de peau bronzée qui recouvrait des muscles ciselés à la perfection ne cessait de m'étonner. À travers la vitre embuée de la douche, je suivais des yeux les filets d'eau savonneuse qui ruisselaient sur son abdomen tout en reliefs durs avant de s'écouler le long de ses jambes. Son corps était une œuvre d'art, une machine qu'il entretenait à la perfection. J'aimais son corps. Le regarder, le toucher, le savourer.

Il étendit le bras pour essuyer la condensation du plat de la main et son beau visage m'apparut. Un sourcil aile de corbeau s'arqua en une interrogation silencieuse.

— J'admire le spectacle, expliquai-je.

Mes sens réagissaient au parfum de son savon, habitués qu'ils étaient à identifier cette fragrance comme appartenant à mon homme. Celui qui savait me faire jouir jusqu'au délire.

Je m'humectai les lèvres quand il savonna nonchalamment son sexe. Il m'avait un jour confié qu'il avait eu pour habitude de se masturber chaque fois qu'il prenait une douche, un soulagement qu'il considérait comme aussi naturel que de se brosser les dents. Connaissant l'ampleur de son appétit sexuel, je n'en étais pas étonnée. Je n'oublierais jamais son regard, le jour où il s'était masturbé devant moi sous la douche – puissant, viril, affamé de plaisir.

Depuis qu'il me connaissait, il avait délaissé ces plaisirs solitaires. Non parce qu'il n'aurait pas pu me satisfaire s'il l'avait fait, ni parce que je le satisfaisais suffisamment pour que ce soit devenu superflu. Il se trouvait juste que nous étions toujours prêts l'un pour l'autre parce que le désir qui nous animait allait bien au-delà du simple désir charnel.

Gideon me taquinait en prétendant qu'il s'économisait pour combler mon insatiable appétit, mais je connaissais la vraie raison de sa retenue – il me faisait don de son plaisir. Son plaisir n'appartenait qu'à moi. Il n'en prenait qu'avec moi et c'était un cadeau d'autant plus extraordinaire que son assouvissement sexuel avait autrefois été utilisé comme une arme contre lui.

— C'est un spectacle interactif, déclara-t-il, une lueur amusée dans les yeux. Rejoins-moi.

— Tu n'es qu'un animal.

Mes cuisses étaient encore humides de sa semence sous mon peignoir – il me réservait toujours le privilège de son érection du matin.

— Seulement avec toi.

— Hou ! Bonne réponse.

Un sourire satisfait se peignit sur ses lèvres et son sexe s'allongea.

— Je mérite une récompense.

Je quittai le seuil et traversai la salle de bains.

— Quelle récompense suggères-tu ?

— Celle qui te plaira.

Encore un autre cadeau. Gideon cédait rarement le contrôle et ne le cédait jamais qu'à moi.

— Je n'ai pas le temps de te rendre justice, champion. Ce serait dommage de devoir s'interrompre au meilleur moment, répondis-je en posant la main sur la paroi vitrée. Que dirais-tu de remettre ça à ce soir ? Toi, moi et la récompense de mon choix ?

Il pivota pour me faire face et plaça sa main contre la mienne sur la vitre. Je sentis la caresse brûlante de son regard. Son visage était impassible, un masque splendide qui ne révélait rien. Mais ses yeux – d'une profondeur stupéfiante – exprimaient tendresse, amour et vulnérabilité.

— Je suis tout à toi, mon ange, dit-il, si doucement que je lus les mots sur ses lèvres plus que je ne les entendis.

Je pressai un baiser contre la vitre.

— Oui, acquiesçai-je. Tout à moi.

Une nouvelle semaine. Gideon au taquet, fidèle à lui-même. Il commençait à travailler dès que la Bentley démarrait, ses doigts voletant au-dessus du clavier intégré à la tablette rabattable. Je ne me lassais pas de l'observer tant je trouvais sexy son assurance et sa concentration. J'étais mariée à un homme puissant et motivé, et le regarder faire étalage de cette ambition m'excitait prodigieusement.

J'étais tellement absorbée dans ma contemplation que la vibration de mon téléphone me fit sursauter. Je plongeai la main dans mon sac.

Le nom et la photo de Brett apparurent à l'écran. Si je voulais qu'il cesse d'appeler, il allait bien falloir que je le lui demande. Je décrochai.

— Allô ? répondis-je prudemment.

— Eva.

Sa voix, au timbre désormais célèbre, m'atteignit avec la même force que d'ordinaire, mais pas de la même façon. J'aimais sa manière de chanter, mais cet amour n'avait plus rien d'intime. Plus rien de personnel. Je l'admirais comme j'admirais des dizaines d'autres chanteurs.

— Bordel, ça fait une semaine que j'essaie de te joindre !

— Je sais. J'ai été très occupée, désolée. Comment vas-tu ?

— Je me suis senti mieux. J'ai besoin de te voir.

Je haussai les sourcils.

— Quand comptes-tu venir à New York ?

Il eut un rire rauque, un rire sans joie qui sonna désagréablement à mon oreille.

— Incroyable. Écoute, je préfère ne pas m'étendre par téléphone. Est-ce qu'on peut se voir aujourd'hui ? Il faut qu'on parle.

— Tu es à New York ? Je croyais que tu étais en tournée ?

Le rythme de frappe ultrarapide de Gideon demeura le même et il ne me regarda pas, mais je perçus un changement s'opérer en lui. Il savait avec qui je parlais et il écoutait.

— Je t'expliquerai ce qui se passe quand je te verrai, dit Brett.

Nous étions arrêtés à un feu rouge et je contemplai le flot des piétons qui traversaient la rue. New York est une ville grouillante de vie et d'énergie, qui s'adapte en permanence aux évolutions du commerce mondial.

— Je suis en route pour le bureau. Qu'est-ce qui se passe, Brett ?

— Je peux te retrouver à l'heure du déjeuner. Ou à la fin de ta journée de travail.

J'eus envie de refuser, mais son ton déterminé m'incita à réfléchir à deux fois.

— D'accord.

Je posai la main sur la cuisse de Gideon. Même au repos, ses muscles étaient durs sous ma paume. Ses costumes taillés sur mesure lui conféraient un aspect civilisé, mais je savais à quel point le corps qu'ils dissimulaient était vigoureux.

— Je peux te voir à l'heure du déjeuner si on ne s'éloigne pas trop du Crossfire.

— Très bien. À quelle heure veux-tu que je passe ?

— Un peu avant midi, ce serait parfait. Je te retrouverai dans le hall.

Je raccrochai et rangeai mon téléphone dans mon sac. La main de Gideon se referma sur la mienne. Je lui jetai un coup d'œil, mais il était occupé à lire un long mail, la tête légèrement inclinée en avant, les pointes de ses cheveux lui effleurant la mâchoire.

La chaleur de sa main se communiqua à la mienne. Je baissai les yeux sur l'anneau qu'il portait à l'annulaire, celui qui proclamait au monde entier qu'il m'appartenait.

Ses associés regardaient-ils ses mains ? Ce n'étaient pas celles d'un homme qui manipule du papier ou pianote toute la journée sur un clavier d'ordinateur. C'était les mains d'un combattant, d'un guerrier qui pratiquait les arts martiaux et évacuait son agressivité en cognant contre des punching-balls et des coachs.

Je me débarrassai de mes chaussures, repliai les jambes sous moi et me blottis contre Gideon. Je posai mon autre main sur la sienne, fis glisser mes doigts écartés entre les siens et calai la tête sur son épaule en veillant à ne pas risquer de laisser des traces de maquillage sur sa veste noire.

J'inhalai son odeur, sa proximité me procurant immédiatement le réconfort que je cherchais. La fragrance naturelle de sa peau altérait celle de son savon, la transformant en un parfum encore plus riche et troublant.

Un parfum qui avait le don de m'apaiser.

— Je n'ai rien à lui donner, murmurai-je, tenant à ce qu'il le sache. Je te donne déjà tout.

Son torse se gonfla comme il prenait une courte inspiration. Il referma son clavier, puis se tapota les cuisses.

— Viens ici.

Je me glissai sur ses genoux et soupirai de bonheur quand nos corps s'emboîtèrent à la perfection. Je chérissais chaque instant de paix partagé avec Gideon. Il avait besoin d'un répit que j'étais heureuse de lui offrir.

Ses lèvres m'effleurèrent le front.

— Tout va bien, mon ange ?

— Je suis dans tes bras. Je ne désire rien d'autre.

À notre arrivée, je repérai trois paparazzis devant le Crossfire.

La main au creux de mes reins, Gideon me guida jusqu'à l'entrée et nous pénétrâmes rapidement quoique sans précipitation dans le hall climatisé.

— Bande de vautours, marmonnai-je.

— Que veux-tu, nous formons un couple très photogénique.

— Votre modestie ne cessera jamais de m'étonner, monsieur Cross.

— C'est vous qui mettez mon charme en valeur, madame Cross.

Une fois dans l'ascenseur, Gideon m'entraîna vers le fond de la cabine. Il passa un bras autour de ma taille, posa la main sur mon ventre et m'incita à me laisser aller contre son torse ferme.

Je savourai ce bref instant et m'interdis de penser au travail ou à Brett avant que nous nous séparions au vingtième étage.

Quand j'aperçus Megumi de l'autre côté des portes vitrées, je ne pus m'empêcher de sourire. Elle avait rafraîchi sa coupe de cheveux et s'était verni les ongles en rouge vif. De petits détails qui indiquaient qu'elle retrouvait le moral, ce qui ne pouvait que me faire plaisir.

— Salut, toi, dit-elle en se levant pour m'accueillir.

— Tu es toute belle.

Son sourire s'élargit.

— Merci. Alors, comment ça s'est passé avec la sœur de Gideon ?

— Génial. Elle est très rigolote. Je fonds complètement quand je les vois ensemble.

— Moi, il suffit que je le voie tout seul pour que je fonde. Tu as vraiment trop de chance. J'ai transféré un appel sur ta ligne tout à l'heure pour qu'on te laisse un message.

— Un homme ? demandai-je, pensant aussitôt à Brett.

— Non, une femme.

— D'accord, je vais voir ça. Merci, Megumi.

Je filai à mon bureau. Tandis que je m'installais, mon regard s'attarda sur le pêle-mêle de photos de Gideon et de moi. Je ne lui avais toujours pas parlé de Crossroads. Je n'avais pas trouvé le bon moment au cours du week-end, la visite d'Ireland nous ayant un peu bousculés.

Je savais qu'il n'avait pas fermé l'œil au cours de la nuit qu'elle avait passée chez nous. J'avais espéré qu'il y parviendrait, quoique sans trop y croire. Je ne pouvais penser sans souffrir à son combat intérieur, à ses craintes et à ses frayeurs. À la honte, aussi, qui l'habitait et à sa certitude d'être brisé. Irréparable.

Il n'arrivait pas à voir ce que je voyais en lui – une âme généreuse qui cherchait désespérément à faire partie de quelque chose de plus grand que lui. Il n'avait pas conscience d'être un miracle. Quand il ne savait pas quoi faire dans une situation donnée, il laissait son instinct et son cœur lui dicter ses actes. En dépit

259

de tout ce qu'il avait subi, il avait su garder intacte sa capacité à ressentir et à aimer.

Il m'avait sauvée, de tant de façons. Je devais faire tout ce qui était possible pour le sauver à son tour.

J'écoutai mes messages. Quand Mark arriva, je m'empressai de le rejoindre, un grand sourire aux lèvres.

— Qu'est-ce qui te met dans cet état ? demanda-t-il en haussant les sourcils.

— Une fille de chez LanCorp a appelé ce matin. Ils veulent nous rencontrer cette semaine pour préciser leurs attentes concernant le lancement de PhazeOne.

Une étincelle qui m'était familière s'alluma dans ses yeux sombres. Mark était beaucoup plus heureux depuis qu'il s'était fiancé avec Steven, mais quand il se consacrait à un nouveau projet, ce n'était pas la même énergie qui l'animait.

— On ira loin, toi et moi, Eva.

Je bondis sur place.

— *Yes* ! Je suis sûre qu'ils te mangeront dans la main une fois qu'ils t'auront rencontré.

— Tu es douée pour booster ma confiance, Eva.

— Je suis douée, point final, répliquai-je avec un clin d'œil.

Nous consacrâmes la matinée à étudier les concurrents potentiels de PhazeOne et je me rendis très vite compte que le seul concurrent sérieux était la console nouvelle génération GenTen – produite par Cross Industries. Je le fis remarquer à mon boss et demandai :

— Que je travaille avec toi sur ce projet ne risque pas de poser un problème ? LanCorp pourrait estimer qu'il y a conflit d'intérêts, non ?

Il s'adossa à son fauteuil.

— Ça ne devrait pas poser de problème, répondit-il après réflexion. Si notre projet est sélectionné, le fait que tu sois fiancée à Gideon Cross ne fera aucune différence. Ils prendront leur décision en se fondant sur notre capacité à transmettre la vision qu'ils ont de leur produit.

J'aurais aimé être soulagée, mais ce ne fut pas le cas. Si nous décrochions la campagne PhazeOne, j'allais aider l'un des concurrents de Gideon à lui souffler une part du marché. Ce qui m'ennuyait énormément. Le travail de titan que Gideon avait accompli pour débarrasser le nom de Cross de son aura infamante lui valait admiration, respect et une bonne dose de crainte. Je n'avais jamais voulu me retrouver dans le camp de ses adversaires.

J'avais cru disposer d'un peu plus de temps avant d'être obligée de prendre une décision. Et je me retrouvais contrainte de choisir entre mon indépendance et mon amour pour Gideon.

Ce dilemme me tracassa toute la matinée au point de saper toute l'excitation que m'inspirait jusqu'alors ce projet. Et quand l'heure du déjeuner approcha, Brett accapara mes pensées.

Il était temps que j'assume mes responsabilités quant au désordre que j'avais créé. C'était moi qui avais ouvert la porte à Brett, et je l'avais laissée ouverte parce que j'avais été incapable d'y voir clair. Je devais impérativement régler ce problème avant qu'il ne s'immisce davantage dans ma vie conjugale.

Je demandai à Mark la permission de partir un peu plus tôt et gagnai le rez-de-chaussée cinq minutes avant midi. Brett m'attendait déjà près de la porte d'entrée, les mains enfoncées dans les poches de son jean. Il portait un tee-shirt blanc, des sandales, et ses lunettes de soleil étaient relevées sur sa tête.

Je ralentis le pas. Pas seulement parce qu'il était sexy, ce qui était indéniable, mais parce qu'il paraissait singulièrement déplacé dans le hall du Crossfire. Quand il était passé me prendre pour le lancement de la vidéo à Times Square, nous nous étions retrouvés devant l'immeuble. Là, il occupait un emplacement trop proche de celui où Gideon et moi avions fait connaissance. Toute considération financière ou vestimentaire mise à part, le contraste qu'il y avait entre eux me frappa.

Un sourire apparut sur les lèvres de Brett quand il me vit et il se redressa de cette façon qu'ont les hommes lorsque quelque chose suscite leur intérêt sur le plan sexuel. Les autres. Pas Gideon. La première fois que j'avais rencontré mon mari, ni sa voix ni son corps n'avaient révélé son intérêt. Seuls ses yeux l'avaient trahi l'espace d'un court instant.

Je n'avais réalisé que plus tard ce qui s'était passé à ce moment-là.

Gideon m'avait faite sienne… et s'était donné à moi en retour. D'un seul regard. Il m'avait reconnue dès qu'il m'avait vue. Il m'avait fallu plus longtemps encore pour comprendre ce que nous représentions l'un pour l'autre. Ce que nous étions destinés à former.

Je ne pus m'empêcher de comparer le regard tendre et possessif de Gideon au regard de pur désir dont Brett m'enveloppa.

Il me parut soudain évident que Brett ne m'avait jamais considérée comme sienne. Pas comme Gideon. Brett m'avait désirée, et me désirait encore, mais même après m'avoir conquise, il n'avait revendiqué aucun droit sur moi et ne m'avait certes jamais rien donné de son côté. Rien de personnel, rien d'authentique.

Gideon. Je levai les yeux et cherchai du regard l'un des globes sombres encastrés dans le plafond qui dissimulaient les caméras de sécurité. Dès que j'en eus repéré un, je portai la main à mon cœur. Je savais que mon mari ne regardait probablement pas. Il aurait fallu qu'il se trouve dans la salle de contrôle des écrans de surveillance pour me voir et il était bien trop occupé pour y songer, pourtant...

— Eva.

Ma main retomba le long de mon corps et je regardai Brett s'avancer vers moi de ce pas tranquille de l'homme sûr de son charme et certain de son succès.

Il ouvrit les bras dans l'intention de m'étreindre, mais je reculai et lui tendis la main gauche, comme je l'avais fait à San Diego. Plus jamais je n'infligerais à Gideon une souffrance semblable à celle qu'il avait éprouvée le jour où il m'avait surprise en train d'embrasser Brett.

Ce dernier haussa les sourcils et son regard perdit toute chaleur.

— Vraiment ? Alors on en est là ?

— Je suis mariée, lui rappelai-je. S'étreindre serait malvenu.

— Et les meufs avec qui Cross s'exhibe dans tous les tabloïds, ce n'est pas malvenu ?

— Tu ne me feras pas croire que tu gobes tous les bobards écrits dans la presse, Brett. Pas toi.

Les lèvres pincées, il enfonça de nouveau les mains dans ses poches.

— Tu peux croire tout ce que dit la presse à propos de mes sentiments à ton égard.

— C'est toi qui y crois, je pense, répliquai-je.

Une sorte de tristesse s'empara de moi à l'idée qu'il ignorait ce que nous partagions, Gideon et moi, parce qu'il n'en avait jamais fait l'expérience. Je lui souhaitais de le découvrir un jour. Brett n'était pas méchant. Il ne m'était pas destiné, voilà tout.

Étouffant un juron, il désigna la porte.

— Tirons-nous d'ici.

Je me sentis tiraillée. Certes, je voulais que cet entretien soit privé, mais j'aurais aussi voulu qu'il y ait des témoins susceptibles de rassurer Gideon. Dans un cas comme dans l'autre, nous ne pouvions pourtant pas espérer pique-niquer dans le hall du Crossfire.

— Je me suis fait livrer des sandwiches, tout à l'heure, dis-je en le suivant à regret. Cela nous laissera un peu plus de temps pour parler.

Brett acquiesça d'un air sombre et tendit la main vers le sac en papier que j'avais à la main.

Je l'emmenai à Bryant Park, slalomant à ses côtés parmi la foule, toujours plus dense à l'heure du déjeuner. Un véritable concert de klaxons tentait de rappeler à l'ordre la cohorte de piétons trop pressés pour respecter les feux. L'asphalte miroitait car le soleil était assez haut pour darder ses rayons entre les gratte-ciel. La sirène d'une voiture de police résonna, stridente, mais demeura sans effet sur l'encombrement de la chaussée.

C'était Manhattan un jour ordinaire, et j'adorais cela. Brett, en revanche, était visiblement irrité par la danse incessante et compliquée que la ville exigeait lorsqu'on la traversait.

À l'entrée du parc, nous trouvâmes une table et des chaises libres à l'ombre, près du manège. Brett sortit les sandwiches, les chips et les bouteilles d'eau que j'avais apportés, mais aucun de nous ne se décida à manger. Je préférai quant à moi scruter les alentours, consciente que nous risquions d'être photographiés.

J'y avais réfléchi avant de décider de déjeuner au parc, mais j'avais préféré courir ce risque plutôt que de me retrouver coincée avec Brett dans un restaurant bondé et bruyant. Je m'appliquai toutefois à adopter une posture signifiant clairement aux yeux du monde que Brett et moi n'étions rien de plus que des amis. Je tenais à faire savoir à mon mari de toutes les façons possibles que Brett et moi nous étions vraiment fait nos adieux.

— Tu t'es fait des idées à San Diego, déclara Brett abruptement, ses lunettes de soleil dissimulant ses yeux. Il n'y a rien de sérieux entre Brittany et moi.

— Ça ne me regarde pas, Brett.

— Tu me manques. Elle me fait penser à toi, des fois.

Ce commentaire plus que maladroit – et peu flatteur – me fit grimacer. J'eus un geste fataliste de la main.

— Je n'aurais pas pu retourner avec toi, Brett. Pas après Gideon.

— Tu dis ça maintenant.

— Il me donne l'impression de lui être aussi indispensable que l'air qu'il respire. Je ne pourrais pas me contenter de moins.

Je n'eus pas besoin d'ajouter que Brett ne m'avait jamais procuré cette sensation. Il le savait.

Il contempla un instant ses mains, puis se contorsionna et sortit son portefeuille de la poche arrière de son jean. Il en tira une photo pliée en deux et la posa devant moi.

— Regarde ça, fit-il d'une voix tendue, et dis-moi qu'on n'était pas connectés, toi et moi.

Je pris la photo, l'ouvris et fronçai les sourcils. C'était une photo de Brett et moi, prise sur le vif, en train de rire ensemble de quelque chose dont je n'avais gardé aucun souvenir. Je reconnus le décor du *Pete's Bar* à l'arrière-plan. Des visages flous nous entouraient.

— Où l'as-tu trouvée ? demandai-je.

À une époque, j'aurais tout donné pour posséder une telle photo de nous deux ; j'y aurais vu la preuve que j'étais autre chose pour lui qu'un plan cul.

— C'est Sam qui l'a prise après un concert.

Le nom de Sam Yimara me rappela aussitôt la sextape et je me raidis. Je regardai Brett, les mains soudain si tremblantes que je dus reposer la photo.

— Tu es au courant de...

Je fus incapable d'achever ma phrase. Il apparut que ce n'était pas nécessaire.

La mâchoire de Brett se crispa. Des gouttes de sueur lui emperlaient le front et le dessus de la lèvre supérieure. Il hocha la tête.

— Je l'ai vue, oui.

— Ô mon Dieu ! soufflai-je en m'écartant de la table, des images de ce qui risquait de figurer sur cette vidéo se bousculant dans ma tête.

À cette époque, mon besoin d'attirer l'attention de Brett était tel que je n'avais plus aucun respect pour moi-même, et ce souvenir me faisait atrocement honte.

— Eva, dit-il en tendant la main vers moi, ce n'est pas ce que tu crois. Quoi que t'ait dit Cross à propos de cette vidéo, je te promets qu'il n'y a rien de moche. Il y a quelques séquences un peu sauvages, mais c'était comme ça entre nous.

Non... Sauvage, c'était ce que je partageais avec Gideon. Ce que j'avais partagé avec Brett était bien plus sombre, plus malsain. Je serrai mes mains tremblantes l'une contre l'autre.

— Combien de personnes l'ont vue ? Est-ce que tu l'as montrée à... Est-ce que le groupe l'a vue ?

Il n'eut pas besoin de répondre ; je lus la réponse sur son visage. Je me sentis gagnée par la nausée.

— Qu'est-ce que tu veux, Brett ?

— Je veux...

Il releva ses lunettes et se frotta les yeux.

— Putain, c'est toi que je veux, Eva. Je veux qu'on soit ensemble. Je sais que ce n'est pas fini entre nous.

— Il n'y a jamais eu de début, Brett.

— Je sais que c'est ma faute. Je veux que tu me donnes une chance d'arranger les choses.

— Je suis mariée ! objectai-je, stupéfaite.

— Tu n'aurais pas dû, Eva. Tu crois que tu connais Cross, mais tu te trompes.

J'avais soudain envie de me lever et de m'enfuir à toutes jambes.

— Je sais qu'il ne montrerait jamais d'images intimes de nous à personne ! Il a trop de respect pour moi.

— On a visionné cette vidéo pour savoir si elle avait un quelconque intérêt pour le groupe, Eva. Pour en tirer des extraits documentaires.

— Tu aurais pu commencer par la regarder seul ! répliquai-je, affreusement embarrassée de me trouver en public. Supprimer les passages intimes avant de la montrer à d'autres.

— Sam n'a pas filmé que nous. Il a filmé les autres, aussi.

— Mon Dieu !

Il s'agita sur sa chaise et mes doutes s'amplifièrent.

— Il t'a filmé avec d'autres filles, devinai-je, de plus en plus nauséeuse. Quelle importance ça pouvait bien avoir de visionner ça tout seul, en effet, puisque je n'étais qu'une fille parmi tant d'autres.

— Ce n'était pas pareil avec toi, Eva, dit-il en se penchant vers moi. Je me sentais différent. J'étais trop jeune, trop centré sur moi-même pour le comprendre à l'époque. Il faut que tu la voies, Eva. Les images sont parlantes.

Je secouai violemment la tête.

— Je ne veux pas la voir. Jamais. Tu es malade ou quoi ?

C'était un mensonge. J'étais dévorée de curiosité. Qu'y avait-il exactement dans cette vidéo ? Sous quel jour est-ce que j'apparaissais ?

— Et merde, cracha-t-il en retirant ses lunettes qu'il jeta sur la table. Je ne voulais pas parler de cette putain de vidéo.

Son attitude défensive – épaules crispées, bouche formant un pli dur – me fit douter de la sincérité de cette déclaration.

Quoi que t'ait dit Cross...

Je n'ignorais pas que Gideon connaissait l'existence de cette sextape. Et Brett devait savoir qu'il faisait tout pour l'enterrer. Sam Yimara le lui avait forcément dit.

— Qu'est-ce que tu veux ? demandai-je de nouveau. Qu'y avait-il de si urgent pour que tu viennes à New York ?

J'attendis sa réponse, le cœur battant. Il régnait une chaleur insupportable, mais j'étais couverte d'une sueur glacée. Brett n'était pas venu me dire qu'il m'aimait – pas après que je l'eus surpris avec Brittany. Il n'était pas venu me dire de me méfier de Gideon – je l'avais déjà épousé. Il n'aurait pas pu se retrouver à Manhattan au beau milieu de sa tournée sans que tout le groupe ait donné son accord. Ainsi que son label, Vidal Records. Pourquoi faire cela ? Qu'avaient-ils à gagner à interrompre leur tournée ?

Comme Brett s'obstinait à remâcher silencieusement sa colère, je choisis d'écouter mon instinct, me levai et fonçai vers le portail le plus proche.

Je l'entendis crier mon nom, mais je gardai la tête baissée, atrocement consciente des regards braqués sur moi. Je me donnais en spectacle, mais je ne pouvais pas m'arrêter. J'avais laissé mon sac derrière moi et je m'en moquais.

Sauve-toi. Mets-toi à l'abri. Va voir Gideon.

— Mon ange.

La voix de mon mari me fit trébucher. Je tournai la tête et le vis se lever de la chaise qu'il occupait près du piano du *Bryant Park Grill*. Détendu et élégant, apparemment insensible à la chaleur étouffante.

— Gideon.

L'inquiétude que je lus dans son regard et la douceur de ses bras tandis qu'il les refermait sur moi me redonnèrent des forces. Il avait deviné que cet entretien avec

Brett se passerait mal. Que je serais bouleversée et que j'aurais besoin de réconfort. Que j'aurais besoin de lui.

Et il était là. Je ne savais pas comment, et peu m'importait.

Je le serrai si fort que mes doigts s'enfoncèrent dans la chair de son dos.

— Chuut, me souffla-t-il à l'oreille. Je suis là.

Raúl se matérialisa près de nous, mon sac à la main, sa posture ajoutant à l'impression d'être protégée que le corps de Gideon me procurait. La panique qui m'avait saisie reflua. Je n'étais plus en chute libre. Gideon était mon filet, toujours prêt à me rattraper.

Il m'aida à descendre les marches au bas desquelles la Bentley nous attendait, Angus ouvrant déjà la portière. Je grimpai à l'intérieur et Gideon me suivit. Ses bras m'enveloppèrent quand je me blottis contre lui.

Nous étions revenus au même point que ce matin, mais en l'espace de quelques heures, tout avait changé.

— Je maîtrise la situation, murmura-t-il. Fais-moi confiance.

Je relevai le nez contre son cou.

— Ils veulent exploiter la vidéo, c'est ça ?

— Ils ne le pourront pas. Personne ne le pourra, m'assura-t-il d'un ton tranchant.

Je le crus sur parole. Et l'en aimai plus encore que je ne l'imaginais possible.

L'après-midi ne fut pas des plus reposants. Pour éviter de penser à Brett, je focalisai mon attention sur les composants des consoles nouvelle génération, y compris ceux de GenTen. Résultat des courses, à 17 heures, toutes mes pensées étaient tournées vers Gideon.

Ce n'était plus seulement PhazeOne qui m'inquiétait. C'était moi, la fille que j'avais été autrefois. Cette sextape pouvait être bien plus néfaste pour le nom de

Cross que n'importe quelle offensive commerciale de ses concurrents.

J'adressai un texto à Gideon sans trop me faire d'illusions quant à la rapidité de sa réponse. *Tu es au bureau ?*

Réponse presque instantanée. *Oui.*

Je vais rentrer, tapai-je en retour. *J'aimerais te dire au revoir avant.*

Monte.

Je laissai échapper le souffle que je n'avais pas eu conscience de retenir.

Je serai là dans 10 min.

Megumi était déjà partie quand je passai devant l'accueil et je le rejoignis plus vite que prévu. La réceptionniste de Cross Industries était toujours fidèle au poste, ses longs cheveux roux tombant souplement sur ses épaules. Elle me gratifia d'un bref hochement de tête auquel je répondis d'un sourire imperturbable.

Scott n'était pas là, mais Gideon était assis à son bureau, occupé à étudier les documents étalés devant lui. Assis dans l'un des fauteuils, l'air détendu, Arash lui parlait. Tous deux avaient retiré leur veste.

Arash me jeta un coup d'œil quand je m'approchai et Gideon releva la tête. Malgré la distance qui nous séparait, le bleu de ses yeux me frappa. Son visage conserva sa beauté austère, tellement typique, mais son regard s'adoucit dès qu'il se posa sur moi.

Arash fit mine de se lever, mais je l'arrêtai d'un geste.

— Salut, dis-je. J'espère que vous l'empêchez de faire trop de bêtises.

— Quand il veut bien m'y autoriser, répondit l'avocat.

Il m'attrapa la main et m'attira vers lui pour faire claquer un baiser près de ma joue.

— Bas les pattes, dit Gideon, pince-sans-rire, en enroulant le bras autour de ma taille.

— Cette toute nouvelle tendance à la jalousie se révèle très divertissante, s'esclaffa Arash.

— Ton sens de l'humour l'est nettement moins, répliqua Gideon.

Je me laissai aller contre mon mari, savourant le contact de son corps ferme. Il ne cédait jamais un pouce de terrain, ne capitulait jamais. Sauf quand il me regardait.

— Je vous laisse, j'ai une réunion dans trente minutes, annonça Arash. Encore merci pour la soirée de vendredi, Eva. Je renouvellerais l'expérience avec plaisir.

— Je vous promets qu'il y aura une suite, répondis-je.

Je me tournai vers Gideon quand il eut quitté la pièce.

— Je peux te serrer dans mes bras ?

— Tu sais que tu n'as jamais besoin de demander.

Son regard était empreint d'une chaleureuse bienveillance qui me bouleversa.

— La cloison est transparente, fis-je observer.

— Laissons-les profiter du spectacle, murmura-t-il en m'enlaçant. Parle-moi, mon ange, ajouta-t-il, comme je me cramponnais à lui.

— Je n'en ai pas envie. Je veux entendre ta voix. Dis-moi ce que tu veux, n'importe quoi.

— Kline ne pourra pas te faire de mal. Je te le promets.

Je fermai les yeux.

— Ne me parle pas de lui. Parle-moi de ton travail.

— Eva...

Je le sentis se tendre, perçus ses doutes et ses craintes.

— J'ai juste envie de fermer les yeux, expliquai-je. De te sentir contre moi et de t'entendre. Rien qu'une minute, et après ça ira mieux.

Il cala le menton sur le sommet de ma tête et me caressa le dos.

— On va partir, toi et moi. Bientôt. Au moins une semaine – même si je préférerais que ce soit deux.

Je me disais qu'on pourrait retourner à Crosswinds. Vivre nus et paresser...

— Tu es incapable de paresser. Surtout quand tu es nu !

— Surtout quand tu es nue, rectifia-t-il en me chatouillant le cou du bout du nez. Cela dit, je ne t'ai encore jamais eue nue toute une semaine. Tu pourrais bien m'épuiser.

— J'en doute, espèce d'obsédé. Mais je suis prête à faire de mon mieux.

— Ce ne sera pas une vraie lune de miel. Notre lune de miel durera un mois.

— Un mois ! m'exclamai-je en m'écartant de lui pour le dévisager, ravie. Mais l'économie new-yorkaise risque de s'effondrer si tu te retires des affaires aussi longtemps.

Il encadra mon visage de ses mains.

— Mon équipe est assez compétente pour survivre quelques semaines sans moi.

Je lui agrippai les poignets et libérai un peu de mon anxiété.

— Moi, je n'y arriverais pas. J'ai trop besoin de toi.

— Eva...

Il pressa ses lèvres sur les miennes, les agaçant du bout de la langue pour les forcer à s'entrouvrir.

Je plaquai la main sur sa nuque pour l'immobiliser et répondis à son baiser. Il m'attira contre lui, me hissant sur la pointe des pieds, et inclina la tête afin que notre baiser soit si étroitement scellé que nous partageâmes chaque souffle, chaque gémissement, chaque soupir.

Je pris une grande inspiration quand nous nous séparâmes.

— Quand comptes-tu rentrer à la maison ? demandai-je.

— Quand tu voudras.

— Lorsque tu auras fini ce que tu avais prévu de faire, alors. Tu as assez perdu de temps à cause de moi aujourd'hui, déclarai-je en lissant sa cravate qui n'en avait nul besoin. Tu ne te contentais pas de m'espionner, ce midi. Tu savais que mon entrevue avec Brett se passerait mal.

— C'est possible.

— Que tu m'aies espionnée ? Ou que tu aies su que ça se passerait mal ?

— Ne me reproche pas d'avoir été là. Tu aurais fait la même chose pour moi.

— Comment étais-tu courant de ce qu'il voulait ?

L'existence de la sextape le minait-elle autant que moi ? Ou était-ce ce que j'avais fait, celle que j'étais avant de le rencontrer ?

— Je sais que Christopher fait pression sur Kline et sur les autres membres du groupe.

— Pourquoi ? Pour t'atteindre ?

— En partie. Et parce que tu n'es pas la première blonde venue. Tu es Eva Tramell. Une personnalité à la mode.

— Je devrais peut-être me teindre les cheveux histoire de me débarrasser de l'étiquette de *Golden*. Je te plairais, en rousse ?

Je n'imaginais pas me teindre en brune étant donné le passé de Gideon avec les brunes. Je n'aurais pas supporté mon reflet dans la glace.

Il se ferma soudain comme une huître et le frisson qui courut sur ma nuque m'avertit de son changement d'humeur.

— Tu n'aimes pas cette idée ? insistai-je avant de me souvenir qu'il y avait aussi une rousse dans son passé – le Dr Anne Lucas.

— Je t'aime telle que tu es. Cela dit, si tu as envie de changer de couleur, je ne m'y opposerai pas. C'est ton corps, il t'appartient. Mais ne le fais pas à cause d'eux.

273

— Tu voudrais toujours de moi ?

Le pli de ses lèvres s'adoucit et ses traits perdirent de leur dureté en un instant.

— Et toi, tu voudrais toujours de moi si je me teignais en roux ?

— Hmm, fis-je en me tapotant le menton de l'index. Peut-être devrions-nous nous en tenir à ce que nous avons déjà.

Gideon déposa un baiser sur mon front.

— L'accord que nous avons conclu ne stipulait rien d'autre.

— L'accord que nous avons conclu stipule également que ce soir, je pourrai te faire tout ce que je veux.

— Il te suffit de nommer le lieu et l'heure.

— 20 heures ? Ton appartement de l'Upper West Side ?

— Notre appartement, corrigea-t-il avant de m'embrasser tendrement. J'y serai.

13

— À propos, félicitations pour vos fiançailles.

Mon regard passa du visage du chef de projet, qui apparaissait à l'écran, à celui de la photo d'Eva me soufflant un baiser.

— Merci.

J'aurais préféré ne regarder que ma femme. Un instant, je me la remémorai telle que je l'avais vue la veille, ses lèvres pulpeuses enserrant mon sexe. Je lui avais donné carte blanche et elle n'avait fait que me sucer. Encore et encore. Et encore. Je n'avais pensé qu'à cela toute la journée.

— Je vous tiendrai au courant de l'impact de la tempête, ajouta-t-il, interrompant le fil de mes pensées. J'apprécie que vous ayez pris la peine d'appeler personnellement pour avoir de nos nouvelles. Les conditions météo nous retarderont peut-être d'une semaine, deux au pire, mais l'ouverture aura lieu à la date prévue.

— On est couverts par l'assurance, de toute façon. Prenez soin de vous et de votre équipe en priorité.

— Entendu. Merci.

Je refermai la fenêtre de dialogue et vérifiai mon planning afin de savoir de combien de temps je disposais pour préparer mon rendez-vous avec le responsable de PosIT.

La voix de Scott résonna dans l'interphone.

— Christopher Vidal Senior sur la ligne un. C'est son troisième appel aujourd'hui. Je lui ai dit que vous le rappelleriez dès que possible, mais il insiste. Que voulez-vous que je fasse ?

Les appels de mon beau-père n'étaient jamais de bon augure. Remettre celui-ci à plus tard ne ferait qu'augmenter le temps qu'il me faudrait pour résoudre le problème qu'il voulait me soumettre.

— Je le prends, répondis-je en pressant le bouton de la ligne 1. Que puis-je faire pour vous, Chris ?

— Gideon, excuse-moi de te déranger, mais il faut absolument qu'on parle, toi et moi. Est-ce qu'il serait possible de se voir aujourd'hui ?

Intrigué par la tension dans sa voix, je décrochai le combiné et coupai le haut-parleur.

— Mon bureau ou le vôtre ?

— Non, chez toi.

Étonné, je me renversai contre le dossier de mon fauteuil.

— Je ne serai pas au penthouse avant 21 heures.

— Pas de problème.

— Tout le monde va bien ?

— Oui, tout le monde va bien. Ne t'inquiète pas.

— C'est à cause de Vidal, alors. On va s'en occuper.

Il laissa échapper un rire rauque.

— Tu es un type bien, Gideon. L'un des meilleurs que je connaisse. J'aurais dû te le dire plus souvent.

Je plissai les yeux, surpris par cette déclaration.

— J'ai quelques minutes, là. Dites-moi de quoi il s'agit en deux mots.

— Non, pas maintenant. Je te retrouve à 21 heures.

Il raccrocha et je gardai le combiné à la main une longue minute. Un nœud s'était formé dans mon ventre. Un nœud aussi froid et dur que la glace.

Je raccrochai finalement et me remis au travail, passant en revue la pile de dossiers que Scott avait posée devant moi un peu plus tôt. Mais dans un coin de ma tête, je continuais à cogiter.

Je savais d'expérience que je ne pouvais pas contrôler tous les faits et gestes des membres de ma famille. Je pouvais au mieux rattraper les bourdes de Christopher afin d'éviter à Vidal de couler. J'avais cependant franchi cette limite avec la vidéo d'Eva. Et rien de ce que dirait Chris n'y changerait quoi que ce soit.

L'heure du rendez-vous avec PosIT approchait quand la fenêtre de ma messagerie s'ouvrit sur mon écran. L'avatar d'Eva apparut.

J'ai encore ton goût dans la bouche. Miam. ☺

Un rire m'échappa et le nœud que je m'étais efforcé d'ignorer se défit. Eva était ma table rase. Mon nouveau départ.

Tout le plaisir était pour moi, répondis-je, apaisé.

— J'ai une piste.

Je tournai la tête et découvris Raúl qui entrait dans mon bureau. Il s'approcha d'un pas vif.

— Je n'ai pas fini d'éplucher la liste des invités présents à la soirée à laquelle vous avez assisté il y a deux semaines, mais je lance des recherches photo deux fois par jour et j'ai reçu une alerte sur celle-ci aujourd'hui. Je l'ai imprimée telle quelle, puis avec quelques zooms.

Je jetai un coup d'œil aux photos qu'il fit glisser vers moi, m'en emparai et les étudiai avec attention, une par une. On apercevait une femme rousse à l'arrière-plan. Sur chacun des clichés successifs, son image se précisait.

— Fourreau vert émeraude, longue chevelure rousse. C'est la femme qu'a vue Eva.

C'était aussi Anne Lucas. Quelque chose dans sa façon de se tenir, le visage détourné, fit naître en moi un malaise familier. Je levai les yeux vers Raúl.

— Elle n'était pas sur la liste des invités ?

— Pas officiellement, non. Mais elle était sur le tapis rouge, ce qui signifie qu'elle accompagnait quelqu'un. Je n'ai pas encore trouvé qui, mais j'y travaille.

Je me levai et repoussai mon fauteuil.

— Elle s'en est prise à Eva. Tu dois la tenir à distance de ma femme.

— Angus et moi sommes en train de revoir le protocole de sécurité.

J'attrapai ma veste sur le portemanteau.

— Si vous avez besoin de davantage d'hommes, faites-le-moi savoir.

— Entendu, répondit Raúl en récupérant les photos. Elle est à son cabinet, ajouta-t-il, devinant mes intentions. Elle y était encore il y a quelques minutes, en tout cas.

— Parfait. Allons-y.

— Monsieur ! lança la secrétaire en bondissant de son siège quand je passai devant elle. Vous ne pouvez pas entrer, le Dr Lucas est avec une patiente.

Je tournai la poignée de la porte et pénétrai dans le cabinet sans ralentir le pas.

Anne redressa vivement la tête et ses yeux verts s'écarquillèrent juste avant que sa bouche fardée s'incurve sur un sourire satisfait. La femme assise sur le canapé qui lui faisait face me fixa d'un air stupéfait et ravala ce qu'elle s'apprêtait à dire.

— Désolée, docteur Lucas, haleta la secrétaire. J'ai tenté de l'arrêter.

Anne se leva souplement sans me quitter des yeux.

— Une tâche impossible, Michelle. Ne vous inquiétez pas, je m'en occupe.

Une fois la secrétaire partie, Anne se tourna vers sa patiente.

— Nous allons devoir écourter la séance. Je vous prie de m'excuser pour cette grossière interruption, ajouta-t-elle, non sans me fusiller du regard. Il va de soi que je ne vous ferai pas payer. Voyez avec Michelle pour reprendre rendez-vous.

J'attendis sur le seuil que la patiente rassemble ses affaires, puis m'effaçai pour la laisser passer.

— J'aurais pu appeler la sécurité, déclara Anne en croisant tranquillement les bras.

— Après t'être donné tout ce mal pour m'attirer ici ? J'en doute.

— J'ignore de quoi tu parles. Mais cela me fait plaisir de te revoir.

— Je n'en dirai pas autant.

Son sourire se figea.

— Tu casses tes jouets, après quoi tu les jettes. Eva sait-elle que ses jours sont comptés ?

— Et toi ?

Son soudain malaise, visible dans son regard, eut raison de son sourire.

— Serait-ce une menace, Gideon ?

— Tu aimerais bien, répliquai-je en m'avançant vers elle. Cela pourrait rendre ton petit jeu plus intéressant.

Ses pupilles se dilatèrent et l'excitation que je lus dans ses yeux me répugna autant que l'odeur de son parfum.

Elle s'approcha de moi en ondulant des hanches, les talons de ses escarpins noirs à semelles rouges s'enfonçant dans l'épaisse moquette.

— Toi aussi, tu aimes bien jouer, mon chéri, ronronna-t-elle. Dis-moi, est-ce que tu t'es amusé à attacher ta jolie fiancée ? À la fouetter frénétiquement ? À lui enfoncer l'un de tes nombreux godemichés dans les fesses pendant que tu la besognais pendant des heures ? Te connaît-elle aussi bien que moi, Gideon ?

— Des centaines de femmes me connaissent aussi bien que toi, Anne. Tu te croyais exceptionnelle ? La seule chose dont je me souvienne à ton sujet, c'est ton mari. Sa rage impuissante quand il a su que je t'avais baisée.

Elle leva la main pour me gifler. Je la laissai faire et encaissai le coup sans broncher.

J'aurais aimé que ce que je venais de lui dire fût vrai, mais j'avais été d'une rare dépravation avec elle, son sourire et certains de ses gestes ayant malheureusement éveillé le fantôme de son frère...

Je lui saisis le poignet quand elle approcha la main de mon sexe.

— Laisse Eva tranquille. Je ne te le dirai pas deux fois.

— Elle est la faille dans ton armure, pauvre merde sans cœur. Tu as de la glace dans les veines, mais elle, elle saigne.

— Serait-ce une menace, Anne ? m'enquis-je posément, lui renvoyant ses paroles à la figure.

— Absolument, répliqua-t-elle en se libérant. L'heure de payer a sonné et tous tes milliards ne suffiront pas à rembourser ta dette.

— On surenchérit avec une déclaration de guerre ? Tu es idiote à ce point ? Ou tu te moques de ce que cela va te coûter ? Ta carrière... ton mariage... tout.

Je regagnai la porte d'un pas nonchalant alors même que je bouillonnais de rage. C'était à cause de moi que cette harpie s'acharnait sur Eva. C'était à moi de faire le ménage.

— Contente-toi de m'observer, Gideon, lança-t-elle dans mon dos. Tu verras bien ce qui se passera.

Je m'immobilisai, la main sur la poignée de la porte.

— Fais ce que tu veux, répondis-je. C'est toi qui as commencé, mais ne t'y trompe pas, c'est moi qui porterai le dernier coup.

— Avez-vous fait d'autres cauchemars depuis notre dernière séance ? demanda le Dr Petersen d'une voix tranquillement intéressée, sa tablette posée sur ses genoux.

— Non.

— À quelle fréquence diriez-vous qu'ils reviennent ?

J'avais adopté une posture aussi décontractée que la sienne, mais derrière la façade, j'étais irrité et agité. J'avais trop à faire en ce moment pour gaspiller ainsi une heure.

— Ces derniers temps, une fois par semaine. Parfois un peu moins.

— Qu'entendez-vous par *ces derniers temps* ?

— Depuis que je connais Eva.

Il nota quelque chose avec son stylet.

— Vous êtes confronté à des pressions qui ne vous sont pas familières à mesure que vous travaillez sur votre relation avec Eva, mais la fréquence de vos cauchemars décroît – du moins pour le moment. Comment l'expliquez-vous ?

— Je pensais que c'était vous qui étiez censé me l'expliquer.

Le Dr Petersen sourit.

— Je ne peux pas agiter une baguette magique et vous donner toutes les réponses, Gideon. Je ne peux que vous aider à faire le tri.

Je fus tenté d'attendre qu'il en dise davantage, de l'obliger à parler plus que moi. Mais la pensée d'Eva et des espoirs qu'elle plaçait dans ce que la thérapie pouvait nous apporter m'incita à poursuivre. Je lui avais promis d'essayer et je tiendrais parole. Dans une certaine mesure.

— Les choses s'apaisent entre nous. Nous sommes plus souvent en harmonie que le contraire.

— Avez-vous l'impression de mieux communiquer ?

— Je crois que nous sommes davantage capables de deviner les motivations qui sous-tendent nos actes. Nous nous comprenons mieux.

— Votre relation a évolué très rapidement. Vous n'êtes pas impulsif, pourtant, épouser une femme que vous connaissez depuis si peu de temps – et que, selon vos propres termes, vous découvrez encore – est extrêmement impulsif.

— Je n'ai pas saisi où se situait la question dans votre phrase.

— Simple observation.

Il laissa passer un moment, puis, voyant que je ne bronchais pas, reprit la parole.

— Être le conjoint d'une personne avec un passé comme celui d'Eva peut se révéler difficile. Son engagement vis-à-vis de la thérapie vous a aidés tous les deux ; il est tout à fait possible, cependant, qu'il continue à se produire en elle des changements qui risquent de vous surprendre. Cela sera stressant pour vous.

— Je ne suis pas facile à vivre non plus, répliquai-je, pince-sans-rire.

— Vous êtes un survivant d'un autre genre. Avez-vous déjà eu l'impression que vos cauchemars s'aggravaient en période de stress ?

La question m'agaça.

— Quelle importance ? Ils se produisent, c'est tout.

— Vous n'avez pas l'impression que certains changements pourraient en atténuer l'impact ?

— Je viens de me marier. C'est un changement important dans une vie, non ? Je crois que cela suffit dans l'immédiat.

— Pourquoi devrait-il y avoir une limite ? Vous êtes jeune, Gideon. Des tas de possibilités s'offrent encore à vous. Le changement ne doit pas être une chose à éviter. Quel mal y a-t-il à essayer quelque chose de nouveau ? Si cela ne marche pas, vous avez toujours la possibilité de revenir en arrière.

Cette déclaration me parut à la fois ironique et amusante.

— Il arrive qu'on ne puisse pas revenir en arrière.

— Essayons un changement tout simple, proposa-t-il en posant sa tablette. Allons faire un tour.

Je me levai en même temps que lui – je ne voulais pas être en position d'infériorité. Nous nous retrouvâmes face à face, de part et d'autre de la table basse.

— Pour quoi faire ? demandai-je.

— Pourquoi pas ? répliqua-t-il en indiquant la porte. Mon bureau n'est peut-être pas le lieu idéal pour parler. Vous avez l'habitude de commander. Dans ce cabinet, c'est moi qui commande. Nous allons aplanir le terrain et marcher un peu dans le couloir. C'est un lieu public, mais à cette heure-ci, la plupart des gens qui travaillent dans l'immeuble sont rentrés chez eux.

Je sortis le premier et le regardai verrouiller les portes intérieure et extérieure de son cabinet avant de me rejoindre.

— Ah, c'est très différent, en effet ! commenta-t-il avec un sourire ironique. Cela me sort un peu de ma routine.

Je haussai les épaules et me mis à marcher.

— Quels sont vos projets pour la soirée ? demanda-t-il en m'imitant.

— Une heure avec mon coach, lâchai-je laconiquement. Mon beau-père doit passer ensuite, enchaînai-je sans m'en rendre compte.

— Pour passer la soirée avec Eva et vous ? Vous êtes proche de lui ?

— Non, aux deux questions, répondis-je en regardant droit devant moi. Il a un problème. Il ne m'appelle qu'en cas de problème.

Je sentis son regard peser sur mon profil.

— Souhaiteriez-vous que ce soit différent ?

— Non.

— Vous ne l'aimez pas ?

— Je ne le déteste pas.

Je m'apprêtais à en rester là, mais, une fois de plus, je pensai à Eva.

— C'est juste qu'on ne se connaît pas très bien.

— Vous pourriez changer cela.

Un rire bref m'échappa.

— Vous êtes décidément orienté vers le changement, ce soir.

— Je vous l'ai déjà dit, je n'ai pas d'orientation préconçue.

Il s'arrêta, m'obligeant à en faire autant, puis réfléchit, les yeux tournés vers le plafond.

— Quand vous envisagez d'acquérir un bien ou d'explorer une nouvelle branche dans le cadre de vos affaires, vous réunissez des gens autour de vous pour leur demander conseil, n'est-ce pas ? Des experts dans leur domaine ? demanda-t-il, le sourire aux lèvres. Vous pourriez me considérer de la même façon. Comme un expert consultant.

— Expert consultant en quoi ?

— Votre passé, Gideon, fit-il en se remettant à marcher. Je vous aide avec le passé, et vous vous débrouillez avec le reste de votre vie.

— Garde l'esprit au combat, Cross.

J'étrécis les yeux. À l'autre bout du tapis, James Cho bondissait sur ses pieds nus, me mettant au défi de l'approcher. Il me gratifia d'un sourire mauvais, sachant que ce défi silencieux me pousserait à l'attaquer. Cet ex-champion d'arts martiaux mixtes faisait trente centimètres et quinze kilos de moins que moi, mais il était mortellement rapide, et il avait la ceinture pour le prouver.

Je carrai les épaules et ajustai ma posture, poings levés pour bloquer l'ouverture qui avait permis à son dernier coup de m'atteindre en plein torse.

— Tu risques de regretter ce conseil, répliquai-je, vexé qu'il ait vu juste.

Mon esprit était resté dans le cabinet du Dr Petersen. Un changement s'était opéré ce soir, et je n'arrivais pas à comprendre lequel ni ce que cela signifiait.

James et moi nous déplaçâmes en cercle, feintant et attaquant sans qu'aucun de nous deux parvienne à toucher l'autre. Comme toujours, nous étions seuls dans le dojo. Des roulements de tambours taiko s'échappaient des enceintes dissimulées par les bambous qui recouvraient les murs.

— Tu restes encore en retrait, commenta-t-il. C'est parce que tu es amoureux que tu t'es transformé en mauviette ?

— Tu aimerais bien, hein ? Ce serait ton seul espoir de me battre.

Il s'esclaffa, puis projeta vers moi un coup de pied circulaire. Je parai en m'accroupissant et ripostai d'un coup de pied bas qui le renversa. D'un ciseau ultrarapide, il m'entraîna au sol avec lui.

Nous nous relevâmes d'un bond souple et reprîmes position.

— Tu me fais perdre mon temps, lâcha-t-il en projetant le poing vers moi.

Je me penchai de côté pour l'éviter. Lui frôlai le flanc du poing gauche. Le sien m'atteignit en plein dans les côtes.

— Personne t'a emmerdé, aujourd'hui ? demanda-t-il.

Il fonça sur moi, ne me laissant d'autre choix que de me défendre.

Je grondai. La rage bouillonnait dans un coin de ma tête, prudemment refoulée en attendant que j'aie le temps de m'occuper d'elle.

— Ouais, je vois le feu dans tes yeux, Cross. Lâche-le, mec. Montre-moi.

Elle est la faille dans ton armure...

D'un combiné droite-gauche je le forçai à reculer d'un pas.

— C'est tout ce que tu as dans le bide ? m'aiguillonna-t-il.

Je feignis un coup de pied avant de lui balancer un coup de poing qui fit basculer sa tête en arrière.

— Je préfère ça, haleta-t-il, fléchissant puis détendant les bras à tour de rôle. Je te retrouve, là.

Elle, elle saigne...

Je retroussai les babines et plongeai en avant.

J'achevais de m'habiller après avoir pris une douche quand la sonnerie de mon cellulaire retentit. Je le récupérai sur le lit où je l'avais laissé et répondis.

— Deux choses, annonça Raúl après m'avoir salué – le brouhaha, de foule et de musique mêlées, que j'entendais derrière lui diminua rapidement, puis se tut. Benjamin Clancy continue de garder un œil sur Mme Cross, pas en permanence, mais régulièrement.

— Tiens donc, commentai-je posément.

— On le laisse faire, ou je vais lui parler ?

— Je m'en chargerai.

J'avais déjà prévu d'avoir une conversation avec Clancy. Elle aurait lieu plus tôt que je ne pensais, voilà tout.

— D'autre part – et il se peut que vous soyez déjà au courant –, Mme Cross a déjeuné avec Ryan Landon et certains de ses associés, aujourd'hui.

Un calme affreux me submergea soudain. Landon. Merde.

Il avait réussi à se glisser derrière ma ligne de défense pendant que je ne regardais pas.

— Merci, Raúl. J'aurais besoin du numéro privé du patron d'Eva, Mark Garrity.

— Je vous l'envoie dès que je l'ai.

Je coupai la communication et glissai le téléphone dans ma poche, me retenant pour ne pas le lancer contre le mur.

Arash m'avait mis en garde contre Landon, mais j'avais écarté ses inquiétudes d'un revers de main. J'avais été trop absorbé par ma vie, ma femme, tandis que Landon, qui avait une femme, lui aussi, s'était concentré sur moi.

La sonnerie du téléphone fixe m'arracha un sursaut. Je décrochai le combiné du poste sur la table de chevet.

— Cross, répondis-je d'un ton impatient.

— Bonsoir, monsieur Cross. C'est Edwin, de la réception. M. Vidal est ici pour vous voir.

Ma main se crispa sur le combiné.

— Faites-le monter.

— Bien, monsieur.

Je ramassai mes chaussettes et mes chaussures, les emportai au salon et les enfilai. Dès que Chris serait parti, j'irais rejoindre Eva. J'avais l'intention de déboucher une bonne bouteille, de regarder avec elle l'un de ces vieux films qu'elle connaissait par cœur et de l'écouter réciter les dialogues ridicules à souhait. Personne ne me faisait rire autant qu'elle.

Je me levai quand j'entendis l'ascenseur s'arrêter et passai la main dans mes cheveux humides. J'étais tendu, or je ne méprise rien tant que la faiblesse.

— Bonsoir, Gideon.

Chris s'arrêta sur le seuil du hall privé. Il arborait cet air sombre et las que je ne lui avais vu que lorsque mon frère faisait des siennes.

287

— Eva est là ? demanda-t-il.

— Elle est chez elle. J'irai la retrouver après votre départ.

Il eut un hochement de tête un peu raide, puis remua la mâchoire comme s'il s'apprêtait à parler, mais rien ne sortit.

— Venez vous asseoir, dis-je en désignant un fauteuil près de la table basse. Je vous sers quelque chose à boire ?

Dieu savait qu'après une telle journée j'avais moi-même besoin d'un verre.

— N'importe quoi de fort fera l'affaire, répondit-il en pénétrant dans le salon d'un pas pesant.

— Ça me va, dis-je avant de passer dans la cuisine où je nous versai à chacun un verre d'armagnac.

Mon téléphone vibra dans ma poche alors que je reposais la carafe. Je le sortis et découvris un message d'Eva.

C'était un selfie de ses jambes nues et ruisselantes calées sur le rebord de la baignoire, avec des bougies à l'arrière-plan. *Tu viens me rejoindre ?*

Je m'empressai de réviser mes projets pour la soirée. Elle m'avait envoyé des textos provocants toute la journée. J'étais plus qu'heureux de la satisfaire et de la récompenser.

Je sauvegardai la photo avant de lui répondre.

J'aimerais bien. Promis, tu seras à nouveau mouillée dès mon arrivée.

Je rangeai mon téléphone, me retournai et découvris Chris sur le seuil. Il s'approcha du comptoir et je fis glisser son verre dans sa direction avant de m'emparer du mien.

— Chris, que se passe-t-il ?

Tenant son verre à deux mains, il laissa échapper un long soupir.

— Nous allons refaire la vidéo de *Golden*.

— Ah bon ?

Chris avait pourtant pour règle d'éviter toute dépense superflue – et celle-ci me semblait parfaitement injustifiée.

— J'ai surpris une engueulade entre Kline et Christopher, au bureau, hier, dit-il d'un ton bourru, je leur ai demandé ce qu'il se passait. Kline veut refaire le clip et j'ai accepté.

— Je parie que Christopher n'était pas d'accord.

Je m'adossai au comptoir et serrai les dents. Apparemment, les sentiments que Brett Kline éprouvait pour Eva étaient plus sérieux que je ne pensais. Ce qui ne me plaisait pas. Pas du tout, même.

— Ton frère s'en remettra.

J'en doutais, mais le dire n'aurait servi à rien.

Chris dut deviner mes pensées, car il hocha la tête.

— Je sais que cette vidéo vous a causé énormément de stress, à Eva et à toi. J'aurais dû être plus attentif.

— Votre compréhension me touche.

Il contempla son verre d'un air pensif, le porta à ses lèvres et le vida presque entièrement.

— J'ai quitté ta mère.

Je retins mon souffle. Sa visite n'avait rien à voir avec le travail.

— Ireland m'a dit que vous vous étiez disputés.

— Oui. J'aurais préféré que ta sœur n'entende pas cela.

Il me regarda et je lus dans ses yeux qu'il savait. L'horreur.

— Je n'étais pas au courant, Gideon. Je jure devant Dieu que je n'étais pas au courant.

Mon cœur fit un bond dans ma poitrine, puis se mit à battre très fort. Ma bouche s'assécha d'un coup.

— Je... je suis allé trouver Terrence Lucas, reprit Chris d'une voix enrouée. J'ai carrément fait irruption dans son bureau. Ce salopard a nié, mais j'ai lu la vérité sur son visage.

L'alcool s'agita dans mon verre. Je reposai prudemment celui-ci en ayant l'impression que le sol se dérobait sous mes pieds. Eva était déjà allée trouver Lucas. Mais Chris... ?

— Je l'ai flanqué par terre, je l'ai roué de coups, mais nom de Dieu... je ne sais pas ce qui m'a retenu de l'assommer avec un de ces foutus trophées qui trônent sur ses étagères.

— Arrêtez.

Le mot jaillit de ma gorge, aussi tranchant qu'un éclat de verre.

— Quant à l'autre ordure, celui qui a... Cette ordure-là n'est plus de ce monde. Je ne peux plus l'atteindre, nom de Dieu !

Chris reposa bruyamment son verre, mais ce fut le sanglot qui le secoua qui faillit m'anéantir.

— Gideon, c'était à moi de te protéger. Et j'ai échoué.

— Arrêtez ! criai-je en m'écartant du comptoir. Arrêtez de me regarder comme ça !

Il se mit à trembler, mais ne renonça pas.

— Il fallait que je te dise...

Je refermai les poings sur sa chemise.

— Taisez-vous. Tout de suite !

Des larmes coulèrent sur ses joues.

— Je t'aime comme mon fils. Depuis toujours.

Je le repoussai brutalement. Lui tournai le dos quand il chancela et heurta le mur. Je quittai la cuisine, traversai le salon.

— Je n'espère pas ton pardon, lança-t-il dans mon dos d'une voix étouffée par les sanglots. Je ne le mérite pas. Mais je veux que tu saches que je l'aurais éventré à mains nues si je l'avais su.

Je pivotai et me ruai sur lui. Le flot de bile qui était remonté de mes entrailles me brûla la gorge quand je hurlai :

— *Qu'est-ce que vous voulez, bordel ?*

Chris se redressa, me fit face, les yeux rougis et les joues trempées de larmes, tremblant mais trop hébété pour s'enfuir.

— Je veux que tu saches que tu n'es pas seul.

Seul. Oui. Loin de la pitié, de la culpabilité et du chagrin qui me dévisageaient à travers ses larmes.

— Allez-vous-en.

Il hocha la tête et se dirigea vers le hall. Je demeurai immobile, le souffle court, les yeux brûlants. Des mots refluèrent au fond de ma gorge ; la violence que je retenais pulsait douloureusement au creux de mes poings serrés.

Chris s'arrêta avant de quitter la pièce et se tourna vers moi.

— Je suis content que tu l'aies dit à Eva.

— Ne parlez pas d'elle.

Je ne supportais pas de penser à elle. Pas maintenant. Pas quand j'étais sur le point de craquer.

Il partit.

Le poids de la journée s'abattit d'un coup sur mes épaules et me mit à genoux.

Alors seulement, je m'effondrai.

14

J'étais en train de rêver d'une plage privée et de Gideon nu quand la sonnerie de mon cellulaire me réveilla en sursaut. Je roulai sur le côté, tendis le bras et le cherchai à tâtons. Mes doigts en effleurèrent les contours familiers et je refermai la main dessus en me redressant.

Le visage d'Ireland éclaira l'écran. Je fronçai les sourcils et jetai un coup d'œil à côté de moi. Gideon n'était pas là. Peut-être que je dormais quand il était rentré et qu'il avait décidé d'aller se coucher dans l'appartement voisin... Mon regard se posa sur le décodeur. Il était plus de 23 heures.

— Allô ?

— Eva ? C'est Chris Vidal. Je suis désolé d'appeler aussi tard, mais je m'inquiète pour Gideon. Est-ce qu'il va bien ?

— Que se passe-t-il ? répondis-je, le ventre soudain noué. Pourquoi vous inquiétez-vous pour lui ?

Il hésita avant de répondre :

— Vous ne l'avez pas vu ce soir ?

Je me glissai hors du lit et allumai la lumière.

— Non. Je me suis endormie. Que se passe-t-il ?

Il jura si fort que les poils sur mes bras se hérissèrent.

— Je suis allé chez lui tout à l'heure pour lui parler... de ce que vous m'avez dit. Il ne l'a pas bien pris.

— Ô mon Dieu ! soufflai-je en tournant sur moi-même, cherchant du regard de quoi couvrir le body en dentelle que j'avais mis pour séduire Gideon.

— Allez le trouver, Eva, me pressa-t-il. Il a besoin de vous.

— J'y vais.

Je jetai le téléphone sur mon lit, attrapai un trench-coat dans l'armoire et sortis de ma chambre en courant. Après avoir pêché les clefs de l'appartement voisin dans mon sac, je me ruai dans le couloir. Je m'énervai un moment sur la serrure avant de réussir à ouvrir la porte.

Plongé dans l'obscurité, l'appartement de Gideon était aussi silencieux qu'une tombe. Et absolument désert.

— Où es-tu ? lançai-je dans le noir, sentant poindre dans ma gorge des larmes de panique.

Je retournai chez moi. Les mains tremblantes, j'ouvris l'application de mon téléphone me permettant de localiser le sien.

Il ne l'a pas bien pris.

Évidemment. Il avait déjà très mal pris que j'en parle à Chris. Cela l'avait rendu furieux. Agressif. Et il avait fait un affreux cauchemar ensuite.

Le point rouge clignota sur le plan à l'endroit que j'espérais – le penthouse.

J'enfilai une paire de tongs et fonçai récupérer mon sac.

— Comment est-ce que tu es habillée ?

La voix de Cary me fit sursauter. Je n'avais pas vu qu'il était dans la cuisine.

— Tu m'as fait une de ces peurs !

Il contourna le comptoir et apparut, vêtu d'un caleçon Grey Isles, le torse et le cou luisants de sueur. La climatisation fonctionnant très bien et Trey passant la nuit ici, il ne me fut pas difficile de deviner pourquoi Cary avait chaud.

— J'espère bien, répliqua-t-il. Tu ne peux pas sortir dans cette tenue.

— Ah oui ? Eh bien, regarde !

J'ajustai la bandoulière de mon sac sur mon épaule et gagnai la porte.

— Tu es complètement cinglée, baby girl, lança-t-il derrière moi. C'est pour ça que je t'aime !

Lorsque je descendis du taxi, le portier de l'immeuble de Gideon n'eut pas un battement de cils. Il est vrai qu'il m'avait déjà vue dans des tenues plus loufoques. De même que le réceptionniste, qui me sourit et me salua par mon nom sans paraître choqué le moins du monde par mon accoutrement de S.D.F. – de S.D.F. en trench Burberry, cela dit.

Mes tongs claquèrent sur le sol tandis que je me dirigeais d'un pas rapide vers l'ascenseur privé du pent-house. J'attendis qu'il arrive en rongeant mon frein, puis composai le code. Il menait directement au der-nier étage, pourtant l'ascension me parut interminable. J'aurais aimé que l'élégante cabine fût assez spacieuse pour me permettre de faire les cent pas. Les miroirs immaculés me renvoyaient le reflet de mon visage inquiet.

Gideon n'avait pas appelé. Ne m'avait pas envoyé d'autre texto après celui où il me promettait une nuit de folie. Il n'était pas venu me rejoindre, pas même pour dormir dans l'appartement voisin. Alors qu'il ne supportait pas d'être loin de moi.

Sauf quand il souffrait. Et qu'il avait honte.

Les portes de l'ascenseur coulissèrent et un flot de hard rock s'engouffra dans la cabine. Je me couvris les oreilles en grimaçant car le volume sonore des enceintes dissimulées dans le plafond était presque assourdissant.

Douleur. Fureur. La violence rageuse de la musique m'atteignit de plein fouet. Je savais. Je comprenais. Cette musique était la manifestation audible de ce que Gideon ressentait sans pouvoir l'exprimer.

Il se dominait trop. Était trop réservé. Il tenait tellement la bride à ses émotions, tout comme à ses souvenirs.

En voulant attraper mon téléphone dans mon sac, je me débrouillai pour lâcher ce dernier. Son contenu se répandit sur le sol de la cabine et du palier. Je laissai tout en plan à l'exception de mon téléphone que je ramassai. J'ouvris l'application de contrôle de la musique d'ambiance, sélectionnai un morceau plus doux, baissai le volume et activai la commande.

Le silence se fit durant un instant qui menaça de s'éterniser avant que s'élèvent les doux accords de *Collide* par Howie Day.

Je sentis Gideon approcher avant de le voir – l'air crépita de cette tension électrique qui annonce un orage d'été. Et quand il franchit le coude du couloir, j'en eus le souffle coupé.

Il était torse nu, pieds nus, ses cheveux en bataille faisaient comme une crinière qui lui frôlait presque les épaules. Son pantalon de sport, qui lui tombait bas sur les hanches, soulignait les reliefs de ses abdominaux. Des bleus lui marbraient les côtes et les épaules, traces de lutte qui ne faisaient qu'accroître cette impression de rage et de férocité étroitement tenues en laisse.

Le morceau de musique que j'avais choisi contrastait violemment avec la tension que se dégageait de lui. Mon beau guerrier à l'élégance sauvage. L'amour de ma vie. Il paraissait si tourmenté que des larmes brûlantes me montèrent aux yeux.

295

Il s'immobilisa abruptement en découvrant ma présence et se mit à serrer et à desserrer les poings, le regard fou, les narines frémissantes.

Mon téléphone glissa de ma main et tomba par terre.

— Gideon.

Il prit une brève inspiration en entendant ma voix. Un changement s'opéra en lui. Je le vis se fermer complètement comme une porte que l'on claque. Toutes les émotions qui bouillonnaient en lui un instant plus tôt disparurent derrière un masque glacé, aussi lisse que du verre.

— Que fais-tu là ? demanda-t-il d'un ton dangereusement calme.

— Je te cherche.

Parce qu'à l'évidence il était perdu.

— Je ne suis pas de bonne compagnie pour le moment.

— Je m'en accommoderai.

Sa posture manquait de naturel, comme s'il redoutait de faire le moindre mouvement.

— Tu ferais mieux de partir. Tu n'es pas en sécurité ici.

Mon pouls s'emballa. Je ressentais sa proximité avec une acuité extrême. Je percevais la chaleur de son corps à travers la pièce. Son besoin. L'exigence à laquelle il était soumis. Je me sentis fondre sous mon trench.

— Je suis plus en sécurité avec toi que nulle part ailleurs sur terre, déclarai-je. Est-ce que Chris t'a cru ?

Il redressa vivement la tête.

— Comment sais-tu qu'il est venu ?

— Il m'a appelée. Il s'inquiète pour toi. Moi aussi.

— Ça va aller, répliqua-t-il.

Ce qui signifiait que là, ça n'allait pas. Je m'approchai de lui, son regard brûlant surveillant ma progression.

— Bien sûr que ça va aller. Tu es marié avec moi.

— Il faut que tu t'en ailles, Eva.

Je secouai la tête.

— Ça fait presque encore plus mal d'être cru, pas vrai ? murmurai-je. On se demande pourquoi on n'a pas parlé plus tôt. On se dit que les choses se seraient peut-être arrêtées avant, si on s'était confié à la bonne personne...

— Tais-toi.

— Il y a toujours cette petite voix à l'intérieur de nous qui continue de penser que c'était notre faute.

Il ferma les yeux et serra les poings.

— Arrête.

— Arrête quoi ? demandai-je en arrivant à sa hauteur.

— Arrête d'être ce dont j'ai besoin. Pas maintenant.

— Pourquoi ?

Il rouvrit brusquement les yeux et son beau regard bleu me cloua sur place.

— Je suis à un cheveu de craquer, Eva.

— Craque, répondis-je en lui tendant la main. Laisse-toi aller, je suis là, je te rattraperai.

— Non. Je ne peux pas... je ne peux pas être tendre.

— Tu as envie de me toucher.

Sa mâchoire se contracta.

— J'ai envie de te baiser.

Mes joues s'empourprèrent. Qu'il puisse avoir envie de moi malgré ma tenue ridicule témoignait de la puissance de son désir.

— Je ne demande pas mieux, soufflai-je.

Je portai les mains aux boutons de mon imper. Je l'avais boutonné pendant la course en taxi parce que je ne voulais pas qu'on voie ce que je portais dessous. Mais j'avais si chaud, à présent, que je transpirais.

Gideon me saisit les poignets et serra, trop fort.

— Arrête.

297

— Tu crois que je ne suis pas de taille ? Après tout ce qu'on a fait ensemble ? Tous les souvenirs et les fantasmes qu'on a partagés ?

Son corps entier luttait, tendu à l'extrême, chacun de ses muscles bandé. Son regard brillant reflétait une telle souffrance… Il était plus que jamais mon monsieur Noir Danger.

Il m'agrippa le coude et m'entraîna vers l'ascenseur. Je trébuchai.

— Qu'est-ce que…

— Tu dois partir.

— Non !

Je me débattis, me débarrassai de mes tongs et m'arc-boutai pour lui résister.

Il me fit pivoter face à lui avec un soupir excédé et me souleva pour me regarder dans le blanc des yeux.

— Je ne peux pas te promettre de me contrôler. Si je vais trop loin et que tu dis Crossfire, je risque de continuer et tout sera foutu ! On sera foutus, Eva !

— Bordel, Gideon, n'aie pas peur d'avoir trop envie de moi !

— C'est de te punir, que j'ai envie, grinça-t-il en enserrant mon visage entre ses mains. C'est toi qui as fait ça ! Tu l'as cherché. Tu pousses les gens à bout… tu me pousses à bout. Regarde le résultat !

Je sentis alors l'odeur de l'alcool sur lui, l'arôme puissant d'une liqueur coûteuse. Je ne l'avais jamais vu vraiment saoul – il tenait son self-control en trop haute estime pour s'anesthésier complètement les sens –, mais là, je sus qu'il l'était.

Un soupçon de méfiance m'assaillit.

— Oui, dis-je d'une voix tremblante, c'est ma faute. Je t'aime trop. Tu vas me punir pour ça ?

Il ferma les yeux. Son front chaud et moite toucha le mien, s'y frotta durement, m'imprégnant de sa sueur, de ce parfum viril et sensuel qui n'appartenait qu'à lui.

Et puis je le sentis se radoucir, se détendre de façon infinitésimale. Je pressai les lèvres sur sa joue enfiévrée.

— Non, gronda-t-il en se raidissant.

Il me tira vers l'ascenseur, me traîna sur le palier, écartant à coups de pied le contenu éparpillé de mon sac.

— Arrête ! hurlai-je en tentant de libérer mon bras.

Mais il refusa de m'écouter. Il enfonça le bouton d'appel et les portes s'écartèrent. Il me poussa à l'intérieur et je titubai jusqu'au fond de la cabine.

Au désespoir, je tirai sur la ceinture de mon trench. Galvanisée par l'urgence de la situation, je saisis les revers à deux mains et tirai dessus de toutes mes forces – les boutons volèrent en tous sens. Les portes de l'ascenseur menaçaient de se refermer quand je fis volte-face et écartai largement les pans de mon imper.

Le bras de Gideon jaillit, empêchant la fermeture des portes. Le body que je portais était écarlate – notre couleur – et ultra-minimaliste. Un voile arachnéen révélait plus qu'il ne couvrait ma poitrine et mon sexe, et des lanières encageaient mon buste tels des bandages.

— Salope, siffla-t-il en pénétrant dans la cabine qui parut rétrécir. Il faut toujours que tu me pousses à bout.

— Je suis ta salope, répliquai-je en sentant les larmes me monter aux yeux, puis couler.

Même si je la comprenais, la colère que je lui inspirais me faisait souffrir. Il avait besoin d'un exutoire et je m'offrais à lui telle une cible. Il m'avait prévenue... avait tenté de me protéger...

— Je suis prête à te recevoir, Gideon Cross. À prendre tout ce que tu as à me donner.

Il me repoussa si brutalement contre la paroi que mes poumons se vidèrent d'un coup. Sa bouche couvrit la mienne, sa langue m'envahit. Ses mains étaient sur mes seins, les pétrissant sans ménagement, son genou s'insinuait entre mes jambes.

Je me cambrai contre lui tout en me contorsionnant pour me débarrasser de mon trench. Je mourais de chaud, la sueur ruisselait dans mon dos, sur mon ventre. Gideon arracha l'imper et le lança au loin, sa bouche toujours scellée à la mienne. Un gémissement de gratitude m'échappa et mes bras s'enroulèrent autour de son cou. Mon cœur se gonfla de soulagement – enfin, je le serrai contre moi. Mes doigts plongèrent dans ses cheveux, s'y agrippèrent tandis que je me hissais le long de son corps.

Gideon s'arracha à ma bouche et m'écarta les bras.

— Ne me touche pas.

— Va te faire foutre, répliquai-je, trop blessée pour me taire.

Je me dégageai de son étreinte et lui caressai délibérément les épaules et les biceps.

En réponse, il plaqua la main entre mes seins et me poussa sans effort contre la paroi de la cabine. J'eus beau frapper et griffer ce bras d'acier, je fus incapable de le déloger. Je ne pus que le regarder, impuissante, tirer sur le cordonnet qui retenait son pantalon sur ses hanches.

Un frisson de désir et d'appréhension mêlés me traversa.

— Gideon... ?

Son regard sombre, hanté, croisa le mien.

— Tu promets de ne plus me toucher ?

— Non. Je n'en ai pas envie.

Il hocha la tête et me lâcha le temps de me faire pivoter face à la paroi. Piégée par son corps, je ne disposais que d'une très faible marge de manœuvre.

— Ne t'oppose pas à moi, ordonna-t-il, ses lèvres tout près de mon oreille.

Puis il m'attacha les poignets à la barre d'appui.

Je me figeai, stupéfaite. Tellement estomaquée et incrédule que je me débattis à peine. Ce ne fut qu'après qu'il eut noué le cordonnet que je compris qu'il ne plaisantait pas.

Il m'empoigna aux hanches, écarta mes cheveux du bout du nez et planta les dents dans mon épaule.

— C'est moi qui décide du moment.

— Qu'est-ce que tu fais ? demandai-je en tirant sur mes liens.

Il ne me répondit pas.

Il se contenta de partir.

Je me tournai autant que je pus et le vis pénétrer dans le salon juste avant que les portes de l'ascenseur se referment.

— Oh, non ! soufflai-je. Ce n'est pas vrai.

Je n'arrivais pas à croire qu'il me renvoyait ainsi... attachée dans l'ascenseur en sous-vêtements. Il n'avait plus les idées claires, certes, mais j'avais du mal à imaginer mon mari si jaloux m'exposant ainsi aux yeux de quiconque se trouverait dans le hall, rien que pour se débarrasser de moi.

— Gideon ! Je t'interdis de me laisser comme ça ! Tu m'entends ? Reviens ici tout de suite !

Je tirai sur le lien, mais le nœud était solide.

Les secondes passèrent, puis les minutes. La cabine ne bougeait pas et après m'être égosillée à en avoir la gorge en feu, je compris qu'elle ne bougerait pas. Elle attendait la pression d'un bouton qui dépendait du bon vouloir de Gideon.

Tout comme moi.

J'allais lui botter les fesses une fois que je serais libre. Jamais encore je n'avais été aussi vexée.

— Gideon !

Je me pliai en deux, reculai, levai la jambe et l'étendis pour atteindre le bouton d'ouverture des portes. Je l'enfonçai du bout de l'orteil. Quand elles coulissèrent, je pris une profonde inspiration, me préparant à hurler...

... et expirai précipitamment.

Gideon traversait le salon en direction du palier... *entièrement* nu ! Et trempé de la tête aux pieds. Il bandait si fort que son sexe se courbait vers son nombril. La tête renversée en arrière, il buvait de l'eau à même la bouteille. Sa démarche souple et nonchalante n'en demeurait pas moins celle d'un prédateur.

Je me raidis à son approche. Le tumulte d'émotions combiné à la violence de mon désir me laissait haletante. Même quand il se comportait ainsi, il m'inspirait un désir contre lequel je ne pouvais pas lutter. Gideon était tout à la fois torturé et sexy, brisé et parfait.

— Tiens.

Il porta à mes lèvres un verre de cristal que je n'avais pas remarqué au bout de son bras, occupée que j'étais à lorgner son corps magnifique. Le verre était pratiquement plein. Le liquide d'un rouge ambré affleura jusqu'à mes lèvres quand il l'inclina.

J'ouvris instinctivement la bouche et l'alcool me brûla la langue et la gorge. Je toussai et il attendit, ses paupières voilant à demi son regard. Il venait de prendre une douche et sentait bon.

— Finis.

— C'est trop fort ! protestai-je.

Il se contenta de verser une nouvelle gorgée entre mes lèvres.

Je lui donnai un coup de pied et lâchai un juron – je m'étais fait mal alors que lui n'avait même pas cillé.

— Arrête !

Il laissa tomber la bouteille d'eau vide et me prit le visage dans sa main, essuyant du pouce l'alcool qui avait coulé sur mon menton.

— Tu dois attendre que je me calme et y aller doucement de ton côté. Si on continue comme ça, on va
finir par se déchirer.

Une larme roula du coin de mon œil.

Gideon s'inclina et sa langue suivit la traînée humide
le long de ma joue.

— Je suis à terre, Eva. Je ne peux pas te laisser me
rouer de coups.

— Je ne peux pas te laisser me repousser, murmurai-
je en tirant sur mes fichus liens.

Le feu liquide de l'alcool coulait dans mes veines. Les
vrilles de l'ivresse s'enroulaient déjà autour de mes sens.

— Arrête, dit-il en posant la main sur la mienne pour
m'immobiliser. Tu vas te blesser.

— Détache-moi.

— Dès que tu me touches, je deviens cinglé. Je suis
à un cheveu de craquer, Eva, répéta-t-il d'un ton désespéré. Je n'ai pas le droit. Pas avec toi.

— Mais avec quelqu'un d'autre, si ? rétorquai-je,
ma voix s'envolant vers les aigus. Il te faut quelqu'un
d'autre ?

Je n'étais pas loin de craquer, moi aussi. Gideon était
mon roc, le point d'ancrage de notre relation. Je croyais
pouvoir l'être aussi pour lui. Je voulais être son refuge,
le protéger. Mais il n'avait nul besoin d'abri contre la
tempête ; il était la tempête. Et je n'étais pas assez forte
pour supporter le poids de son humeur massacrante.

— Non, gronda-t-il avant de m'embrasser – féroce-
ment. Tu as besoin de sentir que je maîtrise la situation. Et moi, j'ai besoin de maîtriser les choses quand
je suis avec toi.

La panique qui m'avait gagnée s'accrut. Il savait. Il
avait compris que je ne lui suffisais pas.

— Tu étais différent avec les autres. Tu ne te retenais pas…

— Bordel !

Se détournant vivement, Gideon flanqua un coup de poing dans le panneau de commande de la cabine. Les portes se rouvrirent et la voix de Sarah McLachlan chantant *Possession* s'engouffra à l'intérieur. Il lança le verre qui alla se briser contre le mur du palier.

— Oui, j'étais différent ! C'est toi qui m'as rendu différent.

— Et c'est pour ça que tu me détestes.

Je m'affaissai le long de la paroi et fondis en larmes.

— Non.

Son corps m'enveloppa et il frotta son visage contre mes cheveux, m'étreignant si fort que je pouvais à peine respirer.

— Je t'aime. Tu es ma femme. Ma vie. Tu es tout pour moi.

— Je veux juste t'aider ! m'écriai-je. Je veux juste être là pour toi, mais tu m'en empêches !

— Je ne peux pas t'en empêcher, Eva, murmura-t-il, ses mains glissant sur moi, douces, caressantes, apaisantes. J'ai trop besoin de toi.

Je m'agrippai des deux mains à la barre d'appui, la joue pressée contre le miroir froid. Je commençais à ressentir les effets de l'alcool. La chaude langueur qui s'insinuait en moi étouffait ma colère et mes envies de revanche, et je me sentis soudain triste, effrayée et désespérément amoureuse.

Sa main s'insinua entre mes cuisses, inquisitrice. D'un coup sec, il libéra les agrafes de mon body. J'accompagnai d'un gémissement la sensation de soulagement qui m'envahit. Ses caresses expertes et le souvenir de la vision que j'avais eue de lui s'avançant vers moi un instant plus tôt me rendirent toute chaude et moite.

J'inclinai la tête en arrière, l'appuyai contre son épaule et je surpris son reflet dans la glace. Il avait les yeux fermés, les lèvres entrouvertes. Son beau visage affichait une vulnérabilité qui me bouleversa. Il souffrait tellement. Cela m'était insupportable.

— Dis-moi ce que je peux faire, chuchotai-je. Dis-moi comment t'aider.

La pointe de sa langue dessina le pourtour de mon oreille.

— Laisse-moi me calmer.

La caresse de son pouce sur la pointe de mon sein que couvrait le tissu diaphane me rendait folle. Le va-et-vient de ses doigts le long de ma fente humide m'arrachait des frissons. Il savait comment me toucher, comment doser ses caresses.

Un cri franchit mes lèvres quand il inséra deux doigts en moi et je me retrouvai sur la pointe des pieds, les jambes tremblantes. L'air de la cabine s'était comme alourdi, embué sous l'effet de son désir.

Il gémit quand mes muscles intimes se contractèrent autour de ses doigts, son bassin bascula en avant et son sexe se pressa contre mes fesses.

— Je vais meurtrir ta petite chatte, Eva. Je ne vais pas pouvoir m'en empêcher.

Il m'encercla la taille du bras, me souleva et me tira en arrière, si bien que je me retrouvai penchée, les bras tendus. Il m'écarta les jambes du genou, ses doigts quittèrent ma fente. Je sentis sa main m'effleurer la hanche, l'extrémité engorgée de son pénis glisser entre mes fesses, puis entre les replis de mon sexe...

Je retins mon souffle et me tortillai contre la douce pression de sa chair. J'avais eu envie de lui toute la journée, j'avais rêvé d'avoir sa queue en moi, j'avais eu besoin qu'il me fasse jouir.

— Attends, gronda-t-il, ses doigts s'enfonçant impatiemment au creux de ma taille. Laisse-moi...

Ma vulve se contracta délicieusement autour de lui.

Lâchant un juron, Gideon me pénétra d'un coup de reins vigoureux. Je poussai un cri de douleur et de plaisir mêlés et arquai le dos pour me dérober à cette invasion soudaine qui m'écartelait, à la brûlure de mes chairs si tendres.

— C'est ça, siffla-t-il en me plaquant contre lui jusqu'à ce que les lèvres de mon sexe enserrent la base du sien.

Ses hanches entamèrent alors un lent mouvement de rotation.

— Bien étroite...

Je gémis et tâchai de me cramponner à la barre d'appui ; il commença à aller et venir en moi et mon corps entier en fut ébranlé. Tour à tour délicieusement comblée et brutalement délaissée, j'étais perpétuellement chavirée. Mes genoux flanchèrent, les spasmes intimes se succédèrent tandis qu'il me pilonnait sans retenue au milieu d'un torrent d'émotion.

Je jouis avant de comprendre que l'orgasme menaçait et balbutiai son nom alors que le plaisir explosait en moi.

Sans force, le corps tremblant, je laissai choir ma tête entre mes bras. Gideon me soutint, mais continua à user de mon corps. À se l'approprier. Laissant échapper un grondement primitif chaque fois qu'il s'enfonçait en moi.

— Bien profond, l'entendis-je articuler. Là...

Je captai un mouvement à la périphérie de mon champ de vision, me concentrai sur notre reflet. Je jouis de nouveau en laissant échapper cri sourd. Biceps durcis par le poids de mon corps, cuisses luttant sous l'effort, fesses contractées, muscles abdominaux ondulant à chacune de ses poussées, regarder Gideon me prendre était d'un érotisme torride.

Cet homme était né pour baiser, mais il avait appris à maîtriser ce talent et savait comment utiliser le merveilleux outil qu'était son corps pour rendre une femme esclave du plaisir. C'était inné chez lui, instinctif. Même ivre et ravagé par l'angoisse, le rythme de ses coups de boutoir demeurait égal et précis, sa concentration absolue.

Chacune de ses poussées déclenchait une extase à laquelle je ne fus bientôt plus en mesure de résister. Un nouvel orgasme fulgurant me secoua, aussi dévastateur qu'un raz-de-marée.

— Voilà, contracte-toi bien autour de ma queue, mon ange... Tu vas me faire jouir.

Je sentis son sexe s'épaissir et s'allonger. Une succession de petits frissons courut sur ma peau ; mes poumons luttèrent pour se remplir.

La tête rejetée en arrière, Gideon rugit comme un fauve quand il éjacula. Les mains agrippées à mes hanches, il me fit coulisser sur son sexe en éruption et jouit si fort et si longuement que sa semence se répandit jusque sur mes cuisses.

Pantelant, il ralentit le mouvement, s'inclina en avant afin de presser la joue contre mon épaule.

Mes genoux se dérobèrent sous moi.

— Gideon...

Il me redressa.

— Je n'en ai pas terminé, gronda-t-il, toujours aussi dur en moi.

Et il recommença.

Ses cheveux me frôlèrent l'épaule, ses lèvres tièdes se pressèrent sur les miennes, et je me réveillai. Épuisée, je tentai de m'écarter en roulant sur le côté, mais le bras qui me ceignait la taille me ramena en arrière.

— Eva, souffla-t-il.

Il prit mon sein en coupe, en fit rouler habilement la pointe entre ses doigts.

Il faisait sombre et nous étions au lit, mais je me souvenais à peine qu'il m'ait portée jusque-là. Après m'avoir dévêtue et nettoyée avec un linge humide, il avait déposé une pluie de baisers sur mon visage et mes poignets. Ils étaient protégés par un bandage à présent, et enduits de pommade.

Ses tendres caresses sur mes poignets meurtris, souffrance et plaisir mêlés, m'avaient excitée. Il l'avait remarqué.

Il m'avait écarté les cuisses, les yeux brûlants de désir, et sa bouche m'avait prodigué tant d'attentions, et si habilement, que je n'avais plus été en mesure de penser ni de bouger. Il m'avait léchée et sucée comme s'il ne devait jamais s'arrêter, et j'avais perdu le compte des orgasmes qu'il avait tirés de moi.

— Gideon... murmurai-je en tournant la tête pour le regarder. Tu as passé la nuit près de moi ?

Peut-être était-ce imprudent de ma part de souhaiter qu'il soit resté, mais j'adorais partager son lit. Et cela me manquait tellement.

— Je ne pouvais pas te quitter.

— J'en suis heureuse.

Il me fit basculer contre lui, s'empara de ma bouche avec douceur. Les tendres agaceries de sa langue m'arrachèrent un gémissement de désir.

— Je ne peux pas m'empêcher de te toucher, murmura-t-il en glissant la main sur ma nuque pour approfondir son baiser. Il suffit que je te touche pour oublier tout le reste.

— Je peux te toucher, moi aussi ? demandai-je, bouleversée par cette déclaration où la tendresse se mêlait à l'amour.

— S'il te plaît, répondit-il d'une voix suppliante en fermant les yeux.

Je me pressai contre lui et enfouis les mains dans ses cheveux. Nos bouches s'unirent, chaudes et humides ; nos jambes s'emmêlèrent. Mon corps se cambra contre le sien, si ferme.

Fredonnant, il refréna mes ardeurs en roulant sur moi pour me clouer sur le matelas. Il releva la tête, brisant le sceau de notre baiser, mordilla et suça tendrement mes lèvres, en suivit le contour de la pointe de la langue...

Je laissai échapper un gémissement de protestation. Je le voulais plus exigeant, plus sauvage, mais il se contenta d'explorer tranquillement ma bouche. Je raidis les jambes et l'attirai tout contre moi. Il bascula les hanches de façon à plaquer son érection contre ma cuisse.

Puis il m'embrassa jusqu'à ce que mes lèvres soient enflées et à vif, jusqu'à ce que le soleil se lève. Il m'embrassa jusqu'à ce que le flot de sa jouissance se répande sur ma peau. Pas une, mais deux fois.

Entendre ses gémissements d'extase, découvrir que je pouvais le faire jouir d'un simple baiser... J'enfourchai sa jambe et me frottai sur lui jusqu'à l'orgasme.

Un autre jour commençait, et Gideon franchissait la distance qu'il avait mise entre nous dans l'ascenseur. Il me faisait l'amour sans sexe. Il me témoignait sa dévotion en m'installant au centre de son univers. Plus rien n'existait au-delà des limites de notre lit. Il n'y avait que nous et notre amour. Un amour fusionnel qui nous mettait à nu alors même qu'il faisait de nous un tout.

Quand je me réveillai de nouveau, je le trouvai endormi près de moi. Ses lèvres étaient aussi enflées que les miennes. Son visage était doux au repos, mais le petit pli entre ses sourcils me disait qu'il ne dormait pas aussi profondément que je l'aurais souhaité. Il était allongé sur le flanc, le drap entortillé autour des jambes.

Il était tard – presque 9 heures –, mais je n'avais pas le cœur à le réveiller ni à le quitter. Je ne travaillais pas à l'agence depuis assez longtemps pour pouvoir me permettre de manquer une journée, mais je décidai de m'y autoriser.

En plaçant ma carrière avant tout le reste, je lui avais donné le pouvoir de creuser un fossé entre nous. Je savais que mon désir d'indépendance était justifié, mais à cet instant précis, il ne me paraissait pas entièrement justifiable.

Après avoir enfilé un tee-shirt et un caleçon d'homme, je me glissai hors de la chambre, m'engageai dans le couloir et m'arrêtai dans le bureau de Gideon pour éteindre l'alarme de son téléphone avant de gagner la cuisine.

Je dressai mentalement la liste des choses à faire et commençai par laisser un message à Mark pour le prévenir que je ne viendrais pas travailler pour raisons familiales. J'appelai ensuite Scott et laissai un message pour l'avertir que Gideon ne serait pas là à 9 heures et qu'il risquait de ne pas venir. Je lui demandai de me rappeler pour qu'on puisse en parler.

J'espérais garder Gideon à la maison toute la journée, mais je doutais qu'il accepte. Nous avions besoin de temps pour nous, seuls. Besoin de prendre soin de nous, de guérir.

J'allai récupérer mon cellulaire dans le hall et appelai Angus. Il décrocha aussitôt.

— Bonjour, madame Cross. M. Cross et vous êtes prêts à partir ?

— Non, Angus, nous restons ici pour le moment. Il est possible que nous ne bougions pas. Dites-moi, sauriez-vous par hasard où Gideon se procure ces flacons de remède contre la gueule de bois ?

— Oui, bien sûr. Il vous en faut un ?

— Gideon risque d'en avoir besoin au réveil. Au cas où, j'apprécierais d'en avoir un sous la main.

Angus ne répondit pas tout de suite.

— Si je puis me permettre de demander, dit-il finalement, son accent écossais plus prononcé que jamais,
est-ce que cela a quelque chose à voir avec la visite que
lui a rendue M. Vidal, hier soir ?

Je me frottai le front, sentant poindre un début de
migraine.

— Cela a tout à voir, Angus.

— Chris l'a cru ? s'enquit-il posément.

— Oui.

— Ah ! soupira-t-il. Je comprends mieux. Il n'était
pas préparé à cela. Il n'a jamais été habitué qu'au déni
et ne connaît rien d'autre.

— Il l'a très mal pris.

— Je m'en doute. C'est bien qu'il vous ait, Eva. Vous
savez ce qui est bon pour lui, même s'il lui faudra du
temps pour l'apprécier. Je vais vous chercher le remède.

— Merci, Angus.

Je raccrochai et entrepris de remettre un peu d'ordre.
Je commençai par laver la carafe et le verre que je
trouvai sur le comptoir de la cuisine, puis apportai
pelle et balayette sur le palier pour ramasser les éclats
de verre. Scott me rappela alors que je rassemblais
le contenu de mon sac. Je l'informai brièvement de la
situation, après quoi je m'appliquai à effacer les traces
de cognac sur le mur et le sol.

Gideon m'avait dit qu'il était à terre, je ne voulais
pas qu'il trouve son appartement sens dessus dessous
à son réveil.

Notre appartement, rectifiai-je mentalement. J'allais
devoir apprendre à le considérer comme tel. Et Gideon
aussi. Je prévoyais du reste d'avoir une petite conversation à propos de sa tentative de me jeter dehors. Je
voulais bien faire plus d'efforts pour lier davantage nos
vies, mais il allait devoir en faire aussi.

J'aurais aimé pouvoir parler de tout cela à quelqu'un,
un ami qui m'écoute et me donne des conseils avisés.

Cary ou Shawna. Ou même Steven, si chaleureux qu'on avait instinctivement envie de se confier à lui. Il y avait bien le Dr Petersen, mais ce n'était pas la même chose.

Pour l'heure, Gideon et moi avions des secrets que nous ne pouvions partager avec personne, des secrets qui nous isolaient et nous rendaient dépendants l'un de l'autre. Nos bourreaux ne nous avaient pas seulement dépouillés de notre innocence, ils nous avaient aussi privés de notre liberté. Bien des années s'étaient écoulées depuis les faits, mais nous étions toujours prisonniers des apparences derrière lesquelles nous vivions. Toujours prisonniers de nos mensonges, quoique d'une façon différente.

Je venais de finir d'effacer les traces sur le miroir de l'ascenseur quand la cabine s'ébranla alors que je me trouvais toujours à l'intérieur. En caleçon masculin et tee-shirt !

— Oh, non ! gémis-je en m'empressant de me débarrasser de mes gants en caoutchouc pour tenter de remettre un peu d'ordre dans mes cheveux.

Après la nuit que je venais de passer, je n'étais franchement pas présentable.

Les portes coulissèrent et Angus s'immobilisa alors qu'il s'apprêtait à pénétrer dans la cabine. Je me décalai légèrement pour dissimuler la cordelette toujours nouée à la barre d'appui, Gideon s'étant contenté de la couper avec des ciseaux pour me libérer.

— Heu... bonjour, dis-je, affreusement gênée.

Difficile de trouver une explication décente à ma présence dans l'ascenseur, à peine vêtue et une paire de gants de vaisselle à la main... Sans compter qu'après avoir embrassé Gideon pendant des heures, mes lèvres étaient si gonflées qu'il n'était pas difficile de deviner à quoi j'avais employé ma nuit.

Une étincelle amusée s'alluma dans les yeux bleus d'Angus.

— Bonjour, madame Cross.

— Bonjour, Angus, répétai-je aussi dignement que je pus.

— Tenez, dit-il en tendant vers moi un flacon de remède contre la gueule de bois – que je suspectais de n'être rien d'autre que des vitamines liquides allongées d'un trait d'alcool.

— Merci, Angus.

Un remerciement qui venait du fond du cœur et qui incluait une dose de gratitude supplémentaire pour s'être abstenu de me poser la moindre question.

— Appelez-moi, si vous avez besoin de quelque chose. Je ne serai pas loin.

— Vous êtes un ange, Angus.

Je regagnai le penthouse. Quand les portes s'ouvrirent, j'entendis la sonnerie du téléphone fixe. Je courus répondre en priant pour que cela n'ait pas réveillé Gideon.

— Allô ?

— Eva ? C'est Arash. Cross est avec vous ?

— Oui. Je crois qu'il dort encore. Je vais vérifier, dis-je en m'engageant dans le couloir.

— Il n'est pas malade, j'espère ? Il n'est jamais malade.

— Il y a une première fois à tout.

Je jetai un coup d'œil dans la chambre et découvris mon mari profondément endormi, les bras serrés autour de l'oreiller dans lequel son visage était enfoui. J'entrai sur la pointe des pieds, déposai le flacon de remède sur la table de chevet, ressortis sur la pointe des pieds et refermai la porte sans bruit.

— Il dort toujours, murmurai-je.

— Bon, alors changement de programme. J'ai ici des documents que vous devez signer tous les deux avant 16 heures. Je vous les envoie par coursier. Appelez-moi quand vous les aurez signés et j'enverrai quelqu'un les chercher.

— Des papiers que je dois signer ? De quoi s'agit-il ?

— Il ne vous l'a pas dit ? Alors je ne veux surtout pas gâcher la surprise. Vous verrez cela par vous-même. N'hésitez pas à m'appeler si vous avez des questions.

— Entendu. Merci, Arash.

Une fois que j'eus raccroché, je fixai la porte de la chambre, les yeux étrécis. Que mijotait Gideon ? Cette façon qu'il avait de lancer des projets et de régler des problèmes sans m'en parler me rendait folle.

La sonnerie de mon téléphone résonna dans la cuisine. Je traversai le salon au pas de course et consultai l'écran. Le numéro ne m'était pas familier, mais l'indicatif était celui de New York.

Je laissai échapper un soupir. J'avais l'impression de terminer une journée de travail alors qu'il n'était que 10 h 30. Comment Gideon supportait-il d'être tiraillé ainsi dans toutes les directions à la fois ?

— Allô ?

— Eva ? C'est encore Chris. Ireland m'a communiqué votre numéro, j'espère que cela ne vous dérange pas ?

— Non, pas du tout. J'aurais dû vous rappeler. Je n'avais pas l'intention de vous inquiéter.

— Est-ce qu'il va bien ?

— Non, répondis-je en m'asseyant sur l'un des tabourets de bar. La nuit a été rude.

— J'ai appelé à son bureau. On m'a appris qu'il était absent ce matin.

— Nous sommes à la maison. Il dort encore.

— Alors c'est que ça va très mal.

Chris le connaissait bien. Gideon était un homme d'habitudes, sa vie était rigoureusement ordonnée et compartimentée. La moindre entorse au programme était si rare qu'elle était forcément inquiétante.

— Ça va aller, lui assurai-je. J'y veillerai. Il lui faudra juste un peu de temps.

— Y a-t-il quoi que ce soit que je puisse faire ?

— Si je pense à quelque chose, je vous le ferai savoir.

— Merci, répondit-il d'une voix très lasse. Merci de m'avoir parlé et d'être là pour lui. J'aurais aimé être là moi-même quand les faits se sont produits. Je vais devoir vivre avec le poids de cette absence, désormais.

— Comme nous tous. Ce n'est pas votre faute, Chris. Je sais que ça ne rend pas les choses plus faciles, mais vous devez le garder à l'esprit. Vous accabler de reproches n'aidera pas Gideon.

— Vous êtes d'une grande sagesse, Eva. Je suis heureux de vous savoir à ses côtés.

— C'est moi qui ai de la chance, assurai-je. Vraiment.

Après avoir raccroché, je ne pus m'empêcher de penser à ma mère. Les épreuves que traversait Gideon me permettaient de l'apprécier encore davantage. Elle avait été là, elle s'était battue pour moi. Certes, elle continuait à se sentir coupable, d'où son attitude hyperprotectrice frisant parfois la folie, mais si je n'étais pas aussi traumatisée que Gideon, c'était grâce à l'amour de ma mère.

Je l'appelai et elle décrocha dès la première sonnerie.

— Eva. Tu m'ignores délibérément. Comment suis-je censée organiser ton mariage si tu ne participes pas ? Il y a des tas de décisions à prendre et si je ne prends pas celles qu'il faut, tu me...

— Bonjour, maman, l'interrompis-je. Comment vas-tu ?

— Je suis stressée, répondit-elle, sa voix naturellement haletante se faisant nettement accusatrice. Comment ne pas l'être ? Je me retrouve à organiser toute seule le jour le plus important de ta vie et...

— Je me disais qu'on pourrait se voir samedi pour parler de tout ça, si tu es libre.

— Vraiment ? répondit-elle d'un ton si plein d'espoir que je me sentis coupable.

— Oui, maman.

J'avais cru jusqu'alors que ce second mariage avec Gideon était destiné à satisfaire ma mère, mais je m'étais trompée. Ce mariage était aussi important pour nous deux, il nous offrait une nouvelle occasion d'affirmer notre lien indestructible. Non pas aux yeux du monde, mais aux nôtres.

Il fallait qu'il arrête de me tenir à l'écart sous prétexte de me protéger et il fallait que je cesse de penser que je risquais de disparaître en devenant Mme Gideon Cross.

— Ce serait merveilleux, Eva ! Que dirais-tu d'un brunch avec l'organisatrice de mariage ? On aurait tout l'après-midi pour passer en revue les différents choix possibles…

— Je veux quelque chose de simple, maman. On peut envisager toutes les folies que tu voudras pour la réception, m'empressai-je d'ajouter, mais je tiens à ce que la cérémonie se déroule dans l'intimité.

— Eva, les gens vont se sentir insultés si tu les invites uniquement à la réception !

— Je m'en moque, ce n'est pas pour eux que je me marie. Je me marie parce que je suis amoureuse de l'homme de mes rêves et que nous allons vivre ensemble jusqu'à la fin de nos jours. Il n'est pas question de dévier de ce point.

— Ma chérie… soupira-t-elle comme si je ne comprenais rien à rien. Nous parlerons de tout cela samedi.

— Entendu. Mais je ne changerai pas d'avis.

Un frisson courut le long de mon dos et je me retournai.

Gideon se tenait sur le seuil de la cuisine. Il avait enfilé son pantalon de sport, mais ses cheveux étaient encore en bataille et ses paupières lourdes de sommeil.

— Il faut que je te laisse, maman. On se voit ce week-end. Je t'aime.

— Moi aussi, Eva. C'est pour cela que je veux pour toi ce qu'il y a de meilleur et rien d'autre.

Je coupai la communication, posai mon téléphone sur le comptoir et glissai de mon tabouret.

— Bonjour, dis-je en me tournant vers Gideon.

— Tu n'es pas au travail, commenta-t-il, la voix plus enrouée et plus sexy que jamais.

— Toi non plus.

— Tu as l'intention d'y aller ?

— Non. Et tu n'iras pas non plus.

Je m'approchai de lui et passai les bras autour de sa taille. Il était encore tout chaud du lit. Mon beau rêve sensuel et ensommeillé devenu réalité.

— On va rester à la maison toute la journée, champion. Rien que toi et moi. On va traîner en pyjama et se détendre.

Son bras me ceignit les hanches et sa main libre écarta les cheveux de mon visage.

— Tu n'es pas fâchée.

— Pourquoi le serais-je ? m'étonnai-je en me hissant sur la pointe des pieds pour déposer un baiser sur son menton. Tu es fâché, toi ?

— Non, dit-il en recouvrant ma nuque de sa main pour presser ma joue contre la sienne. Je suis content que tu sois là.

— Je serai toujours là. Jusqu'à ce que la mort nous sépare.

— Tu organises le mariage.

— Tu as entendu ça ? Si tu as des requêtes, c'est le moment de les formuler ou de garder le silence à jamais.

Il demeura silencieux un long moment – si long que je crus qu'il n'avait rien à ajouter. Je tournai la tête, trouvai ses lèvres et l'embrassai tendrement.

— Tu as vu ce que je t'ai laissé près du lit ?

— Oui, je te remercie, répondit-il en esquissant un sourire.

Il avait l'air d'un homme qui a copieusement fait l'amour, ce qui m'emplit d'une fierté toute féminine.

— J'ai prévenu Scott de ton absence, mais Arash m'a avertie qu'il allait nous envoyer des papiers par coursier. Il a refusé de me dire de quoi il s'agissait.

— Tu vas devoir attendre, je pense.

Je lui frôlai le front du bout des doigts.

— Comment te sens-tu ?

— Je ne sais pas trop, avoua-t-il en haussant une épaule. Là, tout de suite, je me sens nul.

— Que dirais-tu de prendre ce bain que tu as manqué hier soir ?

— Hmm, je me sens déjà mieux.

J'entrelaçai mes doigts aux siens et l'entraînai vers la chambre.

— Je veux être l'homme de tes rêves, mon ange, déclara-t-il alors, à ma grande surprise. Je le veux plus que tout au monde.

Je tournai les yeux vers lui.

— Tu l'es déjà.

Je fixai le contrat qui se trouvait devant moi le cœur battant, en proie à un mélange vertigineux d'amour et d'émerveillement. Je levai les yeux quand Gideon pénétra dans la pièce, vêtu d'un pantalon de pyjama de soie noir, les cheveux encore mouillés du bain que nous venions de prendre.

— Tu achètes la maison des Outer Banks ? demandai-je, alors même que j'en avais la preuve sous les yeux.

— Nous achetons la maison, rectifia-t-il avec un sourire. C'est ce que nous avions décidé.

— Nous en avions seulement parlé.

À en juger par le prix qui figurait sur la promesse de vente, les propriétaires n'avaient pas été faciles à convaincre. L'offre de Gideon stipulait que la maison serait vendue avec le mobilier de la chambre ainsi que l'exemplaire du livre dans lequel j'avais chipé l'idée de son surnom et dont je lui avais fait la lecture. Gideon pensait toujours à tout.

Il vint s'asseoir près de moi sur le canapé.

— Oui, confirma-t-il, et maintenant, nous passons à l'acte.

— Une maison dans les Hamptons serait moins éloignée. Ou dans le Connecticut.

— Celle-ci n'est qu'à un saut de puce en jet, répliqua-t-il, avant de soulever mon menton de l'index pour déposer un baiser sur mes lèvres. Ne t'inquiète pas de la logistique, murmura-t-il. Nous étions si heureux sur cette plage. Je te revois encore marcher le long du rivage. Je me souviens de ce moment où je t'ai embrassée sur la terrasse… de ton corps nu sur le lit. Tu avais l'air d'un ange et cet endroit était le paradis à mes yeux.

— Gideon, murmurai-je en appuyant mon front contre le sien – je l'aimais tellement. Où doit-on signer ?

Il prit le contrat et l'ouvrit à la page sur laquelle était collé le premier Post-it signalant les endroits où nous devions signer. Son regard balaya la table basse et il fronça les sourcils.

— Où est mon stylo-plume ?

— J'en ai un dans mon sac, dis-je en me levant.

Il m'attrapa le poignet et me fit rasseoir.

— Non, il me faut le mien. Où est l'enveloppe dans laquelle est arrivé le contrat ?

Je regardai autour de moi et la découvris entre la table et le canapé, là où je l'avais laissée tomber quand j'avais découvert le contrat qu'elle contenait. Je la ramassai, sentis qu'il y avait encore quelque chose à l'intérieur et la retournai au-dessus de la table. Un stylo-plume heurta le plateau de verre et une petite photo s'échappa de l'enveloppe.

— Ah, le voilà ! s'exclama Gideon en prenant le stylo.

Il signa sur la ligne de pointillés. Pendant qu'il apposait son paraphe sur les pages suivantes, je soulevai la photo et ma poitrine se contracta.

C'était la photo de son père et de lui, celle dont il m'avait parlé en Caroline du Nord. Gideon devait avoir quatre ou cinq ans. Son petit visage se plissait de concentration tandis qu'il aidait son père à construire un château de sable. Geoffrey Cross était assis face à lui, la brise de l'océan lui ébouriffant les cheveux, son visage aussi beau que celui d'une star du grand écran. Il ne portait qu'un slip de bain et son corps ressemblait beaucoup à celui de Gideon aujourd'hui.

— Je l'adore, soufflai-je, sachant déjà que j'allais faire reproduire et encadrer cette photo, et qu'elle figurerait en bonne place dans chacun des endroits où nous habitions.

— À toi, dit-il.

Il fit glisser vers moi le contrat sur lequel se trouvait déjà son stylo-plume.

Je reposai la photo, m'emparai de ce dernier et le fis tourner entre mes doigts. Les initiales GC y étaient gravées.

— Tu es superstitieux ? lâchai-je.

— Il appartenait à mon père.

— Ah.

Je levai les yeux vers lui.

— Il ne signait qu'avec ce stylo, ne s'en séparait jamais où qu'il aille. C'est avec lui qu'il a détruit notre nom.

— Et c'est avec ce même stylo que tu reconstruis ton nom, observai-je en posant la main sur sa cuisse.

Il me caressa la joue, le regard tendre et brillant.

— Je savais que tu comprendrais.

15

— La suite de monsieur et madame – un classique.

Blaire Ash sourit et son stylo courut sur son grand carnet de notes après qu'il eut parcouru du regard la chambre d'Eva – celle que je lui avais demandé d'agencer à l'identique de celle que ma femme occupait dans son appartement de l'Upper West Side.

— Quel genre de changement envisagez-vous ? demanda l'architecte d'intérieur. Souhaitez-vous faire table rase, repartir de zéro ou cherchez-vous juste une modification structurelle permettant simplement de faire communiquer les deux chambres ?

Je préférai laisser Eva répondre. Il m'était difficile de participer, sachant que ce changement ne correspondait pas à ce que nous souhaitions véritablement. Notre foyer allait bientôt refléter la profondeur de mon mal-être et à quel point il affectait notre mariage. Cet entretien m'était aussi agréable qu'un coup de couteau dans les entrailles.

Eva me jeta un coup d'œil avant de répondre :

— À quoi ressemblerait la version la plus simple ?

Le sourire d'Ash révéla des dents légèrement de travers. Il était séduisant – c'est du moins ce qu'Ireland m'avait assuré – et portait, comme chaque fois que je l'avais vu, un jean déchiré et un tee-shirt sous un blazer élégant. Non que je me soucie de son apparence. La seule chose qui m'intéressait, c'était son talent, que j'admirais suffisamment pour lui avoir confié la décoration de mon bureau et de mon appartement. Ce que je n'appréciais pas, en revanche, c'était sa façon de regarder ma femme.

— Il suffirait de percer une porte voûtée dans ce mur, suggéra-t-il, ce qui permettrait aux deux chambres de communiquer via la salle de bains.

— C'est exactement ce qu'il nous faut, déclara Eva.

— C'est une solution rapide et efficace qui supprimerait la frontière entre vos deux espaces de vie. Mais il y a encore une possibilité, ajouta-t-il.

— Laquelle ?

Il se rapprocha d'Eva, si près que son épaule toucha la sienne. Ash était presque aussi blond qu'elle et l'image du couple qu'ils formaient me frappa lorsque leurs têtes se retrouvèrent côte à côte.

— Si on considère la surface au sol des trois chambres et de la salle de bains, répondit-il en s'adressant à ma femme comme si je n'étais pas là, on peut obtenir une suite parentale équilibrée. Deux chambres de mêmes dimensions séparées par un bureau commun – ou un petit salon, à votre convenance.

Eva se mordilla un instant la lèvre inférieure.

— Je n'en reviens pas que vous ayez réussi à concevoir tout cela aussi vite, lâcha-t-elle.

— Rapidité et efficacité, telle est ma devise, répondit-il en lui décochant un clin d'œil. Et avec un tel sens des finitions que vous penserez à moi la prochaine fois que le besoin s'en fera sentir.

Je croisai les bras, laissai aller mon épaule contre le mur et les observai. Si Eva ne semblait pas avoir saisi le sous-entendu de l'architecte d'intérieur, il ne m'avait pas échappé.

La sonnerie du téléphone fixe retentit et elle me regarda.

— Tu crois que Cary va répondre ?

— Tu ferais mieux d'y aller, mon ange, répondis-je d'un ton suave. Profites-en pour lui communiquer ton enthousiasme.

— Bonne idée ! s'exclama-t-elle en m'effleurant le bras d'une caresse avant de se précipiter hors de la pièce.

Je laissai l'écho de cette caresse se répercuter en moi avant de me redresser et de fixer Ash.

— Vous flirtez avec ma femme.

Il se raidit et son sourire disparut.

— Pardonnez-moi. Telle n'était pas mon intention. Je cherchais juste à mettre Mlle Tramell à l'aise.

— C'est à moi de me soucier de cela. Vous, souciez-vous seulement de moi.

Je me doutais que le changement que nous lui demandions de réaliser l'avait amené à se poser des questions. N'importe qui l'aurait fait à sa place. Quel homme digne de ce nom et sain d'esprit aurait envie qu'une femme comme Eva dorme non seulement dans un autre lit que le sien, mais aussi dans une chambre à part ?

Je sentis le couteau s'enfoncer davantage dans mes entrailles et pivoter.

Le regard sombre d'Ash durcit.

— Bien sûr, monsieur Cross.

— Reprenons, voulez-vous ? Que proposez-vous, exactement ?

— Qu'est-ce que tu en penses ? demanda Eva entre deux bouchées de pizza poivrons-basilic.

Elle était accoudée au comptoir en face de Cary et de moi. Je soupesai ma réponse.

— L'idée d'une suite avec deux chambres identiques a du charme, enchaîna-t-elle en se tamponnant les lèvres avec sa serviette en papier. Mais si on choisit l'autre option, ce sera plus rapide. Sans compter qu'on pourra reboucher la cloison si on décide un jour de faire autre chose de cette pièce.

— Comme une chambre d'enfant, par exemple, suggéra Cary en actionnant le poivrier au-dessus de sa part de pizza.

Je n'avais plus faim, tout à coup, et reposai celle que j'étais en train de manger sur mon assiette en carton. Les pizzas livrées à domicile ne me réussissaient vraiment pas, ces derniers temps.

— Ou une chambre d'amis, corrigea Eva. J'ai bien aimé ce que tu as proposé à Blaire pour ton appart.

— Tu esquives, Eva, répliqua Cary en lui glissant un coup d'œil.

— Hé ! Tu as peut-être des bébés plein la tête en ce moment, mais ce n'est pas le cas de tout le monde, figure-toi.

Elle avait répondu très exactement ce que je souhaitais lui entendre répondre, mais...

Eva entretenait-elle les mêmes craintes que moi ? Elle m'avait peut-être épousé sous le coup d'une impulsion, tout en sachant qu'elle ne voudrait jamais d'un père comme moi pour ses enfants.

— J'ai des coups de fil à passer, annonçai-je en allant jeter le contenu de mon assiette dans la poubelle. Reste, ajoutai-je à l'adresse de Cary. Profites-en pour passer un peu de temps avec Eva.

— Merci, répondit-il en me saluant d'un hochement de tête.

Je quittai la cuisine et traversai le salon.

— Dis donc, l'entendis-je dire alors que je m'éloignais, j'ai eu l'impression que le bel architecte d'intérieur n'était pas insensible au charme de ton mec, baby girl.

— N'importe quoi ! s'esclaffa Eva. Tu es fou.

— Je ne discuterai pas ce dernier point, mais j'ai remarqué que Blaire Ash t'a à peine regardée de la soirée alors qu'il n'a pas détaché les yeux de Cross.

Je retins un ricanement. Ash avait compris le message, confirmant qu'il était aussi intelligent que je le pensais. Libre à Cary de l'interpréter à sa guise.

— Si tu dis vrai, répliqua Eva comme je m'engageais dans le couloir, c'est la preuve qu'il a bon goût.

J'entrai dans mon bureau et mon regard tomba sur le mur de photos d'Eva. Je n'arrivais jamais à l'effacer de mon esprit. Elle demeurait toujours au premier plan, dirigeant toutes mes pensées.

Je m'assis à mon bureau et me mis au travail dans l'espoir de rattraper suffisamment mon retard pour ne pas désorganiser mon planning de la semaine. Il me fallut un moment pour avoir vraiment la tête à ce que je faisais, mais une fois que j'y fus parvenu, je ressentis un profond soulagement. Me concentrer sur des problèmes qui trouvaient des solutions concrètes m'offrait comme un répit.

J'avais pas mal avancé quand j'entendis, provenant du salon, un cri qui semblait avoir été poussé par Eva. Je m'interrompis et tendis l'oreille. Il y eut un instant de silence, puis un cri retentit de nouveau, suivi par un éclat de voix de Cary. Je gagnai la porte du bureau et l'ouvris.

— Tu aurais pu m'en parler, Cary ! déclara ma femme, furieuse. Tu aurais pu me dire ce qu'il se passait.

— Comme si tu ne le savais pas, répliqua-t-il, d'un ton si hargneux que je sortis dans le couloir.

— J'ignorais que tu avais recommencé à te couper !

J'avançai jusqu'au salon. Eva et Cary se faisaient face et se fusillaient du regard.

— Ça ne te regarde pas, rétorqua Cary en adoptant une attitude défensive. Et toi non plus ! ajouta-t-il à mon intention.

— En effet, répondis-je, bien que ce ne fût pas tout à fait vrai.

La façon dont Cary choisissait de se détruire ne me regardait pas ; en revanche, la façon dont cela affectait Eva me regardait.

— Quelle connerie ! répliqua Eva avant de tourner brièvement les yeux vers moi pour m'intégrer dans leur querelle. Bien sûr que ça me regarde ! Je croyais que tu parlais avec le Dr Travis !

— Et quand est-ce que j'aurais le temps, hein ? Entre mon boulot et celui de Tatiana, alors que j'essaie de garder le cap avec Trey, j'ai à peine le temps de dormir !

— C'est un prétexte ! répliqua Eva en secouant la tête.

— Ne viens pas me faire la morale, l'avertit Cary. Je n'ai vraiment pas besoin de ça.

— Putain ! s'exclama-t-elle en levant les yeux au ciel. Pourquoi les hommes de ma vie me mettent-ils toujours à l'écart quand ils ont le plus besoin de moi ?

— Je ne peux pas répondre pour Cross, répliqua Cary, mais en ce qui me concerne, tu n'es plus jamais là pour moi. Je m'en sors comme je peux, du mieux que je peux.

— C'est dégueulasse de dire un truc pareil ! explosa-t-elle. C'est à toi de me dire que tu as besoin de moi. Je ne lis pas dans les pensées !

Je tournai les talons et les laissai à leur dispute. J'avais des problèmes à résoudre de mon côté. Quand Eva serait prête, elle viendrait à moi et je l'écouterais en veillant à lui donner le moins possible mon opinion.

Elle n'était pas encore disposée à m'entendre dire que j'estimais qu'elle serait bien mieux sans Cary.

La lumière de l'aube caressa la pointe des cheveux d'Eva. Les longues mèches blondes semblables à du vieil or paraissaient comme éclairées de l'intérieur. L'une de ses mains était recroquevillée sur l'oreiller près de son beau visage, l'autre reposait sagement entre ses seins. Le drap blanc lui drapait les hanches, révélant ses jambes bronzées.

Je n'ai rien d'un fantaisiste, mais en cet instant, ma femme ressemblait à l'ange qu'elle était selon moi. Je fis le point, soucieux de préserver à jamais la vision qu'elle offrait.

L'obturateur claqua, et elle s'agita. Ses lèvres s'entrouvrirent. Je pris une autre photo, heureux d'avoir acheté un appareil photo susceptible de rendre justice à sa beauté.

Ses cils palpitèrent.

— Qu'est-ce que tu fais, champion ? demanda-t-elle d'une voix aussi ensommeillée que son regard.

Je posai l'appareil sur la commode et la rejoignis au lit.

— Je t'admire.

— Comment te sens-tu aujourd'hui ? s'enquit-elle, ses lèvres s'incurvant sur un sourire paresseux.

— Mieux.

— Mieux, c'est bien.

Elle roula sur le côté et tendit la main vers ses pastilles de menthe. Quand elle se retourna vers moi, elle soumit mon visage à une inspection sévère, puis :

— Tu te sens prêt à renverser le monde, pas vrai ?

— Je préférerais passer la journée à la maison avec toi.

— Tu parles, répliqua-t-elle en plissant les yeux. Tu es pressé de retourner œuvrer à la mondialisation.

Je m'inclinai et déposai un baiser sur son nez.

— Tu me connais tellement bien.

La facilité avec laquelle elle lisait en moi ne laissait pas de m'étonner. Elle avait raison ; j'étais dans un état d'agitation presque fiévreuse que seul le travail saurait apaiser.

— Je pourrais très bien travailler ici ce matin et passer l'après-midi avec toi, répliquai-je cependant.

— Si tu as envie de parler, je suis à ta disposition, assura-t-elle. Autrement, je te rappelle que j'ai un boulot qui m'attend.

— Si tu travaillais avec moi, tu pourrais travailler depuis la maison, toi aussi, observai-je en m'allongeant près d'elle.

— Tu préfères continuer sur ce sujet, hein ? C'est la tactique que tu as choisie ?

Je roulai sur le dos et repliai le bras sur mes yeux. Elle n'avait pas insisté hier et je savais qu'elle n'insisterait pas non plus aujourd'hui. Ni demain. Elle attendrait, tout comme le Dr Petersen, que je sois disposé à m'ouvrir. Mais le seul fait de savoir qu'elle attendait me mettait la pression.

— Il n'y a rien à dire, marmonnai-je. Ça s'est passé, Chris est au courant. En parler maintenant ne changera rien.

Je la sentis se tourner vers moi.

— Ce n'est pas le fait de parler des événements en soi qui compte, c'est ce que tu ressens.

— Je ne ressens rien. Ça m'a... surpris. Je n'aime pas les surprises. Mais c'est terminé, à présent.

— Mensonge, s'écria-t-elle en glissant hors du lit avant que j'aie le temps de l'attraper. Si c'est pour mentir, j'aime autant que tu te taises.

Je me redressai et la regardai contourner le pied du lit, la façon qu'elle avait de carrer les épaules n'entamant en rien son allure affolante. Le besoin que j'avais d'elle courait perpétuellement dans mes veines et se transformait en un désir farouche au moindre éclat de son tempérament latin.

J'avais entendu certains dire que ma femme était d'une beauté aussi renversante que sa mère, mais je n'étais pas d'accord. Monica Stanton était une beauté froide, une créature qui apparaissait inaccessible. Eva, elle, n'était que chaleur et sensualité – il était possible de l'atteindre, mais sa passion avait le pouvoir de vous réduire en cendres.

Je bondis du lit et l'attrapai par le bras avant qu'elle atteigne la salle de bains.

— Je ne peux pas me battre avec toi maintenant, déclarai-je sans détour en plongeant mon regard au fond du sien. Mais si on n'est pas en phase, je n'arriverai pas au bout de la journée.

— Alors ne viens pas me dire que c'est terminé quand tu luttes encore pour ne pas voler en éclats !

— Je ne sais pas quoi faire de toute cette histoire, grondai-je. Je ne vois pas en quoi le fait que Chris soit au courant change quoi que ce soit.

— Il s'inquiète pour toi, répliqua-t-elle en relevant le menton. Tu as l'intention de l'appeler ?

Je détournai la tête. À la seule idée de revoir mon beau-père, mon estomac se soulevait.

— J'aurai bien l'occasion de lui parler à un moment ou à un autre, me défilai-je. Nous avons des intérêts commerciaux communs.

— Tu préfères l'éviter. Dis-moi pourquoi.

Je m'écartai d'elle.

— En quel honneur Chris et moi deviendrions-nous subitement les meilleurs amis du monde ? Nous ne nous sommes jamais beaucoup fréquentés et je ne vois pas de raison que ça change.

— Tu lui en veux ?

— Bordel, mais pourquoi est-ce que ce serait à moi de l'aider à se sentir mieux ? lâchai-je en en me dirigeant vers la douche.

— Rien ne l'aidera à se sentir mieux, répondit-elle en m'emboîtant le pas, et je ne crois pas que ce soit ce qu'il attende de toi. Il veut juste savoir que tu es de nouveau en selle.

J'entrai dans la cabine et ouvris les robinets.

Sa main me caressa le dos.

— Gideon... tu ne peux pas te contenter d'enfermer tes sentiments dans une boîte. Pas à moins de vouloir une explosion comme celle qui s'est produite hier soir. Ou un autre cauchemar.

La mention de mes cauchemars récurrents me fit pivoter sur moi-même.

— On a très bien survécu à ces deux dernières nuits !

Qu'Eva ne batte pas en retraite devant ma fureur comme n'importe qui l'aurait fait à sa place accrut encore ma colère. Et la vision de son corps nu démultiplié par les miroirs de la salle de bains n'arrangea pas les choses.

— Tu n'as pas fermé l'œil mardi dernier, répliqua-t-elle d'un ton de défi. Et cette nuit, tu étais si épuisé que je doute que tu aies seulement rêvé.

Elle ignorait que j'avais passé une partie de la nuit dans l'autre chambre et je ne vis aucune raison de le mentionner.

— Que veux-tu que je te dise ?

— Il ne s'agit pas de moi, Gideon ! Parler, ça aide. Déballer ses problèmes permet de les voir sous un autre angle.

— Un autre angle ? Le mien est parfait. Tu crois que je n'ai pas lu la pitié sur le visage de Chris l'autre soir ? Ou sur le tien ? Je n'ai pas besoin qu'on soit désolé pour moi, putain. Je n'ai pas besoin de leur foutue culpabilité.

Elle haussa les sourcils.

— Je ne peux pas parler pour Chris, Gideon, mais je peux te garantir que ce n'est pas de la pitié que tu as lu sur mon visage. De la compassion, peut-être, parce que je sais ce que tu ressens. Et de la peine, certainement, parce que mon cœur est relié au tien. Chaque fois que tu souffres, je souffre aussi. Tu vas devoir t'y habituer parce que je t'aime et que je ne cesserai jamais de t'aimer.

Ses paroles me transpercèrent comme la lame d'un poignard. J'agrippai le bord de la porte coulissante de la douche. Elle hésita, puis vint à moi et m'enveloppa de ses bras. Je penchai la tête en avant et m'immergeai dans son odeur, son étreinte. Ma main libre glissa sur sa hanche, recouvrit la courbe de sa fesse. Je n'étais plus l'homme que j'étais lorsque nous nous étions rencontrés. J'étais plus fort par certains côtés, plus faible par d'autres. Et c'était cette faiblesse qui me posait problème. J'avais tellement eu l'habitude de ne jamais rien éprouver. Et maintenant...

— Chris ne te voit pas comme un faible, murmura-t-elle, sa joue contre la mienne, lisant comme toujours dans mes pensées. Personne ne le pourrait après ce que tu as enduré... et qui a fait de toi celui que tu es aujourd'hui. Il faut une force colossale pour parvenir à ce résultat. Et je suis impressionnée.

Mes doigts s'enfoncèrent dans sa chair tendre.

— Tu n'es pas objective, marmonnai-je. Tu es amoureuse de moi.

— Évidemment que je le suis. Comment pourrais-je ne pas l'être ? Tu es extraordinaire et parfait...

Je laissai échapper un grommellement.

— Parfait pour moi, précisa-t-elle. Et dans la mesure où tu m'appartiens, c'est une excellente chose.

Je l'attirai dans la douche, la plaçai sous le jet d'eau tiède.

— J'ai l'impression que ça a changé les choses, reconnus-je. Mais je ne sais pas comment.

— On trouvera la réponse ensemble, murmura-t-elle tandis que ses mains glissaient le long de mes bras. Il suffit que tu arrêtes de me tenir à l'écart. Tu ne dois plus chercher à me protéger, surtout pas de toi-même.

— J'ai peur de te faire du mal, mon ange. Je ne peux pas prendre un tel risque.

— Ne dis pas de bêtises. Je suis tout à fait capable de te maîtriser si tu perds les pédales, champion.

Si seulement c'était vrai... cela m'aurait sans doute tranquillisé.

Je jugeai plus sage d'éviter une querelle dont les échos résonneraient en moi tout au long de la journée.

— J'ai réfléchi aux transformations du penthouse, commençai-je.

— Tu changes de sujet.

— On en a fait le tour. Le sujet n'est pas clos, m'empressai-je de préciser, mais on le laisse de côté tant qu'il n'y aura pas de variables supplémentaires à réfuter.

— Pourquoi est-ce que ça m'excite quand tu joues au super-businessman avec moi ?

— Ne me dis pas qu'il y a des moments où je ne t'excite pas.

— J'aimerais bien ! Cela me permettrait d'être plus productive.

J'écartai ses cheveux mouillés de son front.

— Est-ce que tu as réfléchi à ce que tu voudrais ?

— N'importe quoi, du moment que ça finit avec ton sexe en moi.

— C'est bon à savoir. Mais je parlais de la rénovation de l'appartement.

Elle haussa les épaules et ses yeux brillèrent de malice.

— Ma réponse reste valable.

C'était le genre de cantine de quartier que les touristes dédaignent. Une petite gargote sans charme, à la devanture surmontée d'un store en plastique qui ne rendait l'endroit ni exceptionnel ni accueillant. Les soupes étaient la spécialité de la maison et les clients à qui une simple soupe ne suffisait pas pouvaient aussi y commander des sandwiches. L'armoire réfrigérée située près de la porte ne proposait qu'un choix limité de boissons et l'antique caisse enregistreuse était uniquement conçue pour les paiements en espèces.

Non, il ne serait jamais venu à l'idée d'un touriste d'entrer dans cet établissement tenu par des immigrés venus tenter leur chance à New York. Les étrangers de passage préféraient les endroits rendus célèbres par des films ou des séries télévisées, ou ceux qui proposaient une vue imprenable sur Times Square. Les habitants du quartier, en revanche, connaissaient les bonnes adresses et faisaient la queue jusque sur le trottoir.

Je franchis la file d'attente pour gagner la minuscule salle du fond, meublée d'une poignée de tables en Formica. Un homme était assis à l'une d'elles, occupé à lire le journal, un bol de soupe fumante posée devant lui.

Je tirai la chaise qui lui faisait face et m'assis.

— Que puis-je faire pour vous, monsieur Cross ? s'enquit Benjamin Clancy sans lever les yeux.

— Je crois que je vous dois des remerciements.

Il replia tranquillement son journal et le posa près de lui avant de croiser mon regard. L'homme était solidement bâti, tout en muscles. Ses cheveux blond foncé étaient coupés très court, comme dans l'armée.

— Vraiment ? dit-il. Dans ce cas, je les accepte. Bien que je ne l'aie pas fait pour vous.

— Je m'en doutais, répondis-je en le dévisageant. Vous avez toujours l'œil sur elle.

Clancy opina.

— Elle a eu assez de soucis comme ça, répondit-il. Je veille à ce qu'elle n'en ait plus.

— Vous ne me faites pas confiance pour veiller sur elle ?

— Je ne vous connais pas assez pour savoir si vous êtes en mesure de le faire. À mon avis, elle non plus. Alors je garde l'œil sur elle, le temps de me faire une idée.

— Je l'aime. Je crois avoir montré jusqu'où j'étais prêt à aller pour la protéger.

Son regard se durcit.

— Il y a des hommes qui méritent d'être abattus comme des chiens enragés. D'autres doivent se charger de la besogne. Selon moi, vous n'appartenez à aucune de ces catégories. Ce qui m'incite à vous cataloguer comme un justicier solitaire.

— Je prends soin de ce qui m'appartient.

— Oh, c'est certain ! acquiesça-t-il avec un sourire qui n'atteignit pas ses yeux. Moi, je me charge du reste. Tant qu'Eva est heureuse avec vous, les choses en restent là. Si vous décidez un jour qu'elle n'est pas celle qu'il vous faut, vous la quittez proprement, sans lui manquer de respect. Si vous lui faites le moindre mal, vous avez un problème, que je sois vivant ou dans la tombe. Vous me comprenez ?

— Vous n'avez pas besoin de me menacer pour que je la traite bien, mais je vous ai entendu.

Eva était forte. Assez forte pour avoir survécu à son passé et remis son avenir entre mes mains. Mais elle était aussi vulnérable, d'une façon que la plupart des gens ne voyaient pas. Voilà pourquoi je ferais tout pour la protéger ; et, apparemment, Benjamin Clancy sentait les choses comme moi.

— Eva n'aime pas qu'on la surveille, lui rappelai-je en me penchant vers lui. Si elle vous perçoit comme un problème, nous serons obligés d'avoir une autre conversation, vous et moi.

— Vous avez l'intention d'en faire un problème ?

— Non. Si elle vous repère, ce ne sera pas parce que je l'aurai avertie. Gardez simplement à l'esprit qu'elle a été sur ses gardes toute sa vie et que sa mère a eu tendance à l'étouffer. Elle commence à peine à respirer librement et je ne vous laisserai pas la priver de cette liberté.

Clancy étrécit les yeux.

— Je crois que nous nous comprenons.

Je m'écartai de la table, me levai et lui tendis la main.

— Je pense, oui.

Quand ma journée de travail s'acheva, je me sentais de nouveau solide et sûr de moi.

Là, dans ce bureau, à la tête de Cross Industries, je maîtrisais tout jusque dans les moindres détails. Je ne doutais de rien et encore moins de moi-même.

Sous mes pieds, le sol était de nouveau d'aplomb. J'avais rattrapé tout le retard causé par mon absence de la veille.

— J'ai confirmé votre emploi du temps pour demain, annonça Scott en entrant dans mon bureau. Mme Vidal vous retrouvera à midi avec Mlle Tramell au MoMa[1].

Merde. J'avais complètement oublié cette histoire de déjeuner avec ma mère.

— Merci, Scott, répondis-je. Passez une bonne soirée.

— Vous aussi, monsieur Cross. À demain.

Je m'approchai de la fenêtre et contemplai la ville. Les choses étaient plus simples avant Eva. Dans le courant de la journée, alors que je croulais sous le travail, je m'étais surpris à regretter cette simplicité.

_____

1. Museum of Modern Art. (*N.d.T.*)

Maintenant que j'avais le temps de réfléchir, la perspective des changements majeurs qu'allait connaître l'appartement que j'avais jusqu'alors considéré comme un refuge m'ennuyait plus que je ne l'aurais admis devant Eva. En plus des pressions personnelles auxquelles nous étions confrontés, je me sentais presque écrasé par l'ampleur des ajustements requis.

M'éveiller auprès d'Eva comme ce matin-là en valait largement la peine, mais cela ne m'empêchait pas de subir le contrecoup de son apparition dans ma vie.

— Monsieur Cross ?

Je me retournai.

— Vous êtes encore là, Scott ?

— Je venais de sortir de l'ascenseur quand Cheryl m'a interpellé à l'accueil. Une certaine Deanna Johnson demande à vous voir. Je voulais m'assurer que je devais lui dire que vous n'êtes plus disponible aujourd'hui.

Je fus tenté de l'éconduire. Je n'ai jamais eu beaucoup de patience avec les journalistes et encore moins avec les ex-maîtresses.

— Dites-lui de monter.

— Souhaitez-vous que je reste ?

— Non, vous pouvez y aller, je vous remercie.

Je le regardai partir, puis regardai Deanna arriver. Perchée sur de hauts talons qui faisaient paraître ses longues jambes plus longues encore, elle portait une jupe grise au-dessus du genou. Ses cheveux noirs retombaient souplement sur ses épaules et encadraient la fermeture Éclair qui conférait à son chemisier, par ailleurs très classique, un chic certain.

Elle me gratifia d'un sourire étincelant et me tendit la main.

— Bonsoir, Gideon. Merci de me recevoir aussi rapidement.

Je la lui serrai brièvement.

— Tu ne te serais pas donné la peine de venir directement si tu n'avais pas eu quelque chose d'important à me dire.

Sous couvert d'énoncer un fait, je la mettais en garde. Nous avions passé un accord, mais celui-ci deviendrait caduc si elle s'imaginait pouvoir exploiter notre lien au-delà de ce que je lui avais déjà concédé.

— La vue qu'on a d'ici mérite à elle seule le détour, répondit-elle, son regard s'attardant sur moi une seconde de trop avant de se porter vers la fenêtre.

— Je suis désolé, mais j'ai un rendez-vous, nous allons devoir abréger.

— Moi aussi, je suis pressée, répliqua-t-elle.

Rejetant ses cheveux en arrière, elle alla s'asseoir sur la chaise la plus proche et croisa les jambes d'une façon qui révéla un peu trop ses cuisses. Elle entreprit de fouiller dans son grand sac.

Je sortis mon téléphone de ma poche, vérifiai l'heure et appelai Angus.

— Nous serons prêts d'ici à dix minutes, annonçai-je quand il répondit.

— J'amène la voiture.

Je coupai la communication et jetai un coup d'œil impatient à Deanna.

— Comment va Eva ? s'enquit-elle.

— Elle ne va pas tarder, tu pourras le lui demander toi-même.

Elle leva un œil vers moi, le rideau de ses longs cheveux dissimulant l'autre.

— J'espère être partie avant qu'elle arrive. Je crois que notre... passé l'indispose.

— Elle sait comment j'étais, déclarai-je posément. Et elle sait que je ne suis plus ainsi.

— Bien sûr qu'elle le sait, acquiesça Deanna. Et il va de soi que tu as changé, mais aucune femme n'aime qu'on lui jette le passé de son homme à la figure.

— Alors tu devrais faire en sorte que cela ne se produise pas.

Nouvelle mise en garde de ma part.

Elle tira un mince dossier de son sac, se leva et s'approcha de moi.

— Absolument. J'ai accepté et apprécié tes excuses.

— Parfait.

— C'est de Corinne Giroux que je me soucierais, à ta place.

Ce qui me restait de patience m'abandonna.

— C'est à son mari qu'il revient de se soucier d'elle, pas à moi.

Deanna me tendit le dossier. Je m'en emparai et l'ouvris. Il contenait un communiqué de presse.

Je le parcourus, et ma main se crispa au point d'en froisser le bord.

— Elle a vendu les droits d'un livre de révélations sur votre histoire, commenta bien inutilement Deanna. L'annonce de sa parution sera officielle lundi matin à 9 heures.

16

— Quand un couple se forme et le fait savoir à son entourage, il arrive que les amis râlent un peu, mais, globalement, ils manifestent leur soutien et laissent le couple vivre sur son petit nuage, observai-je avant de jeter un coup d'œil à Gideon, assis à côté de moi sur le canapé. Mais nous deux, on ne nous laisse pas un instant de répit.

— À quel genre de répit faites-vous référence ? demanda le Dr Petersen en nous dévisageant avec un intérêt presque affectueux qui me redonnait espoir.

Dès notre arrivée, j'avais remarqué un changement dans la dynamique de la relation entre Gideon et le Dr Petersen. Ils étaient plus détendus ensemble, plus à l'aise. Moins méfiants.

— Les seules personnes qui souhaitent réellement nous voir ensemble sont ma mère – qui considère le fait qu'on s'aime comme un bonus aux milliards de Gideon –, son beau-père et sa sœur.

— Je crois que vous êtes injuste avec votre mère, déclara le Dr Petersen en soutenant mon regard. Elle souhaite sincèrement votre bonheur.

— Oui, si on veut, sachant que pour elle le bonheur repose sur la sécurité financière, ce que je ne comprends pas. Elle n'a jamais manqué d'argent, je ne vois pas pourquoi elle a tellement peur de ne plus en avoir. Enfin, bref, ajoutai-je en haussant les épaules. Je reconnais que j'en veux à tout le monde en ce moment. Quand on est rien que tous les deux, tout se passe très bien entre Gideon et moi. Il peut arriver qu'on se dispute, mais on finit toujours par se réconcilier. Et j'ai le sentiment qu'on en ressort plus forts.

— À quel sujet vous arrive-t-il de vous disputer ?

Je jetai de nouveau un coup d'œil à Gideon. Il paraissait très décontracté, plus séduisant que jamais dans son superbe costume. Je m'étais promis de l'accompagner la prochaine fois qu'il renouvellerait sa garderobe. Je voulais voir le tailleur prendre les mesures de ce corps fabuleux, le regarder choisir les étoffes et le style...

Je le trouvais sexy comme le péché en jean et teeshirt, renversant en smoking. Mais j'avais toujours eu une tendresse particulière pour ces costumes trois pièces qu'il affectionnait. Ils me rappelaient la toute première fois que je l'avais vu, si beau et inaccessible – je l'avais désiré si désespérément que ce désir avait supplanté mon instinct de survie.

Je reportai mon attention sur le Dr Petersen.

— Nous nous disputons toujours à propos de ce qu'il ne me dit pas. Et quand il tente de me tenir à l'écart.

— Ressentez-vous le besoin de maintenir une certaine distance avec Eva ? demanda-t-il à Gideon.

— Il n'y a aucune distance entre nous, docteur, répondit-il avec un sourire. Eva voudrait que je me décharge de tous mes problèmes sur elle, ce qui m'irrite et que je ne ferai jamais. C'est déjà bien assez que l'un de nous ait à s'en soucier.

— Je ne suis pas d'accord, répliquai-je. Une relation est basée sur le partage. Je ne suis peut-être pas capable de résoudre tous les problèmes, mais tu pourrais au moins solliciter mon avis. Je crois que si tu ne me dis pas certaines choses, c'est parce que tu préfères les refouler et les ignorer.

— À chacun sa façon de digérer les informations, Eva.

— Tu ne digères pas, tu ignores. Et je n'accepterai jamais que tu me repousses quand tu souffres.

— De quelle façon vous repousse-t-il ? intervint le Dr Petersen.

— Il... s'isole. Il refuse mon aide.

— Comment s'isole-t-il ? S'agit-il d'un retrait émotionnel, Gideon ? Ou physique ?

— Les deux, répondis-je. Il se ferme émotionnellement et s'éloigne physiquement.

— Je ne peux pas me fermer à toi, déclara Gideon en me prenant la main. C'est ça, le problème.

Je secouai la tête.

— Ce n'est pas un problème ! objectai-je. Ce n'est pas d'espace qu'il a besoin, ajoutai-je à l'intention du Dr Petersen, c'est de moi. Mais il me tient à l'écart parce qu'il a peur de me faire du mal.

— De quelle façon seriez-vous susceptible de lui faire du mal, Gideon ?

— C'est... commença-t-il avant de laisser échapper un soupir. Il y a certaines limites à respecter avec Eva. Je les connais et je veille à ne jamais les franchir. Mais cela pourrait m'arriver si mon attention se relâchait.

Le Dr Petersen nous étudia à tour de rôle.

— Quelles frontières redoutez-vous de franchir ?

Je sentis la main de Gideon se crisper autour de la mienne, mais ce fut le seul signe extérieur de son embarras.

— Il arrive parfois que j'aie trop besoin d'elle. Je peux alors me montrer brutal... exigeant. Je ne me maîtrise pas toujours autant que je le voudrais.

— Vous parlez de votre relation sexuelle, n'est-ce pas ? Nous avons déjà brièvement abordé cette question, ajouta-t-il une fois que Gideon eut confirmé d'un hochement de tête. Vous m'aviez dit alors avoir plusieurs rapports par jour, et ce, tous les jours. Est-ce toujours le cas ?

Je me sentis rougir. Gideon me caressa la main avec le pouce.

— Oui.

— Vous avez raison d'être inquiet, déclara le Dr Petersen en posant sa tablette. Gideon, vous vous servez peut-être du sexe pour maintenir Eva à distance sur le plan émotionnel. Quand vous faites l'amour, elle ne parle pas, vous ne répondez pas. À un moment donné, vous ne pensez même plus, votre corps est seul maître à bord et votre cerveau est submergé d'endorphines. À l'inverse, les victimes d'abus sexuels, comme Eva, utilisent souvent le sexe pour établir un lien émotionnel. Vous voyez le problème qui se pose alors ? Il est possible que vous utilisiez tous deux le même moyen – la sexualité – pour obtenir un résultat inverse : distanciation dans votre cas, rapprochement dans celui d'Eva.

— Je vous ai déjà dit qu'il n'existe aucune distance, déclara Gideon en posant ma main sur ses genoux tandis qu'il se penchait en avant. Pas avec Eva.

— Dites-moi, dans ce cas, ce que vous recherchez quand vous traversez un conflit émotionnel et que vous initiez un rapprochement sexuel avec Eva.

Je me tournai un peu pour observer Gideon, qui semblait absorbé dans ses pensées. Je ne m'étais jamais demandé pourquoi il avait besoin d'être en moi, uniquement comment. Pour moi, les choses étaient simples : Gideon avait besoin, je donnais.

Son regard croisa le mien. Le bouclier derrière lequel il se cachait, son masque social, disparut soudain. Et je lus le désir dans ses yeux. L'amour.

343

— D'être relié, répondit-il. Il y a ce moment où elle s'ouvre à moi et où je... je m'ouvre aussi, qui nous réunit. On est ensemble, complètement. J'ai besoin de ça.

— Un besoin brutal ?

— Parfois, admit Gideon en soutenant le regard du Dr Petersen. Il arrive qu'elle garde ses distances. Mais je peux l'amener à établir ce lien. C'est ce qu'elle veut, elle en a autant besoin que moi. Je dois insister. Prudemment. En maîtrisant les choses. Si je ne maîtrise pas les choses, il faut que je batte en retraite.

— Comment insistez-vous ?

— À ma façon.

— Est-il déjà arrivé que Gideon aille trop loin ? demanda le Dr Petersen en se tournant vers moi.

Je secouai la tête.

— Craignez-vous que cela puisse arriver ?

— Non.

Les sourcils du Dr Petersen se froncèrent légèrement au-dessus de ses yeux qui n'avaient rien perdu de leur douceur.

— Vous devriez, Eva. Vous le devriez tous les deux.

J'étais en train de faire mijoter des légumes et des dés de poulet dans une sauce au curry quand la porte d'entrée s'ouvrit. J'attendis que Cary apparaisse, en espérant que personne ne l'accompagnait.

— Hmm, ça sent bon, dit-il en s'approchant du comptoir.

Il affichait un look cool et décontracté – tee-shirt en V trop grand et short. Ses lunettes de soleil étaient accrochées à l'encolure de son tee-shirt et les larges bracelets de cuir brun qui lui enserraient les avant-bras dissimulaient les scarifications que j'avais remarquées la veille.

— Il y en aura assez pour moi ? demanda-t-il.

— Pour toi tout seul ?

Il me gratifia de son fameux sourire en coin, mais je vis la tension aux commissures de ses lèvres.

— Ouais.

— Alors oui, à condition que tu serves le vin.

— Ça marche !

Il me rejoignit dans la cuisine et regarda par-dessus mon épaule le contenu de la sauteuse.

— Rouge ou blanc ? voulut-il savoir.

— C'est du poulet.

— Blanc, alors. Où est Cross ?

Je le regardai se diriger vers la cave à vins.

— À l'entraînement avec son coach. Comment s'est passée ta journée ?

— Aussi merdique que d'habitude, répondit-il en haussant les épaules.

— Cary, soupirai-je en baissant le feu avant de me tourner vers lui. Il y a seulement quelques semaines tu étais si content d'être à New York et d'avoir du boulot. Et maintenant... tu es tellement malheureux.

Il sortit une bouteille, haussa de nouveau les épaules.

— Je récolte ce que j'ai semé.

— Je suis désolée de ne pas avoir été là pour toi.

Il sortit le tire-bouchon du tiroir et me jeta un coup d'œil.

— Mais... ? fit-il.

Je secouai la tête.

— Il n'y a pas de mais. Je suis désolée, c'est tout. Je pourrais dire que tu étais rarement seul quand je rentrais à la maison et que c'est pour ça qu'on ne s'est pas beaucoup parlé, mais ce n'est pas une excuse pour ne pas m'être rapprochée davantage de toi, d'autant que je savais que tu traversais des moments difficiles.

Cary soupira et baissa la tête.

— Je n'aurais pas dû tout rejeter sur toi, hier soir. Je sais que Cross se trimballe ses merdes, lui aussi, et que ça te bouffe la tête.

— Ça ne signifie pas que je ne suis pas là pour toi, murmurai-je en posant la main sur son épaule. Quand tu as besoin de moi, dis-le. Je serai toujours là.

Se retournant brusquement, il m'étreignit si fort que j'en eus le souffle coupé. La compassion fit le reste et mon cœur se serra.

Je lui rendis son étreinte, lui caressai l'arrière de la tête. Ses cheveux étaient aussi doux que de la soie, ses épaules, aussi dures que du granit. Il fallait qu'elles le soient, j'imagine, pour supporter le poids du stress qui pesait sur lui. La culpabilité m'incita à resserrer les bras autour de lui.

— Putain, grommela-t-il, j'ai vraiment merdé dans les grandes largeurs.

— Qu'est-ce qu'il se passe, Cary ?

Il s'écarta de moi, puis me tourna le dos pour déboucher la bouteille.

— Je ne sais pas si c'est les hormones ou quoi, mais Tatiana est plus chiante que jamais. Rien n'est jamais assez bien. Rien ne la rend heureuse, et surtout pas le fait d'être enceinte. C'est foutu d'avance pour ce pauvre gamin ! Avec moi comme père, et une diva égoïste qui le déteste avant même sa naissance comme mère, c'est foutu, pour lui.

— Ce sera peut-être une fille, dis-je en lui tendant les verres que j'avais sortis du placard.

— Ne parle pas de malheur. Je panique déjà assez comme ça.

Il remplit les verres, en glissa un vers moi et but une grande gorgée du sien.

— Je me sens nul de parler comme ça de la mère de mon bébé, mais c'est la vérité. Je n'y peux rien, mais c'est la putain de vérité.

— C'est sûrement les hormones. Ça va passer. Bientôt, elle sera radieuse, au comble du bonheur.

J'avalai une gorgée de vin et priai pour que ce que je venais de dire se révèle vrai.

— Tu en as parlé à Trey ? me risquai-je finalement à demander.

Cary secoua la tête.

— C'est le seul élément équilibré de ma vie en ce moment. Si je le perds, je perds tout.

— Il est resté avec toi jusqu'ici.

— J'ai dû faire des efforts pour ça, Eva. Tous les jours. Je n'en ai jamais autant fait de ma vie. Et je ne parle pas de cul, là.

— J'avais compris, répondis-je en sortant deux grands bols chinois du lave-vaisselle. Tu sais quoi ? Tu es un mec génial et je suis certaine que Trey est conscient de la chance qu'il a de t'avoir.

— Arrête. S'il te plaît, dit-il en croisant mon regard. J'essaie d'être réaliste, là. Je n'ai pas besoin que tu m'enfumes avec ce genre de bla-bla.

— Ce n'est pas du bla-bla. Ce que je viens de dire n'est peut-être pas très profond, mais c'est la vérité.

Je fis une pause devant le cuiseur à riz.

— Tu sais, Gideon refuse souvent de me dire ce qui ne va pas. Il prétend que c'est pour me protéger, mais en fait, c'est lui qu'il protège.

De prononcer ces mots à voix haute me fit prendre vraiment conscience de la réalité qu'ils recouvraient.

— Il a peur que je m'en aille s'il en dit trop. Mais c'est tout le contraire, Cary. Plus il se tait, plus je doute de sa confiance en moi, et cela nous fait du mal. Tu es avec Trey depuis aussi longtemps que je suis avec Gideon, ajoutai-je en posant la main sur son bras. Tu dois lui dire. S'il apprend par quelqu'un d'autre que Tatiana est enceinte de toi – ce qui finira forcément par arriver –, il risque de ne pas te le pardonner.

Cary s'accouda au comptoir, l'air si las qu'il paraissait soudain beaucoup plus âgé.

— J'ai l'impression que si j'avais plus de temps pour maîtriser les choses, j'arriverais à en parler à Trey.

— Attendre n'est pas une solution, observai-je d'un ton patient en remplissant les bols de riz.

— C'est la seule dont je dispose, répliqua-t-il avec colère. Je ne baise plus à droite à gauche. Un moine s'éclate plus que moi !

Je ne pus réprimer une grimace, sachant que Cary illustrait parfaitement ce dont avait parlé le Dr Petersen. Quand Cary avait des relations sexuelles, il mettait son cerveau sur *off* et autorisait son corps à lui faire du bien, ne serait-ce que brièvement. Il se retrouvait dans un état où il n'avait plus besoin de penser ni d'éprouver quoi que ce soit au-delà du sensoriel. Un mécanisme compensatoire qu'il avait été obligé d'élaborer et de perfectionner à l'époque où c'était lui qui se faisait baiser, bien avant d'être assez âgé pour en avoir seulement envie.

— Je suis là, objectai-je.

— Baby girl, je t'adore, mais tu n'es pas toujours la solution pour moi.

— L'automutilation ou baiser le premier venu n'est pas non plus la solution.

— Il doit bien y en avoir une.

Je servis le curry sur le riz et lui tendis son bol avec une cuillère.

— Commence par prendre soin de toi. Faire confiance à ceux que tu aimes t'aidera aussi. Sois honnête avec toi-même et avec eux. Dit comme ça, ça paraît simple, mais tu sais aussi bien que moi que ça ne l'est pas. Et c'est la seule solution, Cary.

Il accepta le bol avec un sourire triste.

— Je suis mort de trouille, Eva.

— Tu vois ? répondis-je en lui retournant son sourire. Ça, c'était honnête. Est-ce que ça t'aiderait que je sois là quand tu le diras à Trey ?

— Ouais. Je me sentirai lâche de ne pas le faire seul, mais ça aidera.

— Alors tu peux compter sur moi.

Cary m'enlaça par-derrière et posa la joue sur mon épaule.

— Tu es vraiment toujours là pour moi. C'est pour ça que je t'aime.

Je lui caressai les cheveux.

— Moi aussi, je t'aime.

Le dessus-de-lit s'écartant de ma peau nue me réveilla avant que le matelas s'affaisse sous le poids de l'homme qui se glissait dans mon lit.

— Gideon.

Je me tournai vers lui, les yeux fermés, et inhalai son odeur. Mes mains glissèrent sur son corps frais et l'attirèrent contre moi pour le réchauffer.

Il s'empara de ma bouche en un baiser dont la ferveur acheva de me réveiller. Mon cœur s'emballa sous ses caresses avides. Il se hissa au-dessus de moi, le long de mon corps, sa bouche m'incendiant les seins, le ventre, le sexe.

Je gémis et arquai le dos. Sa langue se concentra sur mon clitoris, exigeante, et ses mains m'immobilisèrent les hanches quand je me tordis sous sa caresse.

Un cri d'extase ponctua ma défaite. Gideon s'essuya la bouche sur ma cuisse, puis se redressa, ombre séduisante dans le clair-obscur de la chambre, et entra en moi d'un coup de reins fluide.

Mon prénom franchit ses lèvres dans un grondement, comme si le plaisir de me pénétrer était insoutenable.

Je lui agrippai la taille. Son bassin se souleva et ondula, son sexe dur allant et venant délicieusement en moi.

Quand je m'éveillai un peu plus tard, alors que le soleil était déjà levé, la place à côté de moi était vide et froide.

17

Je préparais le café d'Eva quand la sonnerie de mon cellulaire retentit. Je posai la crème sur le comptoir et allai pêcher mon téléphone dans la poche de ma veste sur le tabouret de bar où je l'avais laissée la veille.

— Bonjour, mère, répondis-je en carrant les épaules.

— Gideon, je suis désolée de te prévenir aussi tardivement, annonça-t-elle avant de reprendre son souffle, mais je ne vais pas pouvoir déjeuner avec toi ce midi.

J'allai chercher ma tasse de café, sachant qu'il me serait utile pour la longue journée qui m'attendait.

— Entendu.

— Je suis sûre que tu es soulagé, ajouta-t-elle d'un ton amer.

J'avalai une gorgée de café, regrettant qu'il ne s'agisse pas d'un breuvage plus corsé bien qu'il ne soit guère plus de 8 heures.

— Ne le soyez pas. Si je n'avais pas souhaité déjeuner avec vous, j'aurais moi-même annulé.

— Est-ce que tu as vu Chris dernièrement ? demanda-t-elle après un silence.

Je bus une autre gorgée de café et braquai les yeux vers le couloir, guettant l'apparition d'Eva.

— Je l'ai vu mardi.

— Et pas depuis ?

La peur que je perçus dans sa voix ne me fit absolument pas plaisir.

Eva pénétra dans le salon pieds nus, vêtue d'un fourreau de soie beige très strict qui n'en soulignait pas moins chacune de ses courbes. Je l'avais sélectionné pour elle, sachant qu'il mettrait son teint et la couleur de ses cheveux en valeur.

Le plaisir que déclencha cette vision s'immisça dans mes veines tel l'alcool que j'aurais aimé trouver dans mon café un instant plus tôt. Eva avait cet effet-là sur moi, elle me fascinait et m'enivrait.

— Il faut que j'y aille, dis-je. Je vous rappelle.

— Tu ne le fais jamais.

Je posai ma tasse pour prendre celle d'Eva.

— Je ne le dirais pas si je ne le pensais pas.

Je raccrochai, glissai mon téléphone dans ma poche et tendis son café à ma femme.

— Tu es éblouissante, murmurai-je en me penchant pour déposer un baiser sur sa joue.

— Pour un homme qui prétend ne rien comprendre aux femmes, tu sais les habiller, commenta-t-elle en me dévisageant par-dessus le bord de sa tasse, qu'elle avait portée à sa bouche.

Le gémissement de satisfaction qui franchit ses lèvres dès la première gorgée était assez semblable à celui qu'elle émettait quand je glissais mon sexe en elle. Le café faisait partie des addictions d'Eva.

— Il m'est arrivé de commettre des erreurs, mais je fais des progrès, répondis-je en l'attirant entre mes cuisses.

Avait-elle remarqué qu'il manquait une robe Vera Wang dans sa garde-robe ? Je l'avais fait disparaître après m'être aperçu qu'elle mettait bien trop en valeur son opulente poitrine.

— Merci pour ça, dit-elle en levant sa tasse.

— Tout le plaisir est pour moi, assurai-je en lui caressant la joue. Je dois te parler de quelque chose.

— Vraiment ? De quoi donc, champion ?

— Est-ce que tu reçois toujours des alertes Google liées à mon nom ?

— Suis-je autorisée à invoquer le cinquième amendement ? s'enquit-elle en baissant les yeux sur sa tasse.

— Ce ne sera pas nécessaire.

J'attendis qu'elle relève les yeux, puis :

— Corinne a vendu les droits d'un livre de révélations sur ce que nous avons vécu ensemble.

— Quoi ?

Ses yeux virèrent du gris pâle au gris ardoise.

Je glissai la main sur sa nuque et caressai du pouce la veine qui palpitait à la base de son cou.

— D'après ce que j'ai lu dans le communiqué de presse, elle tenait un journal à l'époque. Elle a également vendu les droits de photos personnelles.

— Pourquoi ? Pourquoi aurait-elle envie de livrer cela en pâture au public ?

Sa main s'était mise à trembler. Je lui pris doucement la tasse et la posai sur le comptoir.

— Je doute qu'elle le sache elle-même.

— Tu ne peux pas l'en empêcher ?

— Non. Mais je pourrais l'attaquer en justice si elle ment ouvertement et que j'en ai la preuve.

— Mais seulement après la publication, observa Eva en posant les paumes sur mon torse. Elle sait que tu seras obligé de lire ce livre. De regarder ces photos et de lire ses déclarations d'amour. De lire le récit d'événements dont tu ne te souviens même plus.

— Ce qui n'aura pas la moindre importance, déclarai-je avant de presser les lèvres contre son front. Je ne l'ai jamais aimée – pas comme je t'aime. Regarder en arrière ne me donnera pas soudain envie d'être avec elle plutôt qu'avec toi.

— Elle ne t'a jamais incité à te dépasser, souffla-t-elle. Pas comme je le fais.

— Elle ne m'a jamais non plus enflammé comme toi, murmurai-je contre sa peau, et j'aurais voulu pouvoir graver ces mots dans son esprit pour que plus jamais elle ne doute. Elle ne m'a jamais fait espérer et rêver comme toi. Il n'y pas de comparaison possible, mon ange, et il ne peut pas y avoir de retour en arrière. Jamais.

Elle ferma ses beaux yeux et se laissa aller contre moi.

— Les coups continuent à pleuvoir sur nous, n'est-ce pas ?

Je portai le regard au-dessus de sa tête, vers la fenêtre, vers le monde qui nous attendait.

— Laissons passer les nuages.

— Oui, laissons-les passer, répéta-t-elle dans un soupir.

Je repérai Arnoldo dès mon entrée au *Tableau One*. En veste de chef d'une blancheur immaculée et pantalon noir, il se tenait près d'une table pour deux située au fond de la salle et discutait avec la femme que j'étais venu voir.

Elle tourna la tête alors que j'approchais et ses longs cheveux sombres glissèrent sur son épaule. Son regard bleu s'illumina lorsqu'elle m'aperçut, puis la lumière le déserta presque aussitôt. Le sourire avec lequel elle m'accueillit était froid et plus que suffisant.

— Corinne, la saluai-je d'un bref hochement de tête avant de serrer la main d'Arnoldo.

La salle était comble et le brouhaha des conversations, assez élevé pour couvrir la musique italianisante dispensée par les enceintes du faux plafond.

Arnoldo s'excusa, porta la main de Corinne à ses lèvres et s'éclipsa. Juste avant de disparaître, il m'adressa un regard lourd de sens – Il faut qu'on se parle.

Je m'assis en face de Corinne.

— Je te suis reconnaissant d'avoir pris le temps de me voir.

— Ton invitation m'a agréablement surprise.

— Une surprise à laquelle tu ne pouvais que t'attendre, répondis-je en m'adossant à mon siège, vaguement troublé par son doux babil.

La voix de gorge d'Eva éveillait en moi un puissant désir, alors que celle de Corinne avait toujours eu un effet lénifiant.

Son sourire s'élargit et elle chassa quelque poussière invisible du décolleté plongeant de sa robe rouge.

— En effet.

Irrité par son petit jeu, je décidai d'enchaîner plus sèchement.

— Qu'est-ce que tu fabriques ? Je sais que tu attaches autant d'importance que moi à ta vie privée.

Sa bouche forma un pli dur.

— C'est exactement la réflexion que je me suis faite quand j'ai vu cette vidéo d'Eva et de toi en train de vous disputer dans le parc. Je te connais, contrairement à ce que tu prétends, et je sais qu'en temps normal tu ne supporterais pas que ta vie privée soit étalée dans les tabloïds.

— Qu'est-ce qui est normal ? répliquai-je, incapable de nier que j'étais un autre homme avec Eva.

— C'est là le problème – tu ne t'en souviens même pas. Tu es tellement pris par cette aventure passionnée que tu es incapable de voir au-delà.

— Il n'y a rien au-delà, Corinne. Je serai avec elle jusqu'à ma mort.

— C'est ce que tu crois maintenant, soupira-t-elle, mais les relations tumultueuses ne durent jamais,

Gideon. Elles se consument d'elles-mêmes. Tu aimes le calme et l'ordre, et tu n'auras jamais cela avec elle. Quelque part au fond de toi, tu le sais.

Ses paroles firent mouche. Elle avait fait involontairement écho à mes propres pensées sur le sujet.

Un serveur s'approcha de notre table. Corinne commanda une salade et moi un verre – un double.

— Pourquoi as-tu vendu ces révélations ? demandai-je dès que le serveur se fut éloigné. Pour te venger de moi ? Pour blesser Eva ?

— Non. Je veux que tu te souviennes.

— Ce n'est pas le bon moyen.

— Et quel est le bon moyen ?

Je soutins son regard.

— C'est terminé, Corinne. Révéler tes souvenirs n'y changera rien.

— Possible, concéda-t-elle d'une voix si triste que j'en conçus une pointe de regret. Mais tu as déclaré que tu ne m'avais jamais aimée. J'apporterai au moins la preuve que c'est faux. Je t'ai offert du bien-être et des satisfactions. Tu étais heureux avec moi. Cette tranquillité t'a déserté depuis que tu es avec elle. Ne dis pas le contraire, je ne te croirais pas.

— Tes propos prouvent que tu ne te soucies pas de me reconquérir. Mais si tu divorces de Giroux, tu te soucies peut-être de l'argent. Combien t'a-t-on offert pour prostituer ton « amour » pour moi ?

— Je n'ai pas écrit ce livre pour l'argent, se défendit-elle en relevant le menton.

— Tu veux juste t'assurer que je ne resterai pas avec Eva.

— Je veux juste que tu sois heureux, Gideon. Et depuis que tu l'as rencontrée, je constate que tu ne l'es pas.

Comment Eva réagirait-elle à la publication de ce livre ? Certainement pas mieux que je n'avais accueilli *Golden*.

Corinne baissa les yeux sur ma main gauche, posée sur la table.

— Tu as offert à Eva la bague de fiançailles de ta mère.

— Cela faisait longtemps qu'elle ne lui appartenait plus.

— Tu l'avais déjà quand nous étions ensemble ?

— Oui.

Elle accueillit ma réponse d'un battement de cils.

— Tu peux te raconter ce qui t'arrange, Corinne, enchaînai-je sèchement. Qu'Eva et moi ne sommes pas compatibles, qu'on ne fait que se quereller ou que ce n'est qu'une histoire de cul entre nous. Mais la vérité, c'est qu'elle est la moitié de moi-même, que ce que tu fais va la blesser et que, par conséquent, je vais aussi en souffrir. Je suis prêt à racheter ton contrat d'édition si tu acceptes de renoncer à publier ce livre.

Elle me dévisagea un long moment.

— Je... je ne peux pas, Gideon.

— Pourquoi.

— Tu me demandes de te laisser vivre ta vie. Ce livre est pour moi une façon d'y parvenir.

— Corinne, dis-je en me penchant vers elle, si tu ressens le moindre sentiment pour moi, je te demande de laisser tomber.

— Gideon...

— Sinon, tu ne feras que transformer ce qui était pour moi de bons souvenirs en objet de haine.

Ses yeux turquoise étincelèrent de larmes.

— Je suis désolée.

Je m'écartai de la table et me levai.

— Tu ne l'es pas encore, mais tu le seras bientôt.

Je sortis du restaurant à grands pas. La Bentley m'attendait. Angus ouvrit la portière et tourna les yeux vers la vitrine du *Tableau One*.

— Merde, lâchai-je en me glissant dans la voiture. Putain de bordel de merde !

Alléchés par la présence d'Eva dans ma vie, tous ceux qui estimaient que je les avais lésés d'une façon ou d'une autre jaillissaient de l'ombre telles des araignées.

Eva était mon plus grand point faible, celui que je ne parvenais pas à cacher. J'allais devoir régler ce problème. Christopher, Anne, Landon, Corinne... n'étaient qu'un début. Il y en avait d'autres qui avaient des griefs contre moi. Sans compter tous ceux qui avaient toujours une dent contre mon père.

Depuis longtemps, je les mettais au défi de m'affronter. Et voilà que ces ordures choisissaient de le faire par le biais de ma femme. Ils me tombaient dessus tous en même temps. Cela m'épuisait. Si je baissais la garde d'un millimètre, si j'étais distrait ne serait-ce qu'une seconde, je laisserais Eva sans défense contre eux.

Je devais à tout prix empêcher cela.

— Je veux quand même te voir ce soir.

Dans le combiné, la voix d'Eva était troublante et ensorceleuse.

— La question n'est pas là, répondis-je en m'adossant à mon fauteuil de bureau.

De l'autre côté de la fenêtre, le soleil était déjà bas dans le ciel. Ma journée de travail était achevée. À un moment donné au cours de cette semaine folle, août avait cédé la place à septembre.

— Tu t'occupes de Cary, je prends le temps de discuter avec Arnoldo, et nous commencerons notre week-end ensemble quand nous en aurons terminé.

— C'est dingue, je n'ai pas vu passer la semaine. J'ai besoin d'exercice. J'ai loupé trop de cours.

— Entraîne-toi avec moi demain.

— Même pas en rêve ! s'esclaffa-t-elle.

— Je suis sérieux.

Mon sexe avait amorcé un étirement intéressé quand je m'étais mis à penser à Eva en débardeur et bermuda moulant.

— Je n'ai aucune chance contre toi, protesta-t-elle.

— Bien sûr que si.

— Tu connais trop de trucs. Tu es trop fort.

— Ce serait une excellente occasion de tester ce que tu as retenu de tes cours d'autodéfense, mon ange.

Ce qui n'était au départ qu'une lubie m'apparut soudain comme la meilleure idée que j'aie eue de la journée.

— Je dois voir ma mère pour les préparatifs du mariage demain, mais j'y songerai. Une seconde, ne quitte pas !

J'entendis la portière de la voiture s'ouvrir et Eva saluer le portier, puis le concierge alors que la sonnerie annonçant l'arrivée de l'ascenseur retentissait dans le hall.

— Tu sais, soupira-t-elle, j'essaie de faire bonne figure devant Cary, mais je suis inquiète à l'idée que Trey réagisse mal. S'il se barre, Cary risque de replonger dans ses délires autodestructeurs.

— Reconnais qu'il demande beaucoup, dis-je tandis qu'une autre sonnerie annonçait que les portes de l'ascenseur se refermaient sur elle. En gros, il va annoncer à ce type qu'il a mis enceinte une tierce personne avec laquelle il a l'intention de poursuivre une relation. Non, efface ce que je viens de dire. Il va annoncer à Trey que Trey est la tierce personne. Je ne vois vraiment pas comment ça pourrait bien se passer.

— Je sais.

— J'aurai mon téléphone sur moi toute la soirée. Appelle-moi en cas de besoin.

— J'ai toujours besoin de toi. Je suis arrivée, je te laisse. À plus tard. Je t'aime.

Ces mots-là m'atteindraient-ils toujours ainsi ? Assez fort pour me couper le souffle ?

Je venais de raccrocher quand une silhouette familière s'engagea dans le couloir menant à mon bureau. Je me levai quand Mark Garrity s'encadra sur le seuil et m'avançai vers lui, la main tendue.

— Mark, merci de me consacrer de votre temps.

Il sourit et nous échangeâmes une poignée de main ferme.

— C'est moi qui vous remercie, monsieur Cross. Bien des gens dans cette ville – dans le monde entier, en fait – seraient prêts à tuer pour être à ma place.

— Appelez-moi Gideon, je vous en prie, dis-je en désignant les fauteuils. Comment va Steven ?

— Très bien, merci. Je commence à me demander s'il n'a pas raté une vocation d'organisateur de mariages.

Je souris.

— Eva va se plonger dans le sujet demain.

Mark déboutonna sa veste, remonta les jambes de son pantalon et prit place sur le canapé. Avec son costume gris qui contrastait harmonieusement avec son teint sombre et sa cravate à rayures, il avait tout du cadre supérieur qui a le vent en poupe.

— Si elle s'amuse moitié moins que Steven, elle va s'éclater comme une folle.

— Espérons que les choses n'en viendront pas là, commentai-je, narquois, en restant debout. Personnellement, les préparatifs m'intéressent nettement moins que le mariage en soi.

Mark s'esclaffa.

— Puis-je vous offrir quelque chose à boire ?

— Non, rien, je vous remercie.

— Bien. J'irai droit au but, enchaînai-je en m'asseyant. Je vous ai demandé de venir après le travail parce que je trouvais inapproprié de prendre sur votre temps chez Waters, Field & Leaman pour vous proposer un poste au sein de Cross Industries.

Il haussa les sourcils.

Je laissai passer deux secondes avant de poursuivre :

— Cross Industries est à la tête de différents holdings internationaux dont l'activité se concentre essentiellement sur l'immobilier, les loisirs et les marques haut de gamme – ainsi que des marques moins prestigieuses que nous ambitionnons d'élever à ce statut.

— Comme la vodka Kingsman.

— Précisément. La plupart du temps, les campagnes de promotion et de marketing sont gérées à la base, mais la refonte de certaines marques ou les ajustements de cible nécessitent une approbation au niveau de la direction – c'est-à-dire ici. Étant donné la diversité que je viens de mentionner, nous concevons en permanence de nouvelles stratégies pour changer ou renforcer l'image de marques établies. Vous pourriez donc nous être utile.

— Génial ! souffla Mark en se frottant les mains sur son pantalon. Je ne sais pas trop à quoi je m'attendais, mais j'avoue que vous me prenez de court.

— Je vous offre le double de ce que vous gagnez actuellement – pour commencer.

— Une offre plus que généreuse.

— Et je n'aime pas qu'on me dise non.

— Je doute que cela vous arrive souvent, répondit-il avec un sourire. Je suppose que cela signifie qu'Eva quittera elle aussi Waters, Field & Leaman ?

— Elle n'a pas encore pris sa décision.

— Ah bon ? s'étonna-t-il. Mais si je pars, elle perdra son job.

— Et en trouvera un autre ici, bien sûr.

Je m'appliquai à répondre aussi brièvement que possible. Ce que je voulais, c'était sa coopération, pas des questions dont il n'apprécierait pas les réponses.

— Est-ce qu'elle attend que j'accepte pour se décider ?

— Votre réponse agira comme un catalyseur.

Mark lissa sa cravate.

— Je suis à la fois flatté et enthousiaste, mais...

— Je comprends très bien. Vous ne vous attendiez pas à évoluer dans cette direction, l'interrompis-je d'un ton suave. Vous êtes heureux là où vous êtes et vous vous sentez en sécurité. C'est pourquoi je suis prêt à garantir votre poste et votre salaire – ainsi que des primes raisonnables et des augmentations annuelles – pour les trois années à venir, sauf faute professionnelle grave de votre part, cela va de soi.

Je fis glisser vers Mark le dossier que Scott avait posé sur la table basse.

— Vous trouverez là les détails de ma proposition. Emportez-le chez vous, parlez-en avec Steven et faites-moi connaître votre décision lundi matin.

— Lundi ?

Je me levai.

— Je me doute que vous souhaiterez donner un large préavis à Waters, Field & Leaman et cela ne me pose aucun problème, mais j'ai besoin d'une réponse ferme de votre part le plus tôt possible.

Il prit le dossier et se leva à son tour.

— Et si j'ai des questions ?

— Appelez-moi. Ma carte est dans le dossier, répondis-je en jetant un coup d'œil à ma montre. Je suis désolé, mais j'ai un autre rendez-vous.

— Oui, bien sûr, répondit Mark en s'emparant de la main que je lui tendais. Pardonnez-moi, tout s'est passé si vite que je suis encore sous le choc. Je comprends toutefois que vous m'offrez une occasion en or, et je vous en remercie.

— Vous êtes doué, déclarai-je, sincère. Je ne vous ferais pas cette offre si vous ne la méritiez pas. Réfléchissez, et dites oui.

— Je vous promets d'y réfléchir très sérieusement et de vous contacter lundi.

Une fois qu'il eut quitté mon bureau, je me tournai vers le gratte-ciel qui abritait les bureaux de LanCorp. Landon n'aurait plus jamais l'occasion de me voir lui présenter mon dos à découvert.

— Elle a fondu en larmes dès que tu es parti.

Je regardai Arnoldo au-dessus du rebord de mon verre qui contenait deux doigts de scotch. J'en avalai une gorgée avant de répondre.

— Tu veux que je me sente coupable ?

— Non. À ta place, je ne serais pas désolé pour elle. Mais je me suis dit qu'il fallait que tu saches qu'elle n'est pas complètement dépourvue de cœur.

— Je ne l'ai jamais pensé. Je me suis contenté de considérer qu'elle avait donné ce cœur à son mari.

Arnoldo haussa les épaules. Avec son jean usé et sa chemise blanche à col ouvert et manches retroussées, il attirait sur lui pas mal de regards féminins.

Le bar était bondé, mais notre section du balcon VIP était bien gardée, et les autres clients étaient tenus à l'écart. Arnoldo avait pris place sur la banquette en forme de croissant sur laquelle Cary s'était assis la première fois que j'avais vu Eva en dehors du Crossfire. Cet endroit resterait à jamais chargé de souvenirs grâce à elle. C'était ce soir-là que j'avais compris qu'elle allait changer ma vie.

— Tu as l'air fatigué, observa Arnoldo.

— Sale semaine, répondis-je. Et, non, pas à cause d'Eva, ajoutai-je en surprenant son regard.

— Tu as envie d'en parler ?

— Il n'y a pas grand-chose à en dire, franchement. J'aurais dû être plus malin. Je laisse le monde entier voir à quel point elle est importante pour moi.

— Échange de baisers passionnés en pleine rue, querelle d'amoureux encore plus passionnée au parc, commenta-t-il avec un sourire. Comment dit-on, déjà ? Tendre le bâton pour se faire battre ?

— Exactement. Je l'ai si bien tendu qu'ils me tombent tous dessus à bras raccourcis. Eva est la meilleure façon de m'atteindre et tout le monde le sait désormais.

— Y compris Brett Kline ?

— Lui, ce n'est plus un problème.

Arnoldo m'étudia, dut lire sur mon visage ce qu'il y cherchait, puis hocha la tête.

— Je suis content pour toi, mon ami.

— Moi aussi, dis-je en avalant une autre gorgée d'alcool. Et toi, quoi de neuf ?

Il écarta la question d'un geste désinvolte et balaya du regard les femmes qui se trémoussaient sur une chanson de Lana Del Rey.

— Le restaurant marche bien, comme tu le sais.

— Oui, je suis très heureux. Les résultats ont dépassé nos prévisions.

— On a filmé les teasers de la nouvelle saison en début de semaine. Une fois que Food Network commencera à diffuser les nouveaux épisodes, les affaires vont décoller.

— Je pourrai toujours raconter que je t'ai connu avant.

Il rit et trinqua avec moi.

Nous étions de nouveau en phase et cette complicité renouvelée m'apaisa. Je ne m'appuyais pas sur Arnoldo comme Eva s'appuyait sur ses amis ou comme Cary s'appuyait sur elle. Mais Arnoldo comptait tout autant pour moi. Très peu de gens étaient proches de moi. Retrouver le rythme que nous avions perdu, lui et moi, était sans doute la plus belle victoire de cette semaine qui avait ressemblé par ailleurs, et à tout point de vue, à une défaite cuisante.

18

— Ô mon Dieu ! gémis-je après avoir goûté un cup-
cake caramel chocolat. C'est divin.

Kristin, l'organisatrice de mariages, afficha un sourire ravi.

— C'est aussi l'un de mes préférés. Mais, attention.
Le beurre vanille est encore meilleur.

— De la vanille après du chocolat ? m'insurgeai-je,
couvant d'un œil gourmand les délices alignés sur la
table basse. Hérésie !

— En temps normal, je serais d'accord avec vous,
admit-elle, mais cette pâtisserie m'a convertie. Le citron
est aussi très bon.

La lumière de ce début d'après-midi qui entrait par
les grandes fenêtres du salon de ma mère illuminait ses
boucles blondes et son teint de porcelaine. La décoration avait été récemment refaite et les murs d'un gris-
bleu très doux modifiaient l'énergie de la pièce tout en
formant un écrin à la beauté de ma mère.

C'était un de ses grands talents : se mettre en valeur
en soignant l'éclairage. C'était aussi un de ses pires
défauts, selon moi. Elle se souciait tellement des apparences !

Elle suivait de très près les dernières tendances en matière de décoration, et même s'il fallait près d'un an pour refaire toutes les pièces du deux cents mètres carrés de Stanton, elle semblait ne jamais s'en lasser, ce qui me dépassait.

Une seule rencontre avec Blaire Ash avait suffi à me prouver que le gène de la décoration avait sauté une génération. Ses idées m'avaient intéressée, mais me soucier des détails m'aurait paru fastidieux.

J'attrapai un mini-cupcake avec les doigts pour le fourrer directement dans ma bouche. Ma mère, elle, préleva délicatement une portion du gâteau de la taille d'une pièce de monnaie à l'aide d'une fourchette à dessert.

— Quelles sont vos préférences en ce qui concerne l'arrangement floral ? demanda Kristin, croisant et recroisant ses longues jambes couleur café.

Ses escarpins Jimmy Choo étaient à la fois élégants et sexy, sa robe portefeuille Diane von Furstenberg classique et vintage. Les boucles serrées de ses cheveux d'ébène encadraient son visage racé et une touche de gloss rose pâle soulignait ses lèvres pleines.

C'était visiblement une femme de tempérament, et elle m'avait séduite au premier regard.

— Rouge, répondis-je en essuyant une trace de glaçage au coin de mes lèvres. N'importe quoi, pourvu que ce soit rouge.

— Rouge ? s'exclama ma mère avant de secouer énergiquement la tête. C'est trop criard, Eva. C'est ton premier mariage. Il faut du blanc, du crème, une touche de doré...

— Tu t'attends que je me marie combien de fois ? répliquai-je en la fusillant du regard.

— Ce n'est pas ce que je voulais dire. Tu ne t'es encore jamais mariée, c'est tout.

— Je ne dis pas que je vais porter une robe rouge. Je dis simplement que la tonalité dominante doit être rouge.

— Je ne pense pas que cela puisse convenir, ma chérie. Et j'ai organisé assez de mariages pour le savoir.

Je me souvenais d'elle organisant ses mariages, le style de chacun se révélant plus recherché et mémorable que le précédent. Jamais rien de tapageur, pas la moindre faute de goût. De beaux mariages conçus pour mettre en valeur une jeune et belle mariée. J'espérais avoir ne serait-ce que la moitié de sa grâce quand j'aurais son âge, car Gideon, lui, était le genre d'homme à vieillir remarquablement bien, je le savais.

— Laissez-moi vous montrer à quel résultat on peut parvenir avec du rouge, Monica, intervint Kristin en sortant un portfolio de cuir de son sac. Cela peut se révéler fabuleux, surtout pour un mariage en soirée. Il est essentiel que la cérémonie et la réception soient à l'image à la fois de la mariée et du marié. Pour que cette journée soit vraiment mémorable, il faut qu'elle reflète leur style, leur histoire, leurs espoirs.

Ma mère s'empara du portfolio qu'elle lui tendait et jeta un coup d'œil aux photos.

— Eva... tu ne peux pas sérieusement envisager cela.

Kristin avait d'autant plus de cran de prendre mon parti, qu'elle avait été embauchée par ma mère. Cela dit, le fait que j'épouse Gideon Cross l'avait sans doute incitée à pencher de mon côté. Ce nom serait à lui seul une référence qui l'aiderait à attirer une clientèle huppée.

— On doit pouvoir trouver un compromis, maman.

Je l'espérais, en tout cas. Parce que je n'avais pas encore lâché la plus grosse bombe.

— Avons-nous une idée du budget ? s'enquit Kristin.

Et voilà, l'heure avait sonné.

Je vis ma mère ouvrir la bouche au ralenti...

— Cinquante mille pour la cérémonie, lançai-je. Moins le coût de la robe.

Les deux femmes me dévisagèrent, les yeux écarquillés.

Ma mère laissa échapper un rire incrédule et porta la main au collier trinity de Cartier qui reposait entre ses seins.

— Eva, ce n'est vraiment pas le moment de plaisanter !

— C'est papa qui règle la cérémonie, précisai-je.

Elle battit des cils, et une lueur de tendresse s'alluma – un bref instant – dans ses yeux bleus. Puis sa mâchoire se durcit.

— Ta robe à elle seule coûtera davantage. Les fleurs, la salle...

— Nous allons nous marier sur une plage, coupai-je, sous le coup d'une illumination. En Caroline du Nord. Dans les Outer Banks. Près de la maison que Gideon et moi venons d'acheter. Il ne faudra des fleurs que pour la réception.

— Tu ne comprends pas, déclara ma mère, sollicitant du regard le soutien de Kristin. Ce n'est pas possible. Tu n'auras aucun contrôle.

Ce qui signifiait qu'elle n'aurait aucun contrôle.

— Les caprices de la météo, poursuivit-elle. Du sable partout... Sans compter que la plupart des invités ne pourront pas envisager un tel déplacement. Et puis, où logeras-tu tout le monde ?

— Comment ça « tout le monde » ? Je t'ai dit que la cérémonie serait intime, juste la famille et quelques amis. Gideon se charge du transport par avion. Et je suis certaine qu'il sera ravi de se charger aussi de l'hébergement.

— Je peux aider à ce niveau-là, intervint Kristin.

— Ne l'encouragez pas ! lâcha ma mère d'un ton sec.

— Ne sois pas grossière ! ripostai-je. Tu oublies qu'il s'agit de mon mariage. Pas d'une opération publicitaire.

Ma mère prit une profonde inspiration.

— Eva, je pense que c'est très gentil de ta part de vouloir faire plaisir à ton père, mais je pense aussi qu'il n'a pas conscience du fardeau qu'il t'impose. Même si je proposais la même somme que lui afin de partager les frais à parts égales, cela ne suffirait pas...

— Cela suffit amplement, l'interrompis-je en croisant étroitement les mains sur mes genoux. Et ce n'est pas un fardeau.

— Tu vas vexer les gens. Il faut que tu comprennes qu'un homme dans la position de Gideon doit profiter de toutes les occasions qui se présentent pour asseoir ses réseaux. Il voudra...

— ... un mariage secret, répliquai-je, irritée par nos divergences de point de vue auxquelles j'étais pourtant tellement habituée. S'il ne tenait qu'à lui, on se marierait sur une plage isolée face à l'océan avec deux témoins.

— C'est peut-être ce qu'il prétend, mais...

— Non, maman. Crois-moi, c'est exactement ce qu'il ferait.

— Hum, si je puis me permettre, intervint Kristin, c'est tout à fait envisageable, Monica. Beaucoup de célébrités préfèrent un mariage intime. Et un budget restreint permet de se concentrer sur les détails. En outre, si Gideon et Eva n'ont rien contre cette idée, on peut s'arranger pour vendre quelques photos du mariage à des magazines et reverser les bénéfices à des œuvres caritatives.

— Oh, j'adore cette idée ! m'exclamai-je, tout en me demandant si ce serait compatible avec le contrat d'exclusivité que Gideon avait passé avec Deanna Johnson.

Ma mère avait l'air éperdu.

— Je rêve de ton mariage depuis ta naissance, déclara-t-elle posément. J'ai toujours voulu une cérémonie digne d'une princesse.

— Maman, murmurai-je en lui prenant la main, tu pourras te défouler avec la réception, d'accord ? Tu auras carte blanche. Pas une seule touche de rouge, inviter le monde entier, tout ce que tu voudras. Quant à la cérémonie, l'essentiel n'est-il pas que j'aie trouvé mon prince ?

Elle me pressa la main et leva vers moi son regard embué de larmes.

— Je suppose que si.

Je venais de prendre place sur la banquette de la Mercedes quand la sonnerie de mon téléphone retentit. Je le sortis de mon sac et découvris la photo de Trey sur l'écran. Mon estomac se noua.

Je n'arrivais pas à chasser de mon esprit son expression bouleversée de la veille. J'étais restée dans la cuisine pendant qu'au salon Cary lui révélait la grossesse de Tatiana. J'avais mis au four un rôti en cocotte et je m'étais installée au comptoir pour lire un e-book sur ma tablette, veillant à rester dans la ligne de mire de Cary. Je ne voyais Trey que de profil, mais cela m'avait suffi pour comprendre qu'il encaissait difficilement la nouvelle.

Comme il était resté dîner et qu'il avait passé la nuit à la maison, j'espérais que les choses finiraient par se tasser. Au moins, il ne s'était pas sauvé en courant.

— Salut, Trey, dis-je en décrochant. Comment ça va ?

— Salut, Eva. Je ne sais pas du tout comment je vais, soupira-t-il. Et toi ?

— Je sors de chez ma mère après avoir discuté mariage pendant des heures. Ça ne s'est pas aussi mal passé que je le craignais, mais ça aurait pu être plus soft. Un bilan somme toute normal quand je dois négocier avec elle.

— Ah... tu dois être très occupée, alors. Je ne voulais pas te déranger, excuse-moi.

— Pas du tout, Trey. Je suis ravie que tu m'appelles. Si tu as besoin de parler, je suis là.

— Est-ce qu'on pourrait se voir ? À un moment qui te conviendrait ?

— Maintenant, c'est possible ?

— Vraiment ? Écoute, je suis à une fête de quartier dans le West Side. C'est ma sœur qui m'y a traîné et j'étais de très mauvaise compagnie. Du coup, elle m'a planté là, et je me retrouve les bras ballants.

— Je peux te rejoindre, si tu veux.

— Je suis entre la 82e et la 83e Rue, près d'Amsterdam Avenue. Mais je te préviens, c'est noir de monde.

— D'accord. Ne bouge pas, j'arrive.

— Merci, Eva.

Je raccrochai et croisai le regard de Raúl dans le rétroviseur.

— Le plus près possible de la 82e et d'Amsterdam, indiquai-je.

Je tournai les yeux vers la fenêtre et m'absorbai un instant dans la contemplation de la ville. Manhattan adoptait un rythme plus lent le week-end. Les femmes, en sandales et en robes d'été, faisaient du lèche-vitrines, tandis que les hommes, en shorts et tee-shirts, bavardaient entre eux. Il y avait des gens qui promenaient des chiens et des bébés en poussette qui s'agitaient ou faisaient la sieste. Je repérai un couple âgé qui cheminait lentement, main dans la main, et les surpris à échanger un regard complice.

J'appuyai machinalement sur la touche d'appel rapide de Gideon avant de réaliser ce que je faisais.

— Mon ange, répondit-il, tu rentres à la maison ?

— Pas encore. J'ai fini avec ma mère, mais je vais retrouver Trey.

— Tu penses en avoir pour longtemps ?

— Je ne sais pas. Pas plus d'une heure. J'espère qu'il ne va pas m'annoncer qu'il quitte Cary.

— Comment ça s'est passé avec ta mère ?

— Je lui ai dit que nous allions nous marier sur la plage, devant la maison des Outer Banks. Je suis désolée, ajoutai-je après un silence, j'aurais dû t'en parler avant.

— Je trouve que c'est une excellente idée, assura-t-il.

Sa voix avait pris ce timbre un peu rugueux qui trahissait son émotion.

— Elle m'a demandé comment nous comptions loger les invités. Et je me suis, disons, défaussée sur toi...

— Pas de problème. On trouvera une solution.

Un flot d'amour me submergea.

— Merci.

— Le plus dur est passé, à présent.

— Pas sûr. Elle était au bord des larmes quand elle a compris qu'elle allait devoir faire une croix sur un de ses plus grands rêves. J'espère qu'elle finira par se faire une raison.

— Et sa famille ? Nous n'en avons pas parlé.

— Ils ne seront pas invités. Je ne sais rien d'eux en dehors de ce que j'ai appris grâce à Google. Ils l'ont reniée quand elle est tombée enceinte de moi et n'ont donc jamais fait partie de ma vie.

— Comme tu voudras, dit-il tendrement. J'aurai une surprise pour toi lorsque tu rentreras.

— Vraiment ? répondis-je, soudain ragaillardie. J'ai droit à un indice ?

— Non. Tu n'as qu'à te dépêcher de rentrer si tu es si curieuse.

— Allumeur.

— Un allumeur ne donne rien. Ce n'est pas mon cas.

Sa voix avait pris des inflexions si veloutées que mes orteils se recroquevillèrent.

— Je rentre dès que possible !

— Je t'attendrai, ronronna-t-il.

La circulation à proximité de la fête de quartier était impossible. Raúl préféra garer la voiture dans le garage de mon immeuble, puis m'escorter à pied.

À un pâté de maisons environ, des effluves de barbecue commencèrent à me chatouiller les narines et l'eau me monta à la bouche. Des échos de musique me parvinrent lorsque nous atteignîmes Amsterdam Avenue ; j'avisai une femme qui chantait sur une petite estrade devant une masse de badauds.

Les vendeurs s'alignaient de part et d'autre de la rue, effectivement noire de monde. Des barnums multicolores abritaient leurs marchandises et leurs têtes des rayons du soleil. On trouvait à peu près de tout sur les stands, depuis des foulards et des chapeaux, des bijoux et de l'artisanat, jusqu'à des produits frais et des spécialités culinaires du monde entier.

Il me fallut un moment pour repérer Trey. Il était assis sur des marches, non loin du coin de rue qu'il m'avait indiqué. Il portait un jean et un tee-shirt vert olive, et des lunettes de soleil étaient perchées sur l'arête de son nez de boxeur. Ses cheveux blonds étaient aussi ébouriffés que d'habitude, mais sa bouche sensuelle était pincée.

Il se leva quand il me vit et me tendit la main. Je n'en tins pas compte, l'attirai dans mes bras et prolongeai mon étreinte jusqu'à ce que je le sente se détendre et répondre à mon accolade. La vie battait son plein autour de nous et personne ne s'étonna de nous voir ainsi enlacés – les New-Yorkais sont habitués à ce genre d'effusions. Raúl resta discrètement en retrait.

— Je ne sais plus où j'en suis, marmonna Trey contre mon épaule.

— C'est normal, assurai-je en m'écartant et en lui indiquant l'escalier. N'importe qui à ta place perdrait les pédales.

Il s'assit sur la marche du milieu et je m'installai à côté de lui.

— Je ne crois pas que je peux faire ça, Eva. Ni que je le dois. Moi, ce que je veux, c'est partager ma vie avec quelqu'un à plein temps, quelqu'un qui me soutienne pendant mes études et qui m'aide à monter mon cabinet par la suite. Cary m'annonce qu'il a l'intention de soutenir cette espèce de top-modèle et de me caser quand il pourra. Comment suis-je censé le prendre ?

— Je t'avoue que je me suis posé la question. Tu sais quand même que Cary ne saura si ce bébé est vraiment de lui qu'après le test ADN ?

— Je ne crois pas que ça changera grand-chose. Il est à fond dans le truc.

— Détrompe-toi. Peut-être qu'il ne la plaquera pas du jour au lendemain, peut-être qu'il aura envie de jouer au gentil tonton ou autre, je n'en sais rien. Mais pour l'instant, qu'il soit le père de cet enfant n'est qu'une hypothèse. Une possibilité et rien d'autre.

— Alors d'après toi, je devrais poireauter comme ça encore six mois ?

— Non. Si tu attends de moi des réponses, je préfère te prévenir que je n'en ai aucune. Tout ce que je peux te dire, c'est que Cary t'aime, plus qu'il n'a jamais aimé personne. S'il te perd, il va craquer. Je n'essaie pas de te culpabiliser pour que tu restes avec lui. Je pense juste qu'il faut que tu saches que si tu le quittes, tu ne seras pas le seul à souffrir.

— Et en quoi c'est censé m'aider ?

— Peut-être que ça ne l'est pas. C'est peut-être mesquin de ma part de trouver ça réconfortant. Mais si ça ne marchait pas entre Gideon et moi, j'aurais envie de savoir qu'il est aussi malheureux que moi.

Trey eut un sourire triste.

— Je comprends ton point de vue. Mais est-ce que tu resterais avec lui si tu apprenais qu'il a mis une autre fille enceinte ? Qu'il a couché avec elle pendant qu'il était avec toi ?

— J'y ai réfléchi. J'ai du mal à envisager ma vie sans Gideon. Si on ne s'était pas promis d'être fidèles et que la fille en question appartenait à son passé, s'il choisissait d'être avec moi plutôt qu'avec elle, je pourrais peut-être le supporter.

Je regardai une femme accrocher un sac d'emplettes à la poignée de la poussette de son enfant, qui en supportait déjà une quantité hallucinante.

— Mais s'il passait la majeure partie de son temps avec elle et qu'il ne me voyait qu'une fois par-ci, par-là… je crois que je romprais.

Pas évident d'être honnête alors que ma vérité était à l'opposé de ce que Cary aurait voulu que je dise, mais j'avais trop d'estime pour Trey pour lui mentir.

— Merci, Eva.

— Pour ce que ça vaut, sache que je ne te mépriserais pas si tu choisissais de continuer avec Cary. Soutenir celui qu'on aime quand il essaie de réparer une grosse bêtise n'est pas un signe de faiblesse. Et choisir de faire passer son propre bien-être en premier n'en est pas un non plus. Quelle que soit ta décision, à mes yeux, tu resteras toujours un mec génial.

Il laissa aller sa tête sur mon épaule.

— Merci, Eva.

J'entrelaçai mes doigts aux siens.

— Il n'y a pas de quoi.

— Je descends chercher la voiture et je me gare devant l'immeuble, annonça Raúl quand nous pénétrâmes dans le hall.

— Entendu, je ramasse juste le courrier.

Je saluai le concierge d'un geste de la main et gagnai le renfoncement où se trouvaient les boîtes aux lettres tandis que Raúl se dirigeait vers l'ascenseur.

J'insérai la clef dans la serrure, ouvris la porte de cuivre et me penchai pour inspecter le contenu de la boîte. Elle ne contenait que des prospectus que je jetai dans la corbeille voisine.

Alors que je regagnais le hall, je remarquai une femme qui sortait de l'immeuble. Ce fut sa coiffure – courts cheveux roux coiffés en pétard – qui retint mon attention. Je la suivis des yeux et attendis qu'elle s'engage dans la rue dans l'espoir d'apercevoir son profil.

Je retins mon souffle. J'avais déjà vu cette coupe de cheveux sur une photo de Google. Et j'avais déjà vu ce visage au gala de bienfaisance auquel j'avais assisté avec Gideon quelques semaines plus tôt.

La femme disparut.

Je m'élançai à sa suite, mais quand j'atteignis le trottoir, elle montait déjà à l'arrière d'une voiture noire.

— Hé ! criai-je.

La voiture accéléra et je demeurai plantée là, à la regarder s'éloigner.

— Tout va bien ? s'enquit Louie, le portier du week-end, dans mon dos.

— Vous connaissez la femme rousse qui vient de sortir ? demandai-je en me tournant vers lui.

— Elle n'habite pas ici, répondit-il en secouant la tête.

Je regagnai le hall et posai la même question au concierge.

— Une rousse ? répéta-t-il, perplexe. Aucun visiteur n'est entré ici aujourd'hui sans être accompagné d'un résident, je n'ai donc pas vraiment fait attention.

— Votre voiture est là, Eva, m'annonça Louie depuis le pas de la porte.

Je remerciai le concierge et rejoignis Raúl. Je ne fis que penser à Anne Lucas pendant tout le trajet jusqu'au penthouse. Et quand je sortis de l'ascenseur, j'avais encore la tête ailleurs.

Gideon m'attendait. En jean usé et tee-shirt Columbia, il paraissait si jeune et demeurait si séduisant. Il lui suffit de me sourire pour que j'en oublie presque le reste du monde.

— Mon ange, murmura-t-il en traversant pieds nus l'entrée au dallage noir et blanc. Viens là, ajouta-t-il avec cette lueur dans le regard que je connaissais bien.

Je m'élançai dans ses bras et me blottis contre lui.

— Tu vas me prendre pour une folle, murmurai-je, mais j'ai bien cru voir Anne Lucas dans le hall de mon immeuble.

Il se raidit.

— Quand ?

— Il y a une vingtaine de minutes. Juste avant de venir ici.

Il s'écarta, sortit son téléphone de sa poche et m'entraîna vers le salon.

— Mme Cross vient de voir Anne Lucas dans le hall de son immeuble, dit-il à son interlocuteur.

— J'ai cru la voir, rectifiai-je.

Il ne tint pas compte de mon intervention.

— Découvrez ce qu'il en est, ordonna-t-il avant de raccrocher.

— Que se passe-t-il, Gideon ?

Il s'assit sur le canapé et je l'imitai.

— J'ai vu Anne, l'autre jour, expliqua-t-il en me prenant la main. Raúl m'avait confirmé que c'était bien elle qui t'avait parlé au gala de bienfaisance. Elle l'a admis et je lui ai conseillé de garder ses distances, mais elle ne m'a pas écouté. Elle cherche à me nuire et sait qu'elle peut y parvenir en s'en prenant à toi.

— D'accord, répondis-je, songeuse.

— Si tu la vois, où que ce soit, avertis immédiatement Raúl. Même si tu n'es pas sûre que c'est elle.

— Une minute, champion, tu es allé la voir et tu ne m'en as rien dit ?

— Je te le dis maintenant.

— Pourquoi avoir attendu ?

Il poussa un long soupir.

— C'était le jour où Chris est venu.

Je me mordillai la lèvre un moment.

— Comment pourrait-elle s'en prendre à moi ?

— Je l'ignore. Mais qu'elle en ait l'intention me suffit.

— Est-ce qu'elle risque de me pousser dans les escaliers ? De me casser le nez ?

— Je doute qu'elle recoure à la violence. Elle est plus perverse que ça. Elle préfère jouer avec toi. Surgir quand tu ne t'y attends pas. Te faire sentir qu'elle t'épie.

Une méthode nettement plus insidieuse.

— Pour que tu ailles la trouver, hasardai-je. C'est ce qu'elle veut, au fond. Te voir.

— Je ne lui ferai pas ce plaisir. Je lui ai dit tout ce que j'avais à lui dire.

Je baissai les yeux sur nos mains jointes et fis tourner son alliance autour de son doigt.

— Anne, Corinne, Deanna... il y a de quoi avoir le tournis, Gideon. C'est assez... disproportionné, non ? Combien d'autres femmes vont te persécuter ainsi ?

D'un regard, il me fit savoir que la situation ne l'amusait pas plus que moi.

— Je ne sais pas ce qui se passe dans la tête de Corinne. Je ne la reconnais plus depuis son retour à New York. Je ne sais pas si c'est à cause des médicaments, de sa fausse couche ou de son divorce...

— Elle a entamé une procédure de divorce ?

379

— Épargne-moi ce ton, Eva. Qu'elle soit mariée ou divorcée ne fait aucune différence. Moi, je suis marié. C'est tout ce qui compte et je n'ai pas l'intention de te tromper. J'ai trop de respect pour toi – et pour moi – pour être ce genre de mari.

Je lui offris mes lèvres et il s'en empara avec douceur. Il venait de dire exactement ce que j'avais envie d'entendre.

Il rompit notre baiser et frotta le bout de son nez contre le mien.

— Et en ce qui concerne les deux autres femmes que tu viens de citer… disons que Deanna faisait partie des dommages collatéraux. Ma vie entière était une zone de conflits et il est arrivé que certaines personnes se retrouvent dans la ligne de mire.

Je pris sa joue en coupe et la caressai du pouce pour tâcher de l'apaiser tant je le sentais tendu. Je comprenais ce qu'il voulait dire.

— Si je ne m'étais pas servi de Deanna pour faire savoir à Anne que la porte était définitivement close entre nous, je ne l'aurais jamais revue.

— Est-ce qu'elle a passé l'éponge ?

— Je crois, oui, répondit-il en m'effleurant à son tour la joue du bout des doigts. Si tu veux tout savoir, elle ne me repousserait sans doute pas si je cherchais à reprendre contact – ce que je ne ferai pas –, mais, à mon avis, elle ne fait plus partie de mes anciennes conquêtes avides de vengeance.

— Oui, j'ai senti qu'elle ne s'opposerait pas à un autre round avec toi si l'occasion se présentait. Ce que je ne peux pas lui reprocher. Pourquoi faut-il que tu sois aussi doué au lit ? Ça ne te suffit pas d'être sexy, beau comme un dieu et équipé d'un manche énorme ?

Il secoua la tête, exaspéré.

— Il n'a rien d'énorme.

— Oui, bon. Tu es bien monté. Et tu sais te servir de ton sexe. Une femme ne rencontre pas tous les jours un partenaire aussi habile, alors quand ça arrive, ça lui monte à la tête. Ce qui répond, je suppose, à ma question concernant Anne, puisqu'elle t'a eu plus d'une fois.

— Elle ne m'a jamais eu, répliqua Gideon, les sourcils froncés. Tu risques d'être écœurée en apprenant comment je me suis conduit avec elle.

Je me lovai contre lui, posai la tête au creux de son épaule.

— Tu n'es pas le premier mec follement sexy qui se soit servi d'une femme. Et tu ne seras certainement pas le dernier.

— C'était différent avec Anne, grommela-t-il. Il ne s'agissait pas seulement de son mari.

Je me figeai, puis me forçai à me détendre pour éviter de le rendre plus nerveux qu'il ne l'était déjà. Il prit une brève inspiration.

— Elle me rappelle Hugh, par moments, lâcha-t-il. Sa façon de bouger, ses tournures de phrase... un air de famille. Et plus encore. Je ne peux pas l'expliquer.

— Alors ne le fais pas.

— Parfois, la frontière entre eux devenait floue dans mon esprit. Au point de les confondre. C'était comme si je punissais Hugh à travers Anne. Je lui ai fait des trucs que je n'ai jamais faits avec personne d'autre. Des trucs qui me rendent malade quand j'y repense.

— Gideon, soufflai-je en glissant le bras autour de sa taille.

Il ne m'avait encore jamais parlé de cela. Il m'avait dit que c'était le Dr Terrence Lucas qu'il punissait à travers elle, ce qui était sans doute vrai. Mais je comprenais à présent que ce n'était pas tout.

— C'était pervers entre Anne et moi. Je l'ai pervertie. Si je pouvais revenir en arrière et agir autrement...

— Chut. L'essentiel, c'est que tu me l'aies dit.

— Je le devais. Écoute, mon ange, tu dois prévenir Raúl à l'instant où tu la vois. Et ne t'aventure seule nulle part. Je trouverai le moyen de régler le problème avec elle, mais en attendant, j'ai besoin de te savoir en sécurité.

— D'accord.

Je n'étais pas certaine d'apprécier cette situation à long terme. Nous vivions dans la même ville que cette femme et son mari, et ce dernier m'avait déjà approchée.

Mais nous ne trouverions pas de solution aujourd'hui. Samedi. L'un des deux seuls jours de la semaine durant lesquels j'avais mon mari tout à moi.

— Dis-moi, soufflai-je en glissant la main sous sa chemise, elle est où, ma surprise ?

— Ma foi... répondit-il d'une voix soudain rauque. Que dirais-tu de commencer par un verre de vin ?

Je rejetai la tête en arrière pour le regarder.

— Essaierais-tu de me séduire, champion ?

Il déposa un baiser sur mon nez.

— Toujours.

— Hmm... Voyons voir ça.

Je sus qu'il mijotait quelque chose quand il ne me rejoignit pas sous la douche. Il ne manquait jamais de le faire – sauf très tôt le matin, lorsqu'il m'avait coincée quelques minutes avant.

Quand je le retrouvai au salon, en short et débardeur, il m'attendait, un verre de vin à la main. Nous prîmes place sur le canapé devant *3 Days to Kill*, un choix qui prouvait que mon mari me connaissait bien. Exactement le genre de film que j'adorais – un zeste de comédie et pas mal d'action. Avec Kevin Costner dans le rôle principal, ce qui ne gâtait rien, selon moi.

Pourtant, même si paresser avec Gideon était agréable, l'impatience finit par me gagner. Et ce démon le savait. Il n'avait cessé de remplir mon verre et de laisser ses mains errer sur moi pendant le film – dans mes cheveux, sur mon épaule, le long de ma cuisse.

Je finis par grimper sur ses genoux pour l'embrasser dans le cou. Quand je fis glisser la pointe de ma langue le long de la veine où palpitait son pouls, je sentis celui-ci s'accélérer. Gideon ne fit pourtant pas un geste. Il feignait d'être très intéressé par la rediffusion sur laquelle nous étions tombés en zappant après le film.

— Gideon ? murmurai-je de ma voix la plus sensuelle en refermant la main sur son sexe, qui était déjà bien dur.

— Hmm ?

Je lui saisis le lobe de l'oreille entre mes dents et tirai doucement.

— Ça ne te dérange pas si je me fais du bien sur ta queue pendant que tu regardes la télé ?

— Tu vas me boucher la vue, objecta-t-il en me caressant le dos d'un air absent. Tu ferais peut-être mieux de t'agenouiller et de la sucer.

Je m'écartai de lui et le dévisageai, bouche bée. Une lueur malicieuse dansait dans ses yeux.

— Sale type ! m'écriai-je en le frappant à l'épaule.

— Mon pauvre ange, murmura-t-il d'une voix suave. On a une grosse envie ?

— À ton avis ? répliquai-je en indiquant mes seins.

Mes mamelons durcis se tendaient désespérément vers lui sous le tissu de mon débardeur, réclamant ses attentions.

Il m'attira à lui, aspira la pointe d'un de mes seins entre ses lèvres et la lécha tendrement. Un gémissement m'échappa.

Quand il s'écarta, ses yeux étaient si sombres qu'ils ressemblaient à des saphirs.

— Tu es mouillée ?

Je n'en étais pas loin. Quand Gideon me regardait ainsi, mon corps se préparait à l'accueillir.

— Pourquoi ne pas vérifier par toi-même ? suggérai-je.

— Montre-moi.

Son ton autoritaire attisa mon désir. Je me levai et me tins devant lui, en proie soudain à une inexplicable timidité. Son regard glissa sur moi, mais son visage demeura sans expression. Cette absence de réaction ne fit qu'accroître ma nervosité, ce qui était sans doute son intention – il adorait me manipuler de la sorte.

Soutenant son regard, je m'humectai les lèvres. Ses paupières s'alourdirent. Je tirai sur mon short et le baissai en tortillant des hanches pour pimenter mon effeuillage, mais aussi pour masquer ma maladresse.

— Pas de culotte, constata-t-il, les yeux rivés sur mon entrejambe. Tu es une vilaine fille, mon ange.

— J'essaie d'être sage, répondis-je en faisant la moue.

— Ouvre-toi pour moi, murmura-t-il. Laisse-moi te regarder.

— Gideon...

Il attendit patiemment – sa patience était sans limites. Que cela me prenne cinq minutes ou cinq heures, il m'attendrait. Et c'était pour cette raison que je lui faisais confiance. Parce que la question n'était jamais de savoir si j'allais me soumettre, mais quand je serais prête à le faire.

Les pieds bien calés sur le sol, j'écartai doucement les replis de mon sexe, révélant mon clitoris.

— Tu as une si jolie petite chatte, Eva, murmura Gideon.

Je retins mon souffle quand il se pencha vers moi. Ses mains recouvrirent les miennes.

— Ne bouge pas, m'ordonna-t-il avant de faire glisser sa langue le long de ma fente.

— Ô mon Dieu, soufflai-je, les jambes tremblantes.

— Assieds-toi, dit-il d'une voix rauque.

Il s'agenouilla devant moi une fois que je lui eus obéi.

Le plateau de verre de la table me parut d'autant plus froid sous mes fesses nues que ma peau était brûlante. Je tendis les bras en arrière et agrippai le rebord de la table tandis que Gideon m'ouvrait largement les cuisses. Son souffle était tiède sur ma chair moite. Il semblait fasciné par mon sexe.

— Tu pourrais être plus mouillée.

Je le regardai s'incliner, haletante, et ses lèvres se refermèrent sur mon clitoris. Sa bouche était chaude, les caresses de sa langue dévastatrices. Un cri m'échappa, je commençai à me tordre, mais Gideon m'en empêcha. Je renversai la tête, le sang me rugissait aux tympans, mais j'entendais les gémissements de Gideon. Chacun de ses coups de langue me rapprochait de l'orgasme, irrépressiblement. Les muscles de mon ventre se contractèrent quand la soie de ses cheveux frôla la peau sensible de l'intérieur de mes cuisses.

— Je vais jouir, criai-je. Gideon... mon Dieu...

Sa langue me pénétra. Mes coudes faiblirent et mon buste se rapprocha de la table. Le va-et-vient de sa langue imitait celui de son sexe – ce sexe que je rêvais de sentir en moi.

— Baise-moi, l'implorai-je.

Gideon s'écarta et se passa la langue sur les lèvres.

— Pas ici.

J'émis un gémissement de protestation quand il se redressa – j'étais si près de l'orgasme... Il me tendit la main, m'aida à me lever. Je vacillai, mais il me souleva et me hissa sur son épaule.

— Gideon !

Il insinua la main entre mes cuisses et se mit à masser mon sexe humide, et je cessai de me soucier de la façon dont il me portait dès lors qu'il m'emmenait là où il avait l'intention de me prendre.

Il s'engagea dans le couloir, mais s'arrêta avant d'avoir atteint sa chambre. Je l'entendis ouvrir la porte, puis la lumière s'alluma. Nous étions dans ma chambre. Il me reposa sur le sol, face à lui.

— Pourquoi ici ? demandai-je.

Bien des hommes se seraient contentés de m'emporter jusqu'au lit le plus proche, mais Gideon se maîtrisait trop pour agir de la sorte. S'il voulait me prendre dans cette chambre, ce n'était pas par hasard.

— Tourne-toi, dit-il posément.

Quelque chose dans sa voix... dans la manière qu'il avait de me regarder...

Je jetai un coup d'œil par-dessus mon épaule...

... et découvris la balançoire.

Elle ne ressemblait pas à ce que j'avais imaginé.

La première fois que Gideon m'en avait parlé, j'étais allée voir sur Internet à quoi ressemblait un tel accessoire. J'avais ainsi découvert qu'il existait des petits modèles à suspendre dans l'encadrement d'une porte, des modèles plus robustes, équipés d'un support à quatre pieds, et d'autres encore, à accrocher au plafond. Toutes étaient équipées de chaînes ou de lanières permettant d'attacher différentes parties du corps. Les photos que j'avais vues de femmes harnachées à ces engins m'avaient laissé une impression de malaise.

Franchement, je ne voyais pas comment, une fois oubliées l'inconfort et la peur de tomber, on pouvait envisager d'atteindre l'orgasme.

J'aurais dû me douter que Gideon avait autre chose en tête.

Je me retournai complètement pour faire face à la balançoire. Gideon avait trouvé le moyen de vider la pièce. Le lit et les meubles avaient disparu. Ne restait plus que la balançoire suspendue à une robuste structure en forme de cage. Une large plateforme métallique munie de barreaux et d'un toit d'acier supportait le poids d'une chaise capitonnée équipée de chaînes. Des bracelets de cuir rouge étaient fixés au niveau des poignets et des chevilles.

Ses bras m'enlacèrent par-derrière, une main sous mon débardeur pour me prendre un sein en coupe tandis que l'autre s'immisçait entre mes jambes et que deux doigts s'enfonçaient en moi. M'écartant les cheveux avec le nez, il m'embrassa dans le cou.

— Alors ? Qu'est-ce que ça t'inspire ?

— De la curiosité, répondis-je après réflexion. Un peu d'appréhension, aussi.

Je le sentis sourire contre ma peau.

— Voyons ce que tu en penseras une fois que tu seras installée dessus.

Un frisson d'impatience mêlée de crainte me traversa. Il était évident, d'après la position des bracelets, que je serais totalement vulnérable, incapable de bouger ou de me relever. Incapable d'exercer le moindre contrôle sur ce qui pourrait m'arriver.

— Je veux faire ça bien, Eva. Pas comme l'autre soir, dans l'ascenseur. Je veux que tu sentes que nous le faisons ensemble.

Je renversai la tête sur son épaule. Étrangement, c'était plus difficile de lui donner le consentement qu'il demandait que de le laisser tout prendre en charge.

Mais penser cela n'était qu'une échappatoire.

— Tu te souviens de ton mot de passe, mon ange ? murmura-t-il en mordillant tendrement le cou.

Ses mains exerçaient sur moi leur magie, ses doigts glissaient à peine en moi, délicats...

— Crossfire.

— Il te suffit de le prononcer pour que tout s'arrête. Répète-le.

— Crossfire.

Il faisait rouler mon mamelon entre ses doigts habiles.

— Tu n'as rien à craindre. Il te suffit de t'asseoir et d'accepter ma queue. Je vais te faire jouir sans que tu aies besoin de faire quoi que ce soit.

J'inspirai profondément.

— Je crois que c'est toujours le cas entre nous.

— Essaie de cette façon-là, m'encouragea-t-il d'une voix caressante en me débarrassant de mon débardeur. Si ça ne te plaît pas, on se contentera du lit.

Je fus tentée de remettre à plus tard, de prendre le temps de me faire à l'idée. Je lui avais promis la balançoire, mais il ne brandissait pas ma promesse...

— Crossfire, murmura-t-il en m'étreignant.

Je ne savais pas s'il s'agissait uniquement de me rappeler l'existence du mot de passe ou s'il tentait de me dire qu'il m'aimait tellement qu'il n'existait pas de terme pour décrire ce qu'il ressentait. Quoi qu'il en soit, le mot me rassura.

Je perçus son excitation. Son souffle s'était accéléré à l'instant où j'avais posé les yeux sur la balançoire. Son sexe était d'une dureté d'acier contre mes fesses et sa peau était brûlante. Son désir aiguillonnait le mien, j'étais prête à tout pour lui donner autant de plaisir qu'il le supporterait.

S'il avait besoin de quelque chose, je voulais être celle qui le lui donnerait. Il me donnait tant. Il me donnait tout.

— D'accord, murmurai-je. D'accord.

Il déposa un baiser sur mon épaule et me prit la main.

Je le suivis jusqu'à la balançoire sans quitter celle-ci des yeux. Le siège arrivait au niveau de la taille de Gideon. Il me fit pivoter face à lui, puis me souleva pour me déposer dessus. Sa bouche frôla la mienne quand mes fesses nues touchèrent le cuir froid, et il agaça de la langue la commissure de mes lèvres. Je frissonnai. À cause du froid, de son baiser, ou parce que j'appréhendais ce qui allait suivre, je n'aurais su le dire.

Il recula, les yeux rivés aux miens. Il immobilisa les chaînes quand je m'inclinai contre le dossier de la chaise. Je sentis le plateau basculer en arrière et tendis les jambes en avant pour rétablir l'équilibre.

— Tu es bien installée ?

Je compris que cette question concernait davantage que mon seul confort physique. Je hochai la tête.

— Je vais t'attacher les chevilles, reprit-il. Si quoi que ce soit te dérange, dis-le-moi.

— D'accord, soufflai-je, le cœur battant.

Sa main glissa le long de ma jambe, chaude et provocante. Fascinée, je le regardai refermer la bande de cuir écarlate autour de ma cheville et attacher la boucle de métal. Le bracelet était ajusté sans être trop serré.

Les gestes de Gideon étaient rapides et assurés. Un instant plus tard, mon autre cheville était entravée.

— Tout va bien, jusqu'ici ? s'enquit-il.

— Tu as déjà fait ça, observai-je d'un ton boudeur.

Il était trop à l'aise pour un débutant. Il ne répondit pas et commença à se dévêtir aussi lentement et méthodiquement qu'il m'avait attachée.

Captivée, je dévorai des yeux ce corps qu'il me dévoilait peu à peu. Mon mari était vraiment magnifiquement bâti. Sa nudité agissait sur moi comme un puissant aphrodisiaque.

Sa langue glissa sur sa lèvre inférieure telle une lente caresse érotique.

— Tout va toujours comme tu veux, mon ange ?

Gideon savait quel effet il avait sur moi et qu'il utilise avec tant d'arrogance cette faiblesse contre moi ajoutait à mon excitation.

— Tu es trop sexy, répondis-je avant de me lécher les lèvres à mon tour.

Il sourit et s'approcha de moi, son sexe s'incurvant vers son nombril.

— Je crois que tu vas adorer ça.

Je n'eus pas besoin de lui demander d'où il tirait cette certitude, car ce fut évident dès qu'il me prit les mains. Depuis le siège de la balançoire, je jouissais d'un point de vue très avantageux – entre mes jambes écartées, je voyais son corps nu depuis les cuisses jusqu'en haut.

Il s'inclina et m'embrassa de nouveau. Doucement. Cette tendresse inattendue et le goût enivrant de sa bouche me tirèrent un gémissement.

Il lâcha l'une de mes mains pour empoigner sa queue dont il promena l'extrémité le long de ma fente. Je mouillai lorsqu'il se mit à agacer mon clitoris. Une onde de plaisir me traversa et c'est alors que je pris conscience de ma vulnérabilité. Je ne pouvais pas soulever les hanches. Je ne pouvais pas non plus contracter mes muscles intimes pour dissiper la sensation.

Un long gémissement bas m'échappa. J'avais envie de davantage, mais je ne pouvais qu'attendre qu'il se décide à me satisfaire.

— Tu me fais confiance, murmura-t-il contre mes lèvres.

Ce n'était pas une question, mais je confirmai d'un hochement de tête.

— Attrape les chaînes.

Au-dessus de ma tête, il y avait des bracelets de cuir destinés à m'entraver les poignets. Je me demandais pourquoi il ne s'en était pas servi, mais il savait ce qu'il faisait. S'il jugeait que je n'étais pas prête, c'était parce qu'il me connaissait tellement bien – mieux que je ne me connaissais moi-même, parfois.

L'amour qu'il m'inspirait s'épanouit dans ma poitrine jusqu'à m'envahir tout entière, dissipant les vestiges de peurs qui rôdaient dans les recoins sombres de mon esprit. Je ne m'étais jamais sentie aussi proche de lui, n'avais jamais imaginé qu'on puisse croire aussi totalement en quelqu'un.

Je lui obéis et agrippai les chaînes. Il se rapprocha encore, les abdominaux luisants de sueur. Je voyais son pouls palpiter dans son cou, ses bras, son sexe. Les battements de son cœur faisaient écho aux miens, l'extrémité de sa queue était aussi humide d'excitation que ma chatte. Notre désir était devenu une entité palpable, nous enveloppait insidieusement, rétrécissait le monde à nos deux seuls corps.

— Ne lâche pas les chaînes, ordonna-t-il.

Il attendit que j'aie hoché la tête avant de poursuivre.

Il prit l'une des chaînes, puis guida son pénis vers ma fente, l'extrémité se pressant contre ma chair moite, me promettant des délices qu'elle se refusait à m'octroyer. J'attendis, haletante, qu'il se décide à sauter le pas et me pénètre enfin.

Au lieu de quoi il attrapa l'assise de la balançoire à deux mains et m'empala sur sa queue.

La sensation violemment érotique de cette pénétration m'arracha un cri qui n'avait rien d'humain. Il s'était logé profondément en moi d'un glissement fluide, mon corps étant incapable de lui opposer la moindre résistance.

Il émit un grondement féroce et son corps puissant frémit.

— J'adore ta chatte, dit-il entre ses dents.

Je fis mine de tendre les mains vers lui, mais il repoussa la balançoire et je coulissai le long de son érection. La sensation de vide qui me saisit me tira un gémissement désespéré.

— Je t'en prie, le suppliai-je.

— Je t'ai dit de ne pas lâcher les chaînes, répliqua-t-il, le regard brillant.

— Je ne le ferai plus, promis-je en les serrant si fort que j'en eus mal aux mains.

Il me fit de nouveau glisser le long de sa queue. Mes orteils se recroquevillèrent. La sensation d'apesanteur, d'abandon total, était indescriptible.

— Parle-moi, exigea-t-il. Dis-moi que tu aimes ça.

— Ne t'arrête surtout pas, haletai-je, sentant un filet de sueur rouler sur ma nuque.

Il m'immobilisait un bref instant, puis me faisait glisser le long de son sexe raide au gré du va-et-vient de la balançoire. Le mouvement était ultra rapide. Le corps de Gideon agissait comme une mécanique parfaitement huilée. Ses bras, son torse, ses abdominaux et ses cuisses se contractaient sous l'effort. Ses gestes puissants, l'intensité de sa concentration à nous satisfaire l'un et l'autre, la sensation créée par le fulgurant pilonnage de son sexe en moi...

J'atteignis l'orgasme dans un cri, incapable de contenir la vague de plaisir qui déferlait sur moi. Gideon continua de me balancer implacablement, les traits tirés, le visage empourpré, laissant échapper de sourds grognements. Je n'avais encore jamais joui aussi vite, aussi violemment. L'espace d'un interminable instant, l'extase qui dévasta mon corps fut si vertigineuse que je ne vis ni ne respirai plus.

La balançoire ralentit, puis s'arrêta. Gideon avança d'un pas pour rester fiché en moi. Le parfum qui émanait de lui était primitif. Pur sexe et décadence.

Il encadra mon visage de ses mains. Ses doigts repoussèrent les cheveux collés à mes joues humides. Mes muscles intimes se contractaient autour de sa queue, encore délicieusement longue et dure.

— Tu n'as pas joui, lançai-je d'un ton accusateur.

Je me sentais plus vulnérable que jamais après la fulgurance de mon orgasme. Gideon s'empara de ma bouche en un baiser exigeant.

— Je vais t'attacher les poignets. Et après, je vais jouir en toi.

Les pointes de mes seins durcirent douloureusement.

— Ô mon Dieu ! soufflai-je.

— Tu me fais confiance, répéta-t-il en me scrutant.

Je le caressai pendant que je le pouvais encore. Mes
mains glissèrent sur son torse et je sentis son cœur
battre follement sous mes paumes.

— Plus que jamais, répondis-je.

19

— Bonjour, champion.

Je jetai un regard par-dessus mon épaule et souris à la vue d'Eva qui contournait le comptoir. Ses cheveux étaient emmêlés et ses jambes vraiment alléchantes sous son tee-shirt.

— Comment te sens-tu ? demandai-je en reportant mon attention sur le pain perdu que je faisais revenir dans la poêle.

— Hmm...

Je la regardai de nouveau et la surpris à rougir.

— Je suis endolorie, avoua-t-elle en insérant une dosette dans la machine à café. Tout au fond.

Une fois de plus, je ne pus m'empêcher de sourire. Le parfait positionnement de la balançoire avait permis une pénétration optimale. Jamais encore je ne l'avais pénétrée aussi profondément. J'y avais pensé toute la matinée et j'avais décidé de revoir ses plans de rénovation avec Ash. Une des chambres allait devoir comporter deux placards – un pour les vêtements et l'autre pour la balançoire.

— Non mais regardez-moi ce petit sourire satisfait, persifla-t-elle. Les hommes sont tous des cochons.

— Et moi que me décarcasse pour toi au-dessus d'une cuisinière brûlante !

— Mon pauvre, railla-t-elle.

Profitant de ce qu'elle passait derrière moi avec une tasse de café fumante, elle me tapa sur les fesses. Je la saisis par la taille avant qu'elle s'éloigne et fis claquer un baiser sur sa joue.

— Tu étais fabuleuse, hier soir.

J'avais senti un changement tangible s'opérer entre nous la veille, aussi tangible que les bagues que je portais aux doigts, et je le chérissais tout autant.

Elle me gratifia d'un sourire éblouissant, puis ouvrit le frigo et en sortit un contenant de crème. De mon côté, je fis glisser le pain perdu sur une assiette.

— Il y a quelque chose dont je voulais te parler, dit-elle en me rejoignant au comptoir.

Elle grimpa sur un tabouret de bar en se tortillant.

— Je t'écoute.

— J'aimerais m'investir dans la Fondation Crossroads – financièrement et administrativement.

— Cela englobe pas mal de choses, mon ange. Explique-moi ce que tu as en tête.

— J'ai songé à l'argent que j'avais reçu du père de Nathan après notre arrangement. Il dort à la banque, or après ce qui est arrivé à Megumi... J'ai réalisé qu'il était grand temps que cet argent profite à une cause utile. J'aimerais apporter ma contribution financière aux programmes de Crossroads et aider à leur développement.

Je souris intérieurement, heureux de la voir avancer dans la bonne direction.

— Très bien. Nous tâcherons d'arranger cela.

— Vraiment ? fit-elle, soudain aussi radieuse que le soleil.

Décidément, Eva était la lumière de mes jours.

— Bien sûr. J'aimerais y consacrer plus de temps, moi aussi.

— On pourrait travailler ensemble ! s'enthousiasma-t-elle. Tu n'imagines pas à quel point ça me fait plaisir.

— Je crois que si.

— C'est une progression naturelle, au fond. Comme une extension de nous.

Elle coupa son pain perdu et en glissa un morceau dans sa bouche.

— Miam, trop bon, commenta-t-elle, la bouche pleine.

— Content que ça te plaise.

— Non seulement tu es sexy, mais en plus, tu sais cuisiner. J'ai vraiment de la chance !

Je m'abstins de lui révéler que j'avais téléchargé la recette le matin même, préférant réfléchir à ce qu'elle avait dit.

Avais-je commis une erreur tactique en me rapprochant trop tôt de Mark ? Si j'avais attendu davantage, Eva aurait peut-être décidé spontanément de rejoindre Cross Industries.

D'un autre côté, Landon me talonnait de si près que je ne pouvais m'offrir le luxe de patienter.

Soucieux d'atténuer d'éventuelles retombées, je débattis des mérites qu'il y avait à discuter maintenant de l'éventuelle embauche de Mark par Cross Industries, ou de le remettre à plus tard. Eva venait d'ouvrir une porte en envisageant de travailler avec moi. Si je ne profitais pas de cette porte ouverte, je courais le risque qu'elle apprenne ce que j'avais fait autrement.

Je l'avais déjà plus ou moins pris la veille, sachant qu'Eva et Mark étaient amis et qu'ils se parlaient en dehors du travail.

— Moi aussi, j'ai quelque chose à te dire, mon ange.

— Je suis tout ouïe.

J'attrapai le sirop d'érable et en versai sur mon assiette d'un geste nonchalant.

— J'ai offert un poste à Mark Garrity.

Un silence stupéfait accueillit cette déclaration, puis :

— Tu as fait quoi ?

Le ton d'Eva me confirma que j'avais bien fait de me montrer franc sans attendre. Je levai les yeux. Elle me fixait du regard.

— J'ai proposé à Mark de travailler pour Cross Industries.

— Quand ? demanda-t-elle en pâlissant.

— Vendredi.

— Vendredi, répéta-t-elle. On est dimanche. Et c'est maintenant que tu m'en parles ?

La question étant rhétorique, je m'abstins d'y répondre.

— Pourquoi, Gideon ?

J'optai pour la même stratégie que celle dont j'avais usé avec Mark – ne dire que ce qui était le plus susceptible de convaincre.

— C'est un employé solide et compétent. Il a beaucoup à apporter à l'équipe.

— Foutaises ! répliqua-t-elle, ses joues retrouvant leurs couleurs sous l'effet de la colère. Ne la joue pas condescendant avec moi. Tu me prives de mon travail et tu n'as même pas jugé utile d'en parler d'abord avec moi ?

Je changeai de tactique.

— LanCorp a demandé que leur projet de campagne soit spécifiquement attribué à Mark, si je ne me trompe ?

Elle observa un long silence.

— C'est donc de ça qu'il s'agit ? répliqua-t-elle. Ce qui compte pour toi, c'est de doubler PhazeOne. Tu déconnes ou quoi ?

Je m'étais demandé quel produit Ryan Landon utiliserait comme prétexte pour approcher Eva. Et j'avais été surpris de découvrir que son choix s'était porté sur celui qui était le plus vital à sa croissance, avant de me donner des gifles pour ne pas y avoir pensé plus tôt.

— Tu n'as pas répondu à ma question, Eva.

— Quelle importance, bordel ? Oui, ils ont demandé Mark. Et alors ? Tu ne veux pas que tes concurrents fassent appel à lui ? Tu crois que c'était une décision stratégique, c'est ça ?

— Non, c'était une décision d'ordre personnel, répondis-je en reposant mes couverts. Eric Landon, le père de Ryan Landon, a fait de lourds investissements avec mon père et a été pratiquement ruiné. Ryan Landon ne pense plus qu'à m'abattre depuis lors.

Un pli se forma entre ses sourcils.

— Tu voudrais qu'on ne travaille plus pour aucune campagne de LanCorp ? C'est ce que tu es en train de dire ?

— Je dis que Ryan Landon n'a exigé Mark que pour t'approcher toi.

— Quoi ? Mais pourquoi ? demanda-t-elle, partagée entre agacement et colère. Il est marié, nom de Dieu ! Il est venu avec sa femme au déjeuner qu'on a organisé l'autre jour. Tu n'as aucune raison d'être jaloux.

— Il ne s'intéresse pas à toi de cette façon-là. Ce qui le fait jubiler, c'est que tu travailles pour lui. Il veut pouvoir te donner des ordres et t'obliger à te précipiter comme un petit chien pour le satisfaire.

— C'est ridicule.

— Tu ne sais pas tout, Eva. Il passe sa vie à tenter de me couper l'herbe sous le pied de toutes les façons possibles. Chacune de ses décisions commerciales est dictée par son besoin maladif de renverser le rapport de force entre les Landon et les Cross. L'annonce de chacun de ses succès est assortie d'un rappel de l'erreur commise par son père, qui n'a pas su voir que le mien était un escroc, et de ce que ça a coûté aux Landon.

— Évidemment que je ne le sais pas, rétorqua-t-elle froidement. Tu n'as pas jugé bon de m'en parler.

— Je t'en parle maintenant.

— Maintenant que ça n'a plus d'importance !

Elle glissa de son tabouret et quitta la cuisine au pas de charge.

— Eva.

Je lui courus après, comme chaque fois, et lui saisis le coude. Elle se libéra, fit volte-face.

— Ne me touche pas !

— Ne me fuis pas, grondai-je. Si on doit se disputer, allons-y.

— Tu comptais là-dessus, pas vrai ? Tu pensais pouvoir faire ce que tu voulais, et t'en sortir ensuite avec de belles paroles ou en baisant avec moi. Mais tu ne peux pas arranger ça, Gideon. Tu pourras me raconter tout ce que tu veux et me baiser autant que tu voudras, cette fois, tu ne t'en tireras pas comme ça.

— Arranger quoi ? Quelqu'un manigançait pour profiter de toi et j'ai réglé le problème.

— C'est ainsi que tu vois les choses ? riposta-t-elle, les poings sur les hanches. Eh bien, pas moi. Landon a pris un risque. Mark et moi pourrions lui soumettre un projet merdique. Landon mise très gros avec PhazeOne.

— En effet. Et il dispose, tout comme moi, de sa propre agence de publicité et de marketing. Pourquoi livrer en pâture à un tiers un projet sur lequel il a investi une fortune – même selon mes critères – avec tous les risques de fuites ou d'échec que cela comporte ?

Eva leva les bras en l'air en un geste d'impuissance.

— Exactement. Tu ne peux pas répondre parce qu'il n'y a pas de bonne réponse. Une telle prise de risque est injustifiable. Ce n'est pas par hasard que les rares personnes que j'ai chargées du lancement de GenTen sont toutes des employés dont l'âme m'appartient.

— Qu'est-ce que tu cherches à prouver ?

— Que Landon fourbit sa vengeance contre les Cross depuis longtemps. Je ne sais pas précisément ce qu'il a en tête. Ce que je sais, c'est qu'il nous place dans une situation où nous ne pouvons plus communiquer librement.

Elle haussa un sourcil.

— Je ne vois pas en quoi c'est différent de la façon dont notre relation fonctionne habituellement.

— Ne commence pas, répliquai-je en serrant les poings, agacé par son entêtement. Ne déplace pas cette querelle sur le terrain intime. C'est de lui qu'il s'agit, pas de nous. Il n'est pas question que je laisse Landon te martyriser à cause de moi.

— Je ne dis pas que tu as tort ! Si tu m'avais expliqué tout cela, j'aurais pris de moi-même la décision qui s'imposait. Mais au lieu de me parler, tu as préféré me priver d'un boulot que j'adore !

— Attends ! Quelle aurait été la décision qui s'imposait ?

— Je ne sais pas, avoua-t-elle avec un sourire si dur que mon sang se figea dans mes veines. Et maintenant, je ne le saurai jamais.

Sur ce, elle tourna les talons.

— Arrête.

— Non, lança-t-elle par-dessus son épaule. Je vais m'habiller et je pars.

— Certainement pas, répliquai-je en la suivant dans la chambre.

— Je n'ai pas envie d'être près de toi, Gideon. Je n'ai même pas envie de te regarder.

Je me raclai désespérément les méninges pour trouver un truc à dire qui la calmerait.

— Mark n'a pas encore accepté mon offre.

Elle secoua la tête et sortit un short d'un tiroir de la commode.

— Il l'acceptera. Je te fais confiance pour lui avoir fait une offre qu'il ne pourra pas refuser.

— Je la retirerai.

Bon sang, j'étais en plein rétropédalage, ça frisait le pathétique ; mais elle était tellement en colère contre moi que je ne savais plus comment l'atteindre. Je ne l'avais jamais sentie aussi distante. Lointaine et inaccessible. Après la soirée d'un érotisme sauvage que nous venions de vivre, alors que nous avions été proches comme jamais, son attitude m'était insupportable.

— Ne te donne pas cette peine, Gideon. Le mal est fait. Mais tu vas pouvoir compter sur un employé solide et compétent qui apportera beaucoup à ton équipe.

Elle enfila son short avant d'entrer dans le dressing.

J'allai me planter sur le seuil, lui bloquant le passage, tandis qu'elle mettait ses tongs.

— Écoute-moi, s'il te plaît. Ils s'en prennent à toi. Tous autant qu'ils sont. Ils cherchent à m'atteindre à travers toi. Je fais ce que je peux, Eva. J'essaie de nous protéger de la seule manière que je connaisse.

Elle s'immobilisa et pivota pour me faire face.

— C'est embêtant. Parce que cette façon-là ne me convient pas. Et qu'elle ne me conviendra jamais.

— Je fais des efforts, bordel !

— Il aurait suffi que tu me parles, Gideon. Moi aussi, je faisais des efforts. J'étais à mi-chemin. Crossroads n'était que la première étape. Je n'étais pas loin de prendre la décision de travailler avec toi, et tu m'en as privée. Tu nous en as privés tous les deux. Et l'occasion ne se représentera jamais.

Le ton glacial et définitif sur lequel elle avait prononcé ces mots me rendit fou. J'étais capable de gérer une discussion qui dérapait. Je pouvais faire volte-face et changer mon fusil d'épaule en un clin d'œil. Mais quand Eva me glissait entre les doigts, j'étais perdu. Le jour où nous avions échangé notre serment de mariage, j'avais pris la décision irrévocable de tout abandonner – mon ambition, ma fierté, mon cœur – et de m'en remettre à elle. Si je ne pouvais plus le faire, je n'avais plus rien.

— Ne me lance pas ça à la figure maintenant, mon ange, l'avertis-je. Chaque fois que j'ai voulu te proposer de travailler avec moi, tu m'as envoyé bouler.

— Du coup, tu as décidé de me passer dessus avec un bulldozer ?

— J'avais l'intention de te laisser du temps ! J'avais un projet. Je voulais faire valoir tous les avantages que tu tirerais de notre collaboration, t'amener à conclure par toi-même que la meilleure façon de développer ton potentiel était auprès de moi.

— Tu aurais dû t'en tenir à ce projet. Laisse-moi passer.

Je ne bougeai pas d'un pouce.

— Comment aurais-je pu me tenir à un plan quelconque ces dernières semaines, Eva ? Avant de monter sur tes grands chevaux, rappelle-toi ce que j'ai dû affronter. Il a fallu que je gère Brett et cette foutue sextape, Chris, mon frère, la thérapie, Ireland, ma mère, Anne, Corinne, cet enfoiré de Landon...

Eva croisa les bras.

— Et tout ça, tu l'as géré tout seul, n'est-ce pas ? Est-ce que je suis vraiment ta femme, Gideon ? Je ne suis même pas ton amie. Je parie qu'Angus et Raúl en savent davantage sur ta vie que moi. Et même Arash. Moi ? Je suis la jolie petite chatte que tu baises.

— Tais-toi.

— Je te conseille de me laisser passer avant que ça devienne vraiment moche.

— Je ne peux pas te laisser partir. Tu sais que je ne peux pas. Pas comme ça.

402

— Tu me demandes de te donner quelque chose que je n'ai plus pour le moment. Je suis vidée, Gideon.

— Mon ange... soufflai-je en tendant la main vers elle, la poitrine si contractée que j'avais du mal à respirer.

Son expression dévastée me tuait. J'étais prêt à détruire quiconque oserait lui faire du mal, mais cette fois, c'était moi le coupable.

— Qu'est-ce que ça change si c'était la décision que tu aurais prise, de toute façon ? risquai-je en désespoir de cause.

— Il vaut mieux que tu te taises, fit-elle d'une voix rauque. Parce qu'à chaque mot qui sort de ta bouche, je me dis qu'on est si éloignés l'un de l'autre qu'on n'aurait jamais dû se marier.

Elle m'aurait planté un poignard en plein cœur que je n'aurais pas souffert davantage. L'air dans le dressing devint soudain si brûlant qu'il m'assécha la gorge et me brûla les yeux. Le sol parut se dérober sous mes pieds ; ce qui constituait les fondations de ma vie se lézardait tandis qu'Eva m'échappait.

— Dis-moi ce qu'il faut que je fasse, articulai-je.

Elle avait les yeux brillants.

— Pour l'instant, laisse-moi partir. J'ai besoin d'être tranquille pour réfléchir. Quelques jours...

— Non !

Le flot de panique qui me submergea m'obligea à m'agripper au chambranle pour rester debout.

— Peut-être quelques semaines. Je vais devoir chercher un nouveau travail, après tout.

— Je ne peux pas, lâchai-je, à bout de souffle.

Un cercle noir rétrécit mon champ de vision jusqu'à ce qu'Eva ne m'apparaisse plus que comme un minuscule point de lumière.

— Pour l'amour de Dieu, propose n'importe quoi d'autre, Eva !

— Il faut que je décide de ce que je vais faire, à présent, dit-elle en se frottant le front d'un geste nerveux. Et je n'arrive pas à penser quand tu me regardes comme ça. Je n'y arrive pas...

Elle passa à côté de moi et je l'attrapai par les bras, je l'embrassai et gémis en la sentant s'adoucir un instant. Je savourai le goût de sa bouche. De ses larmes. Ou des miennes, je ne savais plus...

Ses mains plongèrent dans mes cheveux, ses poings se serrèrent et elle tira violemment. Elle détourna la tête, s'arrachant à mes lèvres.

— Crossfire, sanglota-t-elle.

Le mot résonna dans la pièce comme une détonation.

Je la relâchai brusquement et chancelai en arrière alors même qu'une voix me hurlait de la retenir.

Je la laissai aller, et elle me quitta.

La brise océane s'engouffre dans mes cheveux et je ferme les yeux, savourant sa caresse. Le bruit des vagues se brisant à intervalles réguliers sur le rivage et le cri des mouettes m'arriment à cet endroit, à cet instant.

Je n'ai passé que quelques jours ici, mais je me sens chez moi, un sentiment que je n'avais pas éprouvé depuis longtemps. Je n'ai partagé ce lieu qu'avec Eva et tous les souvenirs que j'en ai sont aussi imprégnés d'elle que le sable l'est de soleil. Comme le sable, j'ai été broyé, réduit en fines particules par les forces qui m'entourent. Et comme le soleil, Eva a apporté chaleur et joie dans mon existence.

Elle me rejoint sur la terrasse, se tient juste derrière moi, près de la rambarde. Je sens sa main se poser sur mon épaule, la pression de sa joue contre mon dos nu.

— Mon ange, dis-je doucement en recouvrant ses mains des miennes.

C'était ce dont nous avions besoin, revenir à cet endroit. Notre havre de paix quand le monde nous cerne de toutes parts, cherche à nous séparer. Ici, nous pansons mutuellement nos plaies.

Je suis infiniment soulagé. Elle est revenue. Nous sommes ensemble. Elle comprend maintenant pourquoi j'ai fait ce que j'ai fait. Elle était tellement fâchée, tellement blessée. À un moment donné, j'ai craint d'avoir détruit la part la plus précieuse de ma vie.

— Gideon, murmure-t-elle de sa voix de sirène en glissant un bras autour de ma taille.

Je me laisse envahir par la puissance de son amour. Ses doigts descendent sur mon ventre, prennent mon sexe, le caressent de bas en haut. Je durcis, je m'étire, prêt pour elle. Je ne vis que pour l'honorer et la servir. Comment a-t-elle jamais pu en douter ?

Un gémissement remonte du tréfonds de mon âme, le désir que j'ai toujours ressenti pour elle se déploie en moi. Des gouttes translucides viennent couronner l'extrémité de son sexe.

Sa main quitte mon épaule et glisse le long de mon dos, m'incite doucement à me pencher en avant.

J'obéis parce que je veux qu'elle voie à quel point elle me possède. Je veux qu'elle comprenne que je ferais tout, que je donnerais tout pour qu'elle se sente heureuse et en sécurité.

Sa main court le long de mon épine dorsale, la masse légèrement. Je m'agrippe à la rambarde de bois qui entoure la terrasse et écarte les jambes quand elle m'encourage à le faire.

Ses deux mains sont entre mes cuisses à présent, je sens son souffle, tiède et haletant, contre mon dos. Elle me branle d'une main ferme et experte. D'une manière plus forte que d'ordinaire. Plus exigeante. Son autre main masse mes bourses et j'ai envie de jouir.

Mon sexe pleure de plus en plus, le va-et-vient de sa main devient aisé, glissant. Un flot d'air iodé m'enveloppe, rafraîchit ma peau humide de sueur.

Je balbutie son nom : Eva. Je bande comme un fou pour elle, je l'aime à la folie.

Ses doigts d'une agilité prodigieuse remontent entre mes fesses, agacent la rosette sombre. J'ai beau me l'interdire, je trouve ça délicieux. La caresse de sa main sur mon pénis me coupe le souffle, m'empêche de penser, de lutter...

— C'est ça, murmure-t-elle d'une voix caressante.

Je cherche à me cambrer, mais sa main qui enserre ma queue m'en empêche.

— Arrête, dis-je en me tortillant.

— Tu aimes ça, ronronne-t-elle – j'ai tellement envie de ses caresses que je suis incapable d'y résister. Montre-moi à quel point tu as envie de moi.

Elle insère deux doigts lubrifiés entre mes fesses. Je crie, je cherche à me dégager, mais ses doigts insistent habilement, frottent l'endroit qui me donne envie de jouir plus que tout. Le plaisir enfle en moi malgré les larmes qui me brûlent les yeux.

Ma tête bascule en avant, mon menton heurte mon torse qui se soulève. Ça vient. Je ne peux pas me retenir. Pas avec elle...

Les doigts s'allongent, s'élargissent en moi. Le va-et-vient s'accélère. Les claquements de la chair contre la chair recouvrent le bruit de l'océan. Des grognements d'excitation me parviennent – ce ne sont pas les miens. Une queue est en moi. Ça fait mal, et pourtant une pointe de plaisir, malsain, malvenu, accompagne cette souffrance.

— Continue à te caresser, halète-t-il. Tu y es presque.

Une douleur atroce explose dans ma poitrine. Eva n'est pas là. Elle est partie. Elle m'a quitté.

Un flot de vomi remonte dans ma gorge. Je le repousse violemment, l'entends s'écraser contre les portes coulissantes derrière nous. Le verre explose. Hugh est secoué par un rire hystérique et je me rue sur lui. Je le découvre affalé au milieu des débris étincelants. Ses cheveux sont aussi rouges que son sang. Ses yeux brillent de cet abominable éclat lascif.

— Tu crois qu'elle veut encore de toi ? me lance-t-il d'un ton de défi en se redressant. Tu lui as tout raconté. Qui voudrait de toi après ça ?

— Va te faire foutre !

Je me jette sur lui et le plaque au sol. Mon poing s'écrase sur son visage, encore et encore.

Les éclats de verre me transpercent, me lacèrent, mais cette douleur-là n'est rien en regard de celle qui me ronge de l'intérieur.

Eva est partie. Je savais qu'elle partirait, que je ne pourrais pas la retenir. Je le savais, mais j'avais espéré. Je n'ai pas pu m'empêcher d'espérer.

Hugh n'arrête pas de rire. Je sens son nez exploser sous mon poing. Sa joue, sa mâchoire. Son rire se transforme en gargouillement, mais il rit encore.

Je lève le bras pour le frapper de nouveau...

Anne est étendue sous moi, le visage réduit en bouillie, méconnaissable.

Horrifié par ce que je viens de faire, je me redresse abruptement et me relève. Des bouts de verre s'incrustent dans la plante de mes pieds.

Anne rit. Les bulles de sang qui s'échappent de son nez et de sa bouche se répandent dans la maison qui était autrefois un sanctuaire. Elles tachent tout, leur couleur chasse la lumière du soleil jusqu'à ce qu'il ne reste plus qu'une lune sanglante...

Je me réveillai, un hurlement bloqué au fond de la gorge. Les cheveux et la peau trempés de sueur. Étouffé par les ténèbres.

Je me frottai les yeux, puis me mis à quatre pattes en sanglotant. Rampai vers la seule lumière visible, guidé par ce faible halo argenté.

La chambre. Mon Dieu ! Je m'étais écroulé par terre, ravagé par les larmes. Je m'étais endormi dans le dressing, incapable de bouger après qu'Eva m'eut quitté, effrayé à l'idée de faire un seul pas vers la vie qui m'attendait sans elle.

Le réveil brillait dans l'obscurité de la chambre.

Il était 1 heure du matin.

Un nouveau jour. Et Eva n'était toujours pas revenue.

— Vous êtes bien matinal.

La voix guillerette de Scott m'arracha à la contemplation de la photo d'Eva sur mon bureau.

— Bonjour, le saluai-je en ayant l'impression d'être toujours englué dans un cauchemar.

J'étais arrivé peu après 3 heures du matin, incapable de me rendormir, et tout aussi incapable de rejoindre Eva. J'en avais eu envie, et je l'aurais fait si je n'avais découvert en pistant son téléphone qu'elle était dans le penthouse de Stanton, l'un des rares endroits où je ne pouvais l'atteindre. Découvrir qu'elle se mettait délibérément hors d'atteinte avait déclenché en moi une angoisse qui me rongeait tel un acide.

Je n'avais pas pu envisager de rester chez moi et de me préparer pour aller travailler sans Eva. J'avais donc préféré renouer avec mes vieilles habitudes et me rendre au bureau alors que la lune était encore haute. C'était le seul lieu sur terre où j'étais certain d'exercer un contrôle absolu et j'y trouvais la paix.

Mais la paix s'était rompue au lever du jour. J'étais désormais confronté au tourment de savoir Eva dans le même immeuble que moi, tout près, et pourtant plus loin de moi qu'elle ne l'avait jamais été.

— J'ai trouvé Mark Garrity à l'accueil à mon arrivée, poursuivit Scott. Il m'a dit que vous lui aviez proposé de passer vous voir aujourd'hui.

Mon estomac se noua.

— Faites-le entrer.

Je m'écartai de mon bureau et me levai. Je n'avais pensé à rien d'autre qu'à Eva et à l'offre que j'avais faite à Mark Garrity, m'efforçant de réécrire l'histoire et de déterminer à quel moment j'aurais pu changer le cours des choses. Je ne connaissais Eva que trop bien. Lui parler de Ryan Landon ne l'aurait pas davantage incitée à quitter Waters, Field & Leaman que le fait de lui parler de Corinne ne l'avait incitée à se montrer plus prudente.

Dans un cas comme dans l'autre, cela n'aurait servi qu'à la pousser à les affronter en rugissant comme une lionne prête à me défendre sans se soucier des dangers auxquels elle s'exposait. Eva était ainsi et c'était pour cela que je l'aimais, mais je devais aussi la protéger quand la situation l'exigeait.

· — Mark, dis-je en tendant la main quand il entra, devinant au premier regard qu'il allait dire oui.

Il irradiait d'énergie et une étincelle impatiente brillait dans ses yeux sombres.

Nous convînmes qu'il commencerait en octobre, laissant ainsi près d'un mois de préavis à Waters, Field & Leaman. Il tenait à garder Eva avec lui et je l'encourageai à le lui proposer, même s'il y avait peu de chances qu'elle accepte. Il discuta pour la forme de certains points du contrat et la force de l'habitude me permit de négocier, mais le cœur n'y était pas.

Quand il quitta mon bureau, il était ravi de son changement de situation. Je restai seul, rongé par la peur grandissante qu'Eva ne me pardonne jamais.

Le mardi succéda au lundi. Je ne me sentis vivant que trois fois dans la journée – à 9 heures, quand Eva arriva au travail, à l'heure du déjeuner, et à 17 heures, quand sa journée fut terminée. J'attendis désespérément qu'elle me contacte. Une nouvelle dispute aurait été mille fois préférable à ce silence atroce.

Elle ne le fit pas. Je ne pus que la regarder sur les écrans de contrôle du Crossfire. Je la dévorai des yeux tandis qu'elle allait et venait, mais je craignais d'élargir le gouffre qui nous séparait si je prenais le risque de l'approcher.

Je restai à mon bureau ce soir-là, redoutant de rentrer chez moi. Redoutant ce que je pourrais faire si je pénétrais dans un des appartements que je partageais avec elle. Mon bureau aussi était une torture, le canapé s'acharnant à me rappeler ce que j'avais encore quelques jours auparavant. Je pris une douche dans le cabinet de toilette du bureau et enfilai l'un des costumes que je gardais à disposition.

Jusqu'à présent, je n'avais jamais trouvé étrange de vivre pour travailler. Mais maintenant que j'étais submergé par une émotion que je ne pouvais exprimer, je me rendais compte de la place qu'Eva avait occupée dans ma vie.

Elle dormit de nouveau chez Stanton. Elle préférait passer du temps avec sa mère plutôt que de s'aventurer à me voir...

Je n'arrêtais pas de lui envoyer des textos. Pour la supplier de m'appeler. *J'ai besoin d'entendre ta voix.* Sous des prétextes frivoles. *Il fait plus froid, aujourd'hui, tu ne trouves pas ?* Pour partager avec elle des réflexions stupides. *Je n'avais jamais remarqué que Scott est toujours habillé en bleu.* Mais celui qui revenait le plus souvent, c'était *Je t'aime.* Ces mots-là étaient plus faciles à écrire qu'à dire. Je les écrivis souvent. Encore et encore. Je ne voulais pas qu'elle l'oublie. Quelles que soient mes fautes et mes erreurs, tout ce que j'avais fait, pensé ou ressenti, n'avait jamais été autre chose qu'un témoignage de mon amour.

Parfois, je m'énervais aussi, déboussolé par ce qu'elle me faisait subir. Ce qu'elle nous faisait subir. *Putain, appelle-moi ! Ça suffit !*

— Tu as une sale gueule, lâcha Arash en m'étudiant tandis que je parcourais les contrats qu'il venait de poser devant moi. Tu es encore malade ?

— Je vais très bien.

— Tu vas tout sauf bien, mon vieux.

Je le fis taire d'un regard assassin.

Un peu avant 18 heures, alors que j'étais en route pour le cabinet du Dr Petersen, Eva finit par me contacter.

Je t'aime aussi.

Les caractères du message se mirent à trembloter devant mes yeux soudain brûlants. Je répondis aussitôt, les doigts tremblants, presque étourdi par le soulagement. *Tu me manques tellement. Est-ce qu'on peut parler, stp ? J'ai besoin de te voir.*

J'atteignis le cabinet du Dr Petersen sans qu'elle m'ait répondu, ce qui me mit d'une humeur massacrante. Elle me punissait de la pire façon qui soit. J'étais aussi nerveux qu'un junkie en manque, il me fallait ma dose d'Eva pour parvenir à fonctionner. À penser.

Le Dr Petersen m'accueillit à la porte de son bureau avec un sourire qui disparut dès qu'il me vit. Il fronça les sourcils d'un air soucieux.

411

— Vous n'avez pas l'air en forme.

— Je ne le suis pas, répliquai-je.

Il m'invita à m'asseoir d'un geste. Je restai debout, bouillonnant de rage. J'avais envie de partir, d'aller trouver ma femme. Je ne pouvais plus attendre. C'était trop me demander.

— Nous pourrions peut-être marcher, proposa-t-il. Ça ne me ferait pas de mal de me dégourdir un peu les jambes.

— Appelez Eva, ordonnai-je. Dites-lui de venir. Vous, elle vous écoutera.

— Vous avez un problème avec Eva, dit-il en clignant des yeux.

J'enlevai ma veste et la lançai sur le canapé.

— Elle est irrationnelle ! Elle refuse de me voir... de me parler. Comment peut-on faire avancer les choses si on ne parle pas ?

— C'est une question raisonnable.

— Exactement ! Moi, je suis raisonnable. Mais elle, elle a complètement perdu l'esprit. Elle ne peut pas continuer ainsi. Il faut que vous la contactiez. Dites-lui qu'elle doit me parler.

— Très bien. D'abord, il faut que je comprenne ce qu'il s'est passé, dit-il en s'installant dans son fauteuil. Je ne vous serai pas d'une grande utilité si je l'ignore.

— N'essayez pas de m'embobiner, docteur, dis-je en pointant l'index vers lui. Pas aujourd'hui.

— J'estime être aussi raisonnable que vous, répondit-il d'un ton posé. Moi aussi, je veux faire avancer les choses entre Eva et vous. Je crois que vous le savez.

Je lâchai un long soupir, m'assis sur le bord du canapé et me pris la tête entre les mains.

— Vous êtes en pleine dispute avec Eva.

— Oui.

— Quand lui avez-vous parlé pour la dernière fois ?

Je déglutis.

— Dimanche.

— Que s'est-il passé, dimanche ?

Je le lui dis. Les mots sortirent si vite de ma bouche que le stylet du Dr Petersen dut courir frénétiquement sur sa tablette. Ils jaillirent de moi comme si je cherchais à me purger de ma colère et je me sentis soudain lessivé quand je me tus.

Il continua d'écrire encore un moment, puis leva les yeux. La compassion que je lus dans son regard me noua la gorge.

— Vous avez privé Eva de son travail, souligna-t-il. Un travail dont elle a dit ici même, devant vous, qu'il lui plaisait énormément. Vous comprenez qu'elle soit fâchée, n'est-ce pas ?

— Oui, bien sûr. Mais j'avais de bonnes raisons pour agir comme je l'ai fait. Des raisons qu'elle comprend. C'est là que je suis perdu. Elle comprend, mais elle me repousse quand même.

— Je ne suis pas certain de comprendre pourquoi vous n'en avez pas parlé à Eva avant d'agir. Vous pouvez me l'expliquer ?

Je me frottai la nuque.

— Elle aurait ruminé la question pendant un temps fou. Et moi, en attendant, j'ai des tonnes de merdes à gérer. On reçoit des coups de tous les côtés.

— J'ai vu qu'on annonce la publication d'un livre sur vous par Corinne Giroux.

— Oui, confirmai-je avec un sourire lugubre. Cette idée a dû lui venir quand les Six-Ninth ont sorti leur vidéo de *Golden*. Landon a profité d'une brèche dans ma défense pour approcher Eva. Je ne pouvais pas risquer de lui offrir une nouvelle occasion de m'atteindre alors que j'étais distrait par tout ce qu'Eva et moi avons à affronter en ce moment.

— Vous êtes soumis à beaucoup de pressions, reconnut Petersen. Vous ne faites pas confiance à Eva pour

413

qu'elle vous aide à prendre certaines décisions ? Il faut que vous sachiez que les conflits qui l'ont opposée à sa mère auraient souvent pu être évités si celle-ci l'avait consultée avant d'agir.

— Je sais, dis-je en tâchant de remettre de l'ordre dans le chaos de mes pensées. Mais je dois veiller sur elle. Après ce qu'elle a vécu...

Je fermai les yeux. Penser à ce qu'elle avait subi m'était parfois insupportable.

— Je dois être fort pour elle. Encaisser les coups.

— Gideon, vous êtes un des hommes les plus forts que je connaisse, déclara le docteur calmement.

Je rouvris les yeux.

— Vous ne m'avez jamais vu comme Eva m'a vu.

Eva m'avait vu pleurer comme un enfant. Brutalisé par les souvenirs. Me masturber alors que j'étais inconscient. Violent dans mon sommeil. Faible, tellement faible. Vulnérable.

— Pensez-vous qu'elle doute de vous parce que vous lui avez laissé voir vos faiblesses ? Cela ne lui ressemble pas, selon moi.

— Vous ne savez pas tout, articulai-je, les yeux soudain brûlants. Vous ne... vous ne savez pas.

— Mais Eva sait. Ce qui ne l'a pas empêchée de vous épouser. Ce qui ne l'empêche pas de vous aimer – énormément.

Il ponctua cette déclaration d'un sourire de sympathie qui me transperça comme la lame d'un couteau, qui m'éventra.

— Vous m'avez demandé un jour si les relations sont faites de compromis, reprit-il. Vous vous en souvenez ?

Je hochai la tête.

— En l'occurrence, faire des compromis signifie que vous n'êtes pas obligé d'être toujours fort, Gideon. Vous pouvez parfois vous charger du gros du travail, mais vous pouvez aussi passer le relais à Eva. Le mariage ne repose pas sur la force d'un seul individu. Il repose sur l'union de la force des conjoints, sur leur aptitude à se relayer pour affronter les difficultés.

Je baissai la tête. Eva m'avait tenu le même discours.

— J'essaie, soupirai-je. Je vous jure que j'essaie.

— Je sais.

— Il faut qu'elle revienne. J'ai besoin d'elle. Elle me tue, là. Elle me met en pièces.

Je contemplai mes mains. Les bagues qu'elle m'avait offertes, et qui montraient que je lui appartenais.

— Qu'est-ce que je peux faire ? Dites-moi ce que je dois faire.

— Eva voudra avoir la certitude que vous êtes disposé à changer. Elle voudra que vous preniez des mesures qui le lui prouveront. Ce genre de décisions ne se présente pas souvent et il est possible qu'elle se contente d'attendre. Ce sera difficile pour vous, je pense. Très difficile.

Je hochai lentement la tête, mais je ne pouvais plus attendre. Si Eva voulait la preuve que j'étais prêt à tout pour la garder, j'allais la lui donner.

Je serrai les poings et fixai du regard le motif du tapis entre mes pieds.

— J'ai été...

Je m'éclaircis la voix.

— Le thérapeute. Celui que j'avais quand j'étais enfant.

— Oui ?

— Il... il a abusé de moi. Pendant près d'un an. Il... m'a violé.

20

Tu me manques tellement. Est-ce qu'on peut parler, stp ? J'ai besoin de te voir.

— Tu regardes encore son texto ? demanda Cary en roulant sur le dos à côté de moi sur le lit.

— Je n'arrive pas à dormir.

Être loin de Gideon était une torture. Que je dorme ou pas, j'avais en permanence l'impression qu'on m'avait arraché le cœur et laissé un trou béant dans la poitrine.

Je levai les yeux vers le ciel du lit à baldaquin de la chambre d'amis de ma mère. La décoration venait d'être refaite et l'élégante palette de tons crème et vert mousse était apaisante.

— Quand as-tu l'intention de lui parler, baby girl ?

— Bientôt, répondis-je en plaquant mon téléphone sur mon cœur. Je... je crois juste qu'on a besoin de prendre un peu de recul l'un et l'autre.

J'avais un mal fou à réfléchir quand on était fâchés, Gideon et moi. J'avais horreur de cela.

La situation était d'autant plus difficile que c'était lui qui avait merdé, et de façon spectaculaire qui plus est – comme tout ce qu'il faisait, d'ailleurs. Je ne voyais pas comment je pourrais lui pardonner et vivre avec moi-même ensuite. D'un autre côté, je ne voyais pas comment je pourrais aller de l'avant sans lui et vivre tout court. Je me sentais morte à l'intérieur. La seule chose qui me permettait de tenir, c'était l'espoir qu'on parvienne à arranger les choses et à vivre ensemble. Le contraire me paraissait impossible. Comment aurais-je pu lui donner tant de moi-même et le laisser tomber ?

Je repensai au conseil que j'avais donné à Trey et songeai que nous étions confrontés au même choix, lui et moi : l'amour ou l'instinct de survie ? J'en voulais énormément à Gideon de m'avoir forcé la main – je n'aurais jamais imaginé qu'il m'obligerait un jour à considérer les choses sous cet angle.

Et pourquoi ces deux choix devaient-ils s'exclure mutuellement ?

— Ça t'amuse de le passer à la moulinette ?

— C'est lui le responsable, pas moi.

Gideon ne m'avait pas seulement privée de quelque chose de précieux, il nous avait privés de quelque chose de précieux – mon libre arbitre et la confiance que j'avais en lui pour le respecter.

— Je te remercie de ton soutien, ajoutai-je.

Il haussa les épaules.

— J'aime bien Stanton. C'est sympa de squatter chez lui. Mais il faudra bien rentrer chez nous un jour ou l'autre, non ?

— Je ne peux pas me cacher éternellement.

— C'est ce que tu dis toujours, marmonna-t-il. Perso, j'aime bien me cacher. Faire une putain de pause et oublier les problèmes.

— Sauf que les problèmes sont toujours là, à t'attendre, pendant que tu te planques.

Raison pour laquelle j'avais toujours préféré les affronter bille en tête. Histoire de déblayer la route et de les laisser derrière moi.

— Qu'ils attendent, décréta-t-il en m'ébouriffant les cheveux.

Je tournai la tête pour déposer un baiser sur sa joue. J'avais versé des torrents de larmes sur son épaule ces trois derniers jours et je m'étais blottie contre lui, la nuit. J'avais parfois eu l'impression que seuls ses bras autour de moi m'empêchaient de tomber en miettes.

J'avais mal partout. J'étais en vrac, un zombie dans les rues animées de New York.

Où était Gideon en ce moment même ? La souffrance de notre séparation commençait-elle à s'estomper ? Ou était-il aussi dévasté que moi ?

— Mark m'a proposé de le suivre chez Cross Industries, dis-je pour me forcer à penser à autre chose.

— Ça, au moins, tu l'auras vu venir.

— Oui, mais c'était tout même assez irréel quand il a abordé le sujet. Il est tellement enthousiaste, Cary. Il y gagne une grosse augmentation et ça va changer beaucoup de choses pour Steven et lui. Ils auront les moyens de s'offrir un beau mariage suivi d'une longue lune de miel, et ils envisagent d'acheter un appartement. C'est difficile de m'accrocher à mon ressentiment quand je le vois tellement heureux.

— Tu comptes travailler pour Gideon ?

— Je ne sais pas. J'étais sérieuse quand je lui ai dit que j'étais à mi-chemin de prendre cette décision. Mais maintenant... j'ai presque envie d'aller travailler ailleurs rien que pour l'emmerder.

Cary leva les poings et boxa dans le vide.

— Montre-lui que c'est toi le boss !

— Ouais ! fis-je en l'imitant pour me remonter le moral. Mais c'est stupide. Je ne saurai jamais si on m'embauche pour moi ou à cause de son nom... De toute façon, Mark ne part que dans un mois, ça me laisse un peu de temps pour réfléchir.

— Peut-être que l'agence voudra te garder.

— C'est possible. Je ne sais pas quelle réponse je donnerai. Ça m'éviterait de chercher du travail, mais je ne serais plus avec Mark, et c'est lui qui fait que j'adore mon boulot.

— Il y aurait toujours Megumi. Et Will.

— C'est vrai, reconnus-je.

Après un long silence complice, Cary déclara :

— J'ai comme l'impression qu'on vogue sur un océan d'incertitudes, toi et moi.

— Je suis certaine que Trey va t'appeler, assurai-je sans trop savoir ce que Trey lui dirait le moment venu.

— C'est sûr. C'est un mec bien. Il ne me laissera pas sans nouvelles, répondit-il d'un ton las. C'est ce qu'il va me dire et pas quand il va me le dire qui m'inquiète.

— L'amour devrait être plus simple, me lamentai-je.

— Si était dans une comédie romantique, ça s'appellerait *Love Actually, ça craint* !

— On aurait mieux fait d'en rester à *Sex and the City*.

— J'ai essayé. Résultat des courses, j'ai atterri dans *En cloque*. Le mieux, ce serait de se retrouver dans *40 ans, toujours puceau*, mais j'ai pris un très mauvais départ.

— On pourrait écrire un manuel de développement personnel sur « Comment perdre un mec en dix semaines ».

Cary me regarda.

— Le rêve !

Le mercredi matin me tomba dessus comme une gueule de bois.

Me réfugier chez ma mère offrait l'avantage de rendre mes préparatifs du matin moins pénibles – Gideon ne me manquait pas autant qu'à la maison. Le problème, c'était que ça me rapprochait de ma mère qui me rendait folle à force de ne parler que du mariage. Stanton lui-même, qui était pourtant d'une patience d'ange avec

vroses de ma mère, m'adressait des regards de
..dien quand il était dans les parages.

Le mariage était bien la dernière chose à laquelle
j'avais envie de penser – j'avais déjà assez de mal à envisager l'heure d'après. C'était le rythme auquel j'avançais : une heure à la fois.

Quand je sortis du hall, à la place de Raúl devant la
Mercedes, je trouvai Angus devant la Bentley.

Je lui souris, sincèrement contente de le voir, mais
n'en demeurai pas moins sur mes gardes.

— Bonjour, Angus, le saluai-je avant de désigner la
voiture du menton. Il est à l'intérieur ?

Il secoua la tête, puis porta la main à la visière de
sa casquette.

— Bonjour, madame Cross.

Je lui pressai brièvement le bras avant de me glisser
sur la banquette arrière. Quelques secondes plus tard, la
voiture s'insérait dans le flot de la circulation matinale
et prenait la direction du centre-ville.

— Comment va-t-il ? demandai-je.

— Plus mal que vous, je suppose, répondit-il en me
jetant un rapide coup d'œil avant de reporter son attention sur la circulation. Il souffre. La soirée d'hier a été
la plus dure.

— Mon Dieu, soupirai-je en m'adossant à la banquette.

Que faire ? Je ne voulais pas que Gideon souffre. Il
n'avait déjà que trop souffert.

Je sortis mon téléphone et lui envoyai un texto. *Je
t'aime.*

Sa réponse fut presque instantanée. *Je t'appelle.
Réponds, stp.*

Un instant plus tard, le téléphone vibra dans ma main
et sa photo s'afficha à l'écran. Voir son visage fut un
choc après avoir passé ces derniers jours à refuser de
regarder toute photo de lui. Je redoutais tout autant

d'entendre sa voix. Je ne savais pas si j'en aurais la force. Et je n'avais pas les réponses qu'il attendait de moi.

L'appel bascula sur la messagerie et le téléphone redevint silencieux. Pour se remettre à vibrer presque aussitôt.

Je décrochai et l'approchai de mon oreille sans parler.

Le silence se prolongea. Je retenais mon souffle.

— Eva ?

Mes yeux s'embuèrent au son de sa voix, presque enrouée. Mais le pire de tout, ce fut l'espoir que je perçus dans sa façon d'articuler mon nom, le besoin désespéré qu'elle trahissait.

— Ce n'est pas grave si tu ne parles pas, dit-il. C'est juste que...

Il laissa échapper un soupir tremblant.

— Je suis désolé, Eva. Je veux que tu saches que je suis désolé et que je ferai tout ce que tu voudras. Je veux arranger les choses.

— Gideon... murmurai-je, et je l'entendis retenir sa respiration. Je crois que tu es désolé que nous soyons séparés. Mais je crois aussi que tu es capable de refaire les mêmes erreurs. J'essaie de déterminer si je peux vivre avec ça.

Un silence suivit, se prolongea.

— Qu'est-ce que ça signifie ? demanda-t-il finalement. Quelle serait l'autre solution ?

Je soupirai, soudain très fatiguée.

— Je n'ai pas de réponse. C'est pour ça que je garde mes distances. Je veux tout te donner, Gideon, je veux ne jamais avoir à te dire non, ça m'est trop difficile. Mais si je reste avec toi, sachant comment tu es et que tu n'as pas l'intention de changer, j'ai peur de finir par t'en vouloir. Et au bout du compte, de ne plus t'aimer.

— Eva... mon Dieu, ne dis pas ça ! J'ai parlé au Dr Petersen. Au sujet de Hugh.

— Quoi ? m'écriai-je en redressant la tête. Quand ?

— Hier soir. Je lui ai tout dit. Sur Hugh. Et Anne. Il va m'aider, Eva. Il m'a dit des choses... des choses qui font sens. À propos de moi et de ma façon de me comporter avec toi.

— Oh, Gideon ! Je suis très fière de toi.

Je savais à quel point cela avait dû être difficile pour lui. J'avais moi-même enduré le supplice que représentait une telle confession.

— Tu dois rester avec moi. Tu as promis. Je t'avais prévenue que j'allais tout gâcher. Et je recommencerai. Je ne sais plus ce que je fais, mais ce que je sais... c'est que je t'aime. Je t'aime comme un fou. Je ne peux pas vivre sans toi. Tu es en train de me briser Eva. Je ne peux pas... J'ai besoin de toi, acheva-t-il dans ce qui ressemblait à un sanglot.

— Mon Dieu, Gideon... Je ne sais pas quoi faire, moi non plus.

Les larmes roulaient sur mon visage, sur ma gorge, se glissaient sous l'encolure de ma robe.

— On ne pourrait pas trouver une solution ensemble ? On n'est pas meilleurs – plus forts – quand on est tous les deux ?

J'essuyai mes larmes d'un revers de main – mon maquillage était fichu et je m'en contrefichais.

— Je veux qu'on le soit, répondis-je. Je le veux plus que tout au monde. Mais je ne sais pas si on peut y arriver. Pas une fois tu ne m'as associée à l'une de tes décisions, Gideon. Pas une seule.

— Si je le fais – et je le ferai –, tu reviendras avec moi ?

— Je ne t'ai pas quitté, Gideon. Je ne sais pas comment faire.

Je regardai par la fenêtre et aperçus un jeune couple qui s'embrassait devant une porte à tambour avant de se séparer.

— Mais, oui, enchaînai-je, si on arrive vraiment à former une équipe, rien ne pourra m'éloigner de toi.

— Il paraît que vous avez décroché la campagne PhazeOne.

Je cessai de tourner ma cuiller dans mon café et levai les yeux vers Will.

— Je ne suis pas au courant, dis-je en arquant les sourcils.

Il sourit et ses yeux étincelèrent derrière ses lunettes. Ce garçon était toujours de bonne humeur, solidement ancré dans une relation qui fonctionnait. J'enviais sa sérénité. Je n'avais ressenti cela qu'en de rares occasions depuis que je connaissais Gideon, et chaque fois, cela m'avait paru... divin.

— C'est le bruit qui court.

— C'est toujours pareil, répliquai-je avec un soupir exagéré. Je suis toujours la dernière avertie.

Depuis le début de la semaine, j'aurais pu décrocher l'Oscar de la meilleure actrice. Entre l'excitation de Mark, les ajustements imminents concernant ma carrière, le début de mes règles et les montagnes russes de ma vie privée, j'avais concentré toute l'énergie que j'avais encore en réserve à garder mon calme. Résultat, j'avais évité les coteries de bureau afin de réduire les contacts avec les gens. Il y avait des limites à la joie de vivre que j'étais capable de feindre.

— Mark va me tuer s'il apprend que je te l'ai dit, déclara Will sans manifester le moindre repentir. Je tenais à être le premier à te féliciter.

— D'accord. Merci. Enfin, je crois.

— J'ai hâte de tester ce qui promet d'être un bijou, si j'en crois les blogs spécialisés. Les rumeurs les plus folles circulent sur le design de PhazeOne, ajouta-t-il en me décochant un regard plein d'espoir.

J'agitai l'index.

— Ne compte pas sur moi pour faire fuiter la moindre info.

— On ne pourra pas me reprocher de ne pas avoir essayé, soupira-t-il. Ils vont sûrement te mettre à l'isolement jusqu'à sa sortie sur le marché.

— C'est à se demander pourquoi LanCorp confie sa campagne à une agence extérieure, non ?

— Ouais. Je suppose. Je n'avais pas réfléchi à ça.

Moi non plus. Mais Gideon, lui, n'avait fait que cela.

— Il y a aussi la nouvelle GenTen qui va bientôt sortir, dis-je en baissant les yeux sur mon mug.

— Il paraît. Mais celle-là, il est évident qu'elle va faire un carton. Sinon, qu'est-ce que tu fais ce midi ?

— Je déjeune avec Mark et Steven.

— Tant pis pour moi ! Ça te dirait de boire un verre après le boulot un de ces quatre ? Avec nos conjoints respectifs. Si Gideon est partant. Je sais qu'il est très pris.

J'ouvris la bouche. Puis la refermai. Will m'offrait un prétexte en or pour excuser Gideon, et j'aurais pu le saisir, mais je voulais partager tous les aspects de ma vie avec mon mari. Si je commençais à l'en exclure, est-ce que ce ne serait pas le début de la fin ?

— Ça pourrait être sympa, mentis-je, imaginant déjà une soirée ultra-tendue. Je lui en parlerai.

— Cool. Fais-moi signe quand tu auras sa réponse.

— J'ai un problème, annonça Mark.

Le restaurant cubain choisi par Steven était spacieux et très fréquenté. L'immense verrière du plafond illuminait la salle aux murs ornés de fresques représentant palmiers et perroquets. La musique festive me donnait l'impression d'être en vacances dans un lieu exotique et le parfum des épices m'avait ouvert l'appétit, pour la première fois depuis des jours.

— Réglons-le, répondis-je en me frottant les mains.

— Eva a raison, renchérit Steven. Dis-nous tout.

Mark cala les coudes sur la table.

— M. Waters m'a demandé ce matin de commencer à travailler sur le dossier LanCorp.

— Youpi ! applaudis-je.

— Pas si vite. Cela m'a obligé à lui donner mon préavis. J'espérais attendre jusqu'à vendredi, mais ils veulent quelqu'un qui suive le dossier de A à Z, pas juste le premier mois.

— C'est compréhensible, concédai-je. Mais c'est chiant.

— Je ne te le fais pas dire. Mais c'est comme ça, ajouta-t-il en haussant les épaules. Waters a donc appelé les autres associés. Qui m'ont expliqué que les huiles de chez LanCorp avaient insisté pour que je dirige la campagne. Tellement insisté qu'ils craignent de perdre le budget si ce n'est pas moi qui m'en occupe.

— C'est agréable d'être reconnu, pas vrai ? dit Steven en lui donnant une claque dans le dos.

— Je reconnais que ça a boosté mon ego, avoua Mark avec un sourire penaud. Toujours est-il qu'ils m'ont offert une promotion et une augmentation si j'accepte de rester.

— Alors là, c'est du sérieux, soufflai-je.

— Bon, ils ne m'ont pas offert autant que Cross. Pas même la moitié. Mais soyons honnêtes, Cross me surpaie.

— Que tu dis, le réprimanda Steven. Quant à moi, je dis qu'il te paie à ta juste valeur.

— Absolument, acquiesçai-je, sans savoir précisément ce que Gideon avait mis sur la table.

— Mon problème, c'est que je me sens tenu à une certaine loyauté vis-à-vis de Waters, Field & Leaman, reprit Mark en se frottant le menton. Ils m'ont toujours bien traité et ils veulent me garder, même s'ils savent que je suis susceptible de me laisser débaucher par quelqu'un d'autre.

— Tu as fait du super boulot pour eux pendant des années, objecta Steven. C'est eux qui te sont redevables. Tu ne leur dois aucune faveur.

— Je sais. Et ça ne me dérangeait pas de laisser un bureau vide derrière moi parce qu'ils n'auront aucun mal à me remplacer. Mais je n'ai pas la conscience tranquille maintenant que je sais que mon départ risque de leur coûter la campagne LanCorp.

— C'est LanCorp qui a posé ces conditions, intervins-je. S'ils décident de ne pas retenir l'agence, c'est leur problème, pas le tien.

— J'ai essayé de voir les choses sous cet angle. Il n'empêche que je n'ai pas envie que ça arrive.

Le serveur vint prendre notre commande et j'attendis qu'il soit reparti pour lâcher sans détour :

— Je ne peux pas travailler sur la campagne PhazeOne.

Mark et Steven me dévisagèrent.

— Les Landon et les Cross sont des ennemis de longue date, expliquai-je. Gideon m'a fait part de ses craintes, et je comprends son point de vue. Elles sont assez sérieuses pour m'obliger à la prudence.

— Landon sait qui tu es et ça ne lui pose aucun problème, avança Mark en fronçant les sourcils.

— Je sais. Mais PhazeOne représente un très gros enjeu financier. Avoir accès à cette campagne comporte un risque, et je préfère ne pas y contribuer.

Ce n'était pas évident pour moi d'admettre que Gideon avait raison parce que je savais que je n'avais pas tort non plus. Ce qui nous laissait dans une impasse que je ne savais pas comment contourner.

Steven m'étudia attentivement.

— Tu es sérieuse.

— Je le crains. Je ne cherche pas à influencer ta décision, Mark, mais j'ai pensé qu'il valait mieux que tu le saches.

— Je ne suis pas sûr de comprendre, avoua-t-il.

— Elle te dit que si tu restes à l'agence, tu vas perdre et du fric, et ton assistante, clarifia Steven. L'autre choix, c'est de passer chez Cross Industries – ce que tu as déjà accepté de faire –, d'avoir plus de fric et de garder ton assistante.

C'était encore plus compliqué que prévu. Je l'avais entendu dire, mais à présent, je le vivais : quand une femme perd ou quitte un travail qui lui plaît à cause d'un homme, elle lui en veut forcément... Qu'est-ce qui avait bien pu me laisser penser que je serais miraculeusement épargnée ?

— J'ignore encore si je te suivrai chez Cross Industries, Mark.

— C'est de pire en pire, marmonna-t-il.

— Je ne dis pas que je ne te suivrai pas, me sentis-je tenue d'ajouter. Mais je ne suis pas sûre que travailler avec Gideon soit une bonne chose. En gros, je ne sais pas si j'ai envie qu'il devienne mon patron.

— Je regrette d'avoir à le dire, mais je la comprends, opina Steven.

— Ce qui ne m'aide pas à résoudre mon problème, soupira Mark.

— Je suis désolée, murmurai-je.

Il n'imaginait pas à quel point. Je ne pouvais même pas lui offrir un conseil. Comment celui-ci aurait-il pu ne pas être de parti pris ?

— Le bon côté des choses, ajoutai-je, c'est que tout le monde te veut.

Steven donna un coup de coude à Mark.

— Ça, je le savais déjà, déclara-t-il avec un grand sourire.

— Donc, dit Cary en m'entourant les épaules du bras quand je me blottis contre lui, nous resterons encore ici cette nuit.

Encore une nuit chez ma mère. La quatrième d'affilée. Elle avait fini par se montrer soupçonneuse et j'avais avoué m'être disputée avec Gideon, sans lui révéler les raisons de cette dispute. Je doutais qu'elle comprenne. J'étais sûre qu'elle estimerait « parfaitement normal pour un homme dans la position de Gideon de gérer les petits détails empoisonnants ». Et au sujet de mon éventuelle perte d'emploi ? « Pourquoi voudrais-tu travailler quand rien ne t'y oblige financièrement ? »

Non, elle ne comprendrait pas. Certaines filles rêvent de ressembler à leur mère ; je voulais tout le contraire. Et c'était justement ce désir d'être une anti-Monica qui m'incitait à me rebeller contre Gideon. Tout conseil venant d'elle ne ferait qu'empirer la situation. Je lui en voulais presque autant qu'à lui.

— On rentrera à la maison demain, déclarai-je.

De toute façon, je serais bien obligée de voir Gideon au cabinet du Dr Petersen. J'étais terriblement curieuse de savoir comment se passerait la séance. Je ne pouvais m'empêcher d'espérer que Gideon avait franchi une étape cruciale dans sa thérapie. Et si je ne me trompais pas, peut-être y aurait-il d'autres étapes que nous pourrions franchir. Ensemble.

Je croisai les doigts.

Force m'était de reconnaître que Gideon faisait de son mieux pour m'accorder la tranquillité que j'avais demandée. Il aurait pu me coincer dans l'ascenseur ou dans le hall du Crossfire. Ou demander à Raúl de me conduire jusqu'à lui. Mais non, il faisait vraiment des efforts.

— Pas de nouvelles de Trey ? hasardai-je.

Cette façon que nous avions, Cary et moi, de nous retrouver si souvent dans la même situation au même moment relevait du miracle. À moins que nous ne fassions l'objet de la même malédiction.

— Il m'a envoyé un texto pour me dire qu'il pense à moi mais qu'il n'est pas encore prêt à me parler.

— C'est déjà ça.

— Tu trouves ? dit-il en me caressant le dos.

— Oui. J'en suis au même point avec Gideon. Je pense à lui tout le temps, mais je n'ai rien à lui dire pour le moment.

— Qu'est-ce qui va se passer, alors ? Qu'est-ce que tu comptes faire ? Quand vas-tu décider que tu as quelque chose à lui dire ?

Je réfléchis à cela en regardant vaguement Harrison Ford se débattre pour trouver des réponses à ses questions dans *Le Fugitif*, que nous regardions sans le son.

— Quand quelque chose changera, je suppose.

— Quand il changera, tu veux dire. Et s'il ne change pas ?

Je n'avais pas encore de réponse à cela, et lorsque je me risquais à y penser, je devenais un peu folle. À la place, je posai une question à Cary.

— Je sais que tu as décidé d'accorder la priorité au bébé, et tu fais bien. Mais Tatiana n'est pas heureuse. Toi non plus. Quant à Trey… Bref, ça ne satisfait aucun d'entre vous. Alors je me suis dit que tu pourrais peut-être vivre avec Trey, et que vous aideriez tous les deux Tatiana avec le bébé, qu'en penses-tu ?

— Elle ne voudra jamais, ricana Cary. Si elle est malheureuse, elle veut que tout le monde le soit aussi.

— Ça ne devrait pas être à elle d'en décider. Elle est enceinte parce que vous avez été aussi irresponsables l'un que l'autre. Tu n'as pas à faire pénitence pour cela, Cary.

Du pouce, je caressai doucement les cicatrices toutes récentes sur son avant-bras.

— Sois heureux avec Trey. Rends-le heureux. Et si Tatiana n'est pas contente que deux super mecs prennent soin d'elle, c'est... qu'elle a un problème.

Cary pouffa de rire et déposa un baiser sur le haut de mon crâne.

— Ah, baby girl, si seulement tu pouvais résoudre tes propres problèmes aussi facilement !

— J'aimerais bien.

Oui, plus que tout. Mais je savais que ce ne serait pas facile.

Et je redoutais que ce soit impossible.

La vibration de mon cellulaire me réveilla.

Quand je compris d'où venait le bruit, je cherchai mon téléphone à tâtons sur le lit. Le temps que je lui mette la main dessus, je loupai l'appel.

Je l'allumai, clignai des yeux devant l'écran lumineux, découvris qu'il était 3 heures du matin et que c'était Gideon qui m'avait appelée. L'inquiétude chassa le sommeil et mon cœur s'emballa. Une fois de plus, j'étais allée me coucher avec mon téléphone et n'avais cessé de relire les textos qu'il m'avait envoyés.

Je décidai de le rappeler.

— Mon ange, répondit-il aussitôt.

— Tout va bien ?

— Oui. Non, soupira-t-il. J'ai fait un cauchemar.

— Oh ! Je suis désolée.

Je tournai les yeux vers le ciel de lit perdu dans les ténèbres. Ma mère avait une prédilection pour les rideaux occultants, qu'elle trouvait indispensables dans une ville où il ne fait jamais complètement nuit.

Ma réponse était pitoyable, mais que dire d'autre ? Lui demander s'il avait envie d'en parler n'aurait servi à rien. Il ne voulait jamais m'en parler.

— J'en fais souvent, en ce moment, avoua-t-il d'un ton las. Chaque fois que je m'endors, en fait.

Mon cœur se serra. Chaque fois que j'avais cru atteindre le summum de la douleur, j'avais découvert que je m'étais trompée.

— Tu es stressé, Gideon. Je ne dors pas bien, moi non plus. Tu me manques, ajoutai-je.

— Eva...

— Pardon, soufflai-je en me frottant les yeux. Je n'aurais pas dû dire ça.

Il risquait de mal l'interpréter et de souffrir encore plus. Je me sentais coupable de rester à l'écart, même si je savais que j'avais de bonnes raisons de le faire.

— Si, j'ai besoin de l'entendre. Je suis terrorisé, Eva. Je n'ai jamais eu aussi peur. J'ai peur que tu ne reviennes pas... que tu ne me donnes pas une autre chance.

— Gideon...

— Je rêvais de mon père, au début. On parlait sur la plage et il me tenait par la main. Mes rêves se passent souvent sur une plage en ce moment.

Je déglutis, la poitrine oppressée.

— Ça signifie peut-être quelque chose.

— Peut-être. J'étais petit dans mon rêve. Je devais me dévisser le cou pour voir le visage de mon père. Il souriait, mais dans tous les souvenirs que j'ai de lui, il sourit. J'ai beau l'avoir souvent entendu se disputer avec ma mère vers la fin, je ne me souviens de rien d'autre que de son visage souriant.

— Je suis sûre que tu le rendais heureux. Et fier. Il souriait probablement toujours quand il te regardait.

Il demeura silencieux, et je crus qu'il n'en dirait pas plus.

— Je t'ai vue au loin sur la plage, reprit-il finalement. Tu t'éloignais de nous.

Je roulai sur le côté, attentive.

431

— La brise soulevait tes cheveux qui brillaient au soleil. Je trouvais cela très beau et je te montrais du doigt à mon père. Je voulais que tu tournes la tête pour qu'on voie ton visage. Je savais que tu étais très belle et j'avais envie que mon père te voie.

Des larmes coulèrent de mes yeux, mouillant l'oreiller.

— J'essayais de te courir après. Je tirais sur sa main et il me retenait, il riait de me voir courir après une fille à un âge aussi tendre.

La scène qu'il décrivait m'apparaissait clairement. Je pouvais presque sentir le vent dans mes cheveux et entendre le cri des mouettes. Je voyais Gideon enfant, tel qu'il était sur la photo qu'il m'avait donnée, et le charismatique Geoffrey Cross.

Je rêvai d'un avenir semblable. Gideon et moi, marchant le long du rivage avec un petit garçon – le nôtre – qui lui ressemblait. Mon mari riant parce que nos problèmes étaient derrière nous et qu'un avenir radieux nous attendait.

Mais il m'avait parlé d'un cauchemar, je savais donc que le futur que j'envisageais n'était pas celui qu'il avait vu.

— Je tirais de toutes mes forces sur sa main, poursuivit-il, mes pieds nus enfoncés dans le sable. Mais il était tellement plus fort que moi. Et tu t'éloignais de plus en plus. Il a ri encore. Mais cette fois, ce n'était pas son rire. C'était celui de Hugh. Et quand j'ai levé les yeux, ce n'était plus mon père.

— Oh, Gideon ! sanglotai-je.

J'éprouvais une compassion et un chagrin sans nom. J'étais aussi tellement soulagée qu'il se soit enfin décidé à me parler.

— Il m'a dit que tu ne voulais pas de moi, que tu t'en allais parce que tu savais tout et que ça te dégoûtait. Que tu étais pressée de t'enfuir.

— C'est faux ! m'écriai-je en me redressant. Tu sais que ce n'est pas vrai, Gideon. Je t'aime. C'est parce que je t'aime tellement que je pense si fort à tout ça. À nous.

— J'essaie de te laisser tranquille. Mais j'ai l'impression que nos chemins pourraient facilement se séparer. Un jour passe, et puis un autre... Tu t'installes dans une vie où je n'ai plus aucune place... Mon Dieu, Eva, je ne veux pas que tu te lasses de moi.

Je répondis d'une traite, comme si mes pensées se précipitaient hors de ma bouche :

— On peut s'en sortir, Gideon. Je sais qu'on peut. Mais quand je suis avec toi, je me perds en toi. Je veux juste être avec toi et être heureuse, alors je laisse couler et je repousse les problèmes. On fait l'amour, et je me dis que tout se passera bien parce qu'on a cela et que c'est parfait.

— C'est parfait. C'est ce qu'il y a de plus important.

— Quand tu es en moi et que tu me regardes, j'ai l'impression qu'on peut tout vaincre. Mais il faut vraiment qu'on fasse des efforts pour y arriver ! Il ne faut pas qu'on ait peur d'affronter les problèmes qu'on traîne derrière nous sous prétexte qu'on craint de perdre l'autre.

— Je veux juste qu'on passe du temps ensemble sans avoir à gérer toutes ces autres merdes ! gronda-t-il.

— Je sais. Mais on doit le mériter. Et ce n'est pas en s'échappant un week-end ou une semaine qu'on y parviendra.

— Comment le mérite-t-on ?

— Comme ce soir, répondis-je en essuyant les larmes qui séchaient sur mes joues. Tu m'as appelée pour me raconter ton rêve. C'est un grand pas que tu as franchi, Gideon.

— On en franchira d'autres. On doit continuer d'avancer ensemble, sinon on finira par s'éloigner. Ne permets pas que cela arrive ! Je me bats, tu sais, de toutes mes forces. Aide-moi à me battre, Eva.

De nouveau, les larmes affluèrent. Je les laissai couler et restai assise sans rien dire, sachant qu'il m'entendait et qu'il en souffrait.

Je finis par ravaler ma douleur et me décidai sur un coup de tête.

— Je vais aller prendre un café et un croissant dans ce bar qui reste ouvert toute la nuit, à l'angle de Broadway et de la 85e Rue.

Un silence perplexe accueillit cette déclaration.

— Quoi ? Tu veux dire maintenant ?

— Immédiatement, répondis-je en sortant du lit.

La lumière se fit alors dans son esprit.

— D'accord.

Je raccrochai, lançai le téléphone sur le lit et allumai la lumière avant d'aller pêcher dans mon sac de marin la maxirobe jaune que j'y avais glissée parce qu'elle ne se froissait pas et qu'elle était hyper confortable.

Maintenant que j'avais décidé de voir Gideon, j'avais hâte de le rejoindre, mais je n'avais rien perdu de ma coquetterie. Je pris le temps de me brosser les cheveux et d'appliquer une touche de maquillage. Je ne voulais pas qu'en me revoyant après quatre jours d'absence, il se demande ce qui lui avait pris de tomber amoureux de moi.

Mon téléphone vibra, m'annonçant l'arrivée d'un texto. C'était Raúl : *Je suis devant l'immeuble avec la voiture*.

Un frisson de joie me traversa. Gideon était aussi pressé que moi qu'on se retrouve. Ce qui ne l'empêchait pas d'être toujours aussi efficace.

Je fourrai le téléphone dans mon sac, enfilai une paire de sandales et gagnai l'ascenseur.

Gideon m'attendait quand Raúl se rangea le long du trottoir. La plupart des boutiques de Broadway avaient baissé leur rideau de fer, mais l'avenue demeurait brillamment éclairée. Mon mari se tenait sous le store du café, les mains dans les poches de son jean foncé, une casquette des Yankees vissée sur le crâne.

Ç'aurait pu être n'importe quel jeune type sorti prendre l'air. Quoique son corps athlétique et l'assurance dont témoignait sa posture accrochassent le regard. Le mien aurait été à coup sûr attiré et se serait attardé sur lui si je ne l'avais pas connu. Il était moins intimidant quand il ne portait pas l'un de ses costumes trois-pièces, mais restait toujours assez ténébreux et dangereux pour me donner envie de partager avec lui bien plus qu'un flirt.

Qu'il soit en jean ou en Fioravanti, Gideon Cross n'était pas un homme à traiter à la légère.

Il fut près de la voiture avant qu'elle s'immobilise, ouvrit la portière, puis se figea et me dévora d'un regard si brûlant et possessif que j'en eus le souffle coupé.

La gorge nouée, je le contemplai tout aussi avidement. Il était plus beau que jamais, ses traits ciselés comme rehaussés par les tourments qu'il endurait. Comment avais-je pu survivre ces derniers jours sans poser les yeux sur ce visage ?

Il me tendit la main et je m'en emparai, tremblant d'impatience à l'idée de le toucher. Le frôlement de sa peau contre la mienne déclencha une myriade de picotements dans tout mon corps, et mon cœur meurtri revint à la vie.

Il m'aida à descendre de voiture, referma la portière et pianota sur le toit de la voiture afin de signifier à Raúl qu'il pouvait partir. Nous restâmes l'un en face de l'autre, la tension entre nous si palpable que l'air semblait crépiter. Un taxi passa sur l'avenue et fit mugir son avertisseur comme une voiture s'avisait de lui souffler la priorité. Le bruit nous fit sursauter en même temps.

Gideon fit un pas vers moi, le regard sombre sous la visière de sa casquette.

— Je vais t'embrasser, annonça-t-il d'une voix rauque.

Il prit ma joue en coupe, m'inclina la tête et couvrit ma bouche de la sienne. Ses lèvres, si douces et fermes, se pressèrent sur les miennes pour les inciter à s'ouvrir. Sa langue s'insinua, caressante, se retira, puis investit de nouveau ma bouche. Il gémit comme s'il éprouvait une vive douleur. Ou du plaisir. Moi, je ressentais les deux. La caresse de sa langue était délicieuse. Son rythme lent et son agilité relevée d'une pointe de taquinerie, parfaitement dosés pour déchaîner la passion.

Je gémis à mon tour, en proie à une euphorie aussi pétillante que des bulles de champagne. Le sol tangua si fort sous mes pieds que j'enserrai ses poignets pour ne pas tomber.

Les lèvres gonflées, le sexe humide de désir, je laissai échapper un miaulement de protestation lorsqu'il s'écarta.

— Tu vas me faire jouir, murmura-t-il, incapable de résister à la tentation d'effleurer ma bouche de la sienne une dernière fois. Je suis à deux doigts de me ridiculiser.

— Je m'en fiche.

Son sourire dissipa les ténèbres.

— La prochaine fois que je jouirai, ce sera en toi.

Je pris une courte inspiration. Je le voulais aussi, et pourtant je savais que c'était trop tôt. Que nous retomberions trop facilement dans le schéma malsain que nous avions établi.

— Gideon...

Son sourire se fit contrit.

— J'imagine qu'on se contentera d'un café et d'un croissant pour le moment.

Une soudaine bouffée d'amour me submergea et sur une impulsion, je lui retirai sa casquette et fis claquer un baiser sur ses lèvres.

— Mon Dieu, tu m'as tellement manqué ! souffla-t-il, et son regard était si tendre que j'en aurais pleuré.

Je lui remis sa casquette sur la tête, lui attrapai la main et l'entraînai dans le café. Nous nous installâmes à une table près de la fenêtre, l'un en face de l'autre. Mais nos mains ne se quittèrent pas et nos doigts se caressèrent, retrouvant le contact de l'alliance de l'autre.

Nous passâmes notre commande quand la serveuse s'approcha avec les menus, puis de nouveau nos yeux se cherchèrent.

— Je n'ai même pas faim, avouai-je.

— Pas de nourriture, en tout cas.

Je feignis de le fusiller du regard et il sourit. Je lui parlai alors de la proposition que les associés de l'agence avaient faite à Mark.

Le moment paraissait mal choisi pour aborder un sujet aussi terre à terre alors que je vacillais sous le poids de l'amour et du soulagement, mais il fallait que nous continuions à parler. Le retrouver ne me suffisait pas ; je voulais une réconciliation totale et absolue. Je voulais emménager avec lui dans le penthouse rénové, commencer notre vie commune. Pour ce faire, nous devions continuer de dialoguer au sujet de tout ce que nous avions cherché à éviter jusqu'à présent.

— Cela ne me surprend pas, dit-il d'un ton grave à la fin de mon récit. Un budget de cette importance aurait dû être pris en charge par l'un des associés. Mark est doué, mais il n'est que chef de projet. LanCorp a dû sacrément insister pour l'avoir – et toi du même coup. Une telle requête est inhabituelle et aurait dû alerter les associés.

Je repensai à la vodka Kingsman.

— Tu as fait la même chose.

— Oui.

— Je ne sais pas ce que Mark va faire, avouai-je en baissant les yeux. Mais je l'ai prévenu que je ne pourrai pas travailler sur la campagne PhazeOne même s'il reste à l'agence.

La main de Gideon se crispa sur la mienne.

— Tu as de bonnes raisons pour faire ce que tu fais, dit-il posément, même si je ne les aime pas.

Il prit une longue inspiration.

— Est-ce que tu le suivras s'il choisit de travailler pour Cross Industries ?

— Je l'ignore. J'éprouve encore beaucoup de ressentiment. Je ne crois pas que nous pourrions établir une relation de travail saine pour le moment.

— Très bien, acquiesça-t-il.

La serveuse revint avec notre commande et nous dûmes nous lâcher les mains pour lui laisser la place de poser tasses et assiettes. Quand elle s'en alla, un silence pesant s'abattit sur nous. Nous avions tant à nous dire, mais aussi tant de problèmes à résoudre avant.

Gideon se racla la gorge.

— Demain soir – après la séance avec Petersen –, tu m'autoriserais à t'inviter à dîner ?

— Oui, répondis-je sans hésiter, impatiente que j'étais de surmonter cet instant de gêne. Avec plaisir.

Un soulagement identique au mien détendit visiblement ses épaules et je décidai de faire un pas vers lui, moi aussi.

— Will a proposé que nous allions prendre un verre avec Natalie et lui, un de ces soirs.

Un sourire effleura ses lèvres.

— J'en serai ravi.

Nous progressions à petits pas. Nous verrions bien où ils nous mèneraient.

Je repoussai ma chaise et me levai. Gideon s'empressa de m'imiter en me couvant d'un regard inquiet. Je contournai la table, m'assis près de lui et attendis qu'il se rasseye pour me laisser aller contre lui.

Son bras m'encercla et un soupir de satisfaction lui échappa quand je calai la tête au creux de son cou.

— Je t'en veux toujours, lui dis-je.

— Je sais.

— Et je suis toujours amoureuse de toi.

— Dieu merci, souffla-t-il en appuyant la joue sur mon crâne. On va résoudre le reste. Redémarrer.

Assis côte à côte, nous regardâmes la ville s'éveiller. Le ciel s'éclaircit. La vie reprit son cours.

Ce jour nouveau nous offrait une nouvelle chance.

*L'histoire d'Eva et Gideon se poursuivra
dans un livre à paraître prochainement !*

Remerciements

Elles sont innombrables les personnes qui m'ont permis d'écrire, de tenir mes engagements et de préserver ma santé mentale.

Merci à Hilary Sares, qui m'aide à garder le cap en éditant chacun de mes livres. Je me repose bien plus sur vous que vous ne le pensez.

Merci à Kimberly Whalen, agent extraordinaire, pour tout ce que vous faites, mais tout particulièrement pour votre soutien. Il ne se passe pas un jour sans que je vous en sois reconnaissante.

Merci à Samara Day pour m'avoir évité tellement de stress. Je n'ose imaginer à quel point je serais en retard sans toi.

Merci à mes enfants, qui supportent mon absence durant mes longues périodes de travail (et tous les inconvénients liés à celle-ci). Je ne pourrais pas faire ce que je fais sans votre soutien. Je vous aime.

Merci à toutes les équipes sensationnelles de Penguin Random House : Cindy Hwang, Leslie Gelbman, Alex Clarke, Tom Weldon, Rick Pascocello, Craig Burke, Erin Galloway, Francesca Russell, Kimberley Atkins... et je ne fais qu'effleurer le haut de la liste, États-Unis et Royaume-Uni confondus. D'autres équipes accomplissent un travail extraordinaire en Australie, en Irlande, au Canada, en Nouvelle-Zélande, en Inde et en Afrique du Sud. Je leur suis à toutes reconnaissante pour le temps et les efforts qu'elles consacrent à l'édition de mes livres.

Merci à Liz Pearsons et à l'équipe de Brilliance Audio pour avoir réalisé une version audio de mes livres qui ravit mes lecteurs !

Et un grand merci à tous mes éditeurs internationaux qui travaillent infatigablement dans tant de pays. J'aimerais pouvoir vous remercier ici chacun nommément. Sachez que je suis honorée de travailler avec vous.

Crossfire

Ce qu'ils en disent...

Sylvia Day

En tête de liste du *New York Times*, Sylvia Day est l'auteure best-seller, de renommée internationale, d'une vingtaine de romans primés et vendus dans plus de quarante pays. Numéro un dans vingt-trois pays, ses livres ont été imprimés à des dizaines de millions d'exemplaires. La société Lionsgate a acheté les droits de la série *Crossfire*.

Rendez-lui visite sur son site : www.sylviaday.com
sa page Facebook : Facebook.com/AuthorSylviaDay
et sur son compte Twitter : @SylDay

Fascine-moi

Je voulais être son refuge, mais il n'avait nul besoin d'abri contre la tempête ; il était la tempête.

Loin de resserrer nos liens, le serment que nous avions échangé avait rouvert de vieilles blessures, mis à nu la souffrance et la peur, tiré de l'ombre des ennemis pleins de rancœur. J'ai senti Gideon m'échapper, mes pires frayeurs sont devenues réalité, et mon amour s'est trouvé si durement éprouvé que j'en suis venue à douter de mes propres forces.